主　編◎錢超塵
副主編◎王育林　劉　陽

明嘉靖無名氏覆宋刻本《素問》

（上）

《黃帝內經》版本通鑒

第一輯

北京科學技術出版社

圖書在版編目（CIP）數據

明嘉靖無名氏覆宋刻本《素問》：全二册 / 錢超塵主編. —北京：北京科學技術出版社，2019.3

（《黄帝内經》版本通鑒. 第一輯）

ISBN 978 – 7 – 5714 – 0097 – 2

Ⅰ. ①明… Ⅱ. ①錢… Ⅲ. ①《素問》 Ⅳ. ①R221.1

中國版本圖書館 CIP 數據核字（2019）第018234號

明嘉靖無名氏覆宋刻本《素問》：全二册（《黄帝内經》版本通鑒·第一輯）

主　　編： 錢超塵
策劃編輯： 侍　偉　吴　丹
責任編輯： 吕　艷　周　珊
責任印製： 李　茗
責任校對： 賈　榮
出 版 人： 曾慶宇
出版發行： 北京科學技術出版社
社　　址： 北京西直門南大街16號
郵政編碼： 100035
電話傳真： 0086-10-66135495（總編室）
0086-10-66113227（發行部）　0086-10-66161952（發行部傳真）
電子信箱： bjkj@bjkjpress.com
網　　址： www.bkydw.cn
經　　銷： 新華書店
印　　刷： 北京虎彩文化傳播有限公司
開　　本： 787mm × 1092mm　1/16
字　　數： 708千字
印　　張： 59
版　　次： 2019年3月第1版
印　　次： 2019年3月第1次印刷
ISBN 978 – 7 – 5714 – 0097 – 2/R · 2584

定　　價： **1390.00元（全二册）**

#《〈黃帝内經〉版本通鑒·第一輯》編纂委員會

主　編　錢超塵
副主編　王育林　劉陽

前言

中醫是超越時代、跨越國度、具有永恒魅力的中華民族文化瑰寶，是富有當代價值、保護人體健康的生命科學，它將伴隨中華民族而永生。中醫學核心經典《黄帝内經》，包括《素問》和《靈樞》，奠定中醫理論基礎，指導作用歷久彌新，是臨床家登堂入室的津梁，理論家取之不盡的寶藏，是研究中國傳統文化必讀之書。

讀書貴得善本。章太炎先生鍼對中醫讀書不注重善本的問題，指出：『近世治經籍者，皆以得真本爲亟，獨醫家爲藝事，學者往往不尋古始。』認爲這是不好的讀書習慣；又説：『信乎，稽古之士，宜得善本而讀之也！』閲讀《黄帝内經》，必須對它的成書源流、歷史沿革、當代版本存佚狀况有明確的認識，纔能選擇佳善版本，獲取真知。

《黄帝内經》某些篇段出於战國時期，至西漢整理成文，《漢書·藝文志》載有『《黄帝内經》十八卷』。西晋皇甫謐《鍼灸甲乙經》類編其書，序云：『《黄帝内經》十八卷，今《鍼經》九卷，《素問》九卷，即《内經》也。』説明《黄帝内經》一直分爲兩種相對獨立的書籍流傳，一種名《素問》，一種名《鍼經》。《鍼經》即《靈樞》的初名，在流傳過程中也稱《九卷》《九靈》《九墟》，東漢末張仲景、魏太醫令王叔和均引用過《九卷》之名。

《素問》的版本傳承相對明晰。南朝梁全元起作《素問訓解》存亡繼絶，唐初楊上善類編《太素》取之。唐中期乾元三年（七六〇）朝廷詔令《素問》作爲中醫考試教材。唐中期王冰以全元起本爲底本作注，收入『七篇大論』，改爲二十四卷八十一篇，爲《素問》的流行奠定基礎。北宋天聖五年（一〇二七）、景祐二年（一〇三五）兩次以全元起本爲底本雕版刊行。北宋嘉祐年間（一〇五六—一〇六三）校正醫書局林億、孫奇等以王冰注本爲底本，增校勘、訓詁、釋音，仍以二十四卷八十一篇刊行。此後《素問》單行本均以北宋嘉祐本爲原本，歷南宋（金）、元、明、清至今，形成多個版本系統。二十四卷本，以金刻本（存十三卷）、元讀書堂本、明顧從德覆宋本、明無名氏覆宋本、明周曰校本、明《醫統正脉》本爲代表；十二卷本，以元古林書堂本、明熊宗立本、明趙府居敬堂本、明吴悌本爲代表；五十卷本，即道藏本；此外還有明清注家九卷本、日本刻九卷本等。南宋、北宋及更早之本俱已不存。

《靈樞》在魏晋以後至北宋初期的傳承情況，因史料有缺而相對隱晦。唐初楊上善類編《太素》收入《九卷》。唐中期王冰注《素問》引文，始有『靈樞經』之稱。因存本不全，北宋校正醫書局未校《靈樞》。遲至元祐七年（一〇九二），高麗進獻《黄帝鍼經》，始獲全帙，於元祐八年（一〇九三）正月由北宋政府頒行。此後《靈樞》再次沉寂，至南宋紹興乙亥（一一五五），史崧刊出家藏《靈樞》，將原本九卷校正並增修音釋，勒成二十四卷。此本成爲此後所有傳本的祖本，流傳至今形成多個版本系統。其中二十四卷本，以明無名氏仿宋本、明周曰校本爲代表；十二卷本，以元古林書堂本、明熊宗立本、明趙府居敬堂本、明田經本、明吴悌本、明吴勉學本爲代表；二十三卷本，即道藏本；此外還有明詹林所二卷本、道藏《靈樞略》一卷本、日本刻九卷本等。

《素問》《靈樞》各有單行本之外，《黄帝内經》尚有類編本。西晋皇甫謐《鍼灸甲乙經》，將《素問》《九卷》《明堂孔穴鍼灸治要》三書類編，但編輯時『删其浮辭，除其重複』，故與《素問》《靈樞》對勘，《鍼灸甲乙經》文句每不全足。唐代楊上善《黄帝内經太素》三十卷，將《九卷》《素問》全文收入，不加删掇，詳加注釋。《黄帝内經太素》的文獻價值巨大，但南宋之後却沉寂無聞，直到清光緒中葉，學者楊守敬在日本發現仁和寺存有仁和三年（八八七，相當於唐光啓三年）舊鈔卷子本，存二十三卷，遂影寫携歸，一時轟動醫林。嗣後日本國内相繼再發現佚文二卷有奇，至此《太素》現存二十五卷，堪稱《黄帝内經》版本史上的奇迹。

綜觀《黄帝内經》版本歷史，可謂一縷不絶，沉浮聚散；視其存亡現狀，又可謂同源異派，星分飄零。現存《黄帝内經》善本分散保存在國内外諸多藏書機構，此前囿於信息交流、印刷技術，從未有大規模集中最優秀版本出版的先例。當今電子信息技術發展日新月異，互聯網的普及使信息交流具有前所未有的廣泛性、時效性，乘此東風，《黄帝内經》現存的諸多優秀版本得以鳩聚刊印，爲中醫從業者及愛好者、傳統文化學者集中學習、研究提供便利。《〈黄帝内經〉版本通鑒》叢書，是首次對《黄帝内經》精善本的大規模集中解題、影印，目的是保存經典、傳承文明、繼往開來，爲振興中醫奠基，爲中華文化復興增添一份助力。

《〈黄帝内經〉版本通鑒·第一輯》，精選十二部經典版本，包含《素問》八部，《靈樞》二部，《黄帝内經太素》一部，《黄帝内經明堂》一部。列録如下。

①金刻本《素問》；②元古林書堂本《素問》；③元古林書堂本《靈樞》；④明熊宗立本《素問》；⑤明嘉靖無名氏覆宋刻本《素問》；⑥明嘉靖無名氏仿宋刻本《靈樞》；⑦明吴悌本《素問》；⑧明趙府居敬堂本《素問》；⑨明萬曆朝鮮内醫院活字本《素問》；⑩日本摹刻明顧從德本《素問》；⑪仁和寺本《黄帝内經太素》；⑫仁和寺本《黄帝内經明堂》。

這十二部經典版本，其特點如下。

（1）金刻本《素問》，是現存刊刻時代最早的版本，其年代相當於南宋時，版本價值極高。

（2）元古林書堂本《素問》《靈樞》各十二卷，刊刻時代僅次於金刻本，且所據底本爲孫奇家藏本，總體精善，此本已進入聯合國教科文組織《世界記憶亞太地區名録》。

（3）最新發現的『明嘉靖無名氏覆宋刻本《素問》』『明嘉靖無名氏仿宋刻本《靈樞》』各二十四卷合刊本，疑爲明嘉靖前期陸深所刻。此本《素問》各藏書機構多誤録作顧從德覆宋刻本，今考證得實，宇内尚存至少四部，擇品相優者影印推出，屬於史上首次。此本《靈樞》在一九九二年曾由日本經絡學會在版本不明的情况下影印出版，流傳稀少，今考證尚存世至少六部，兹擇品相佳者影印推出，在國内亦屬首次。

（4）《素問》《靈樞》合刊本兩種最具代表性：元古林書堂本是《素問》《靈樞》十二卷本之祖；明

嘉靖無名氏本是現存《靈樞》二十四卷本之祖，同刊《素問》是明周曰校本的底本。

（5）明代其餘四種《素問》均以元古林書堂本爲底本刊刻，而各有特色：熊宗立本爲明代最早，摹刻極工，添加句讀；吴悌本是罕見的去注解白文本；趙府居敬堂本品相上佳，是長期流傳廣泛的國内通行本之一；朝鮮内醫院活字本是現存最早《素問》活字本。

（6）日本摹刻明顧從德本《素問》屬『後出轉精』之作。此本爲日本安政三年（一八五六）由度會常珍所刻，所據底本爲澀江全善藏顧從德本，另據《黄帝内經太素》等校改誤字，澀江全善及森立之父子並參校讎。

（7）仁和寺本《黄帝内經太素》，屬類編《黄帝内經》最經典版本。原卷子抄寫時將楊上善撰注的《黄帝内經明堂類成》殘卷列首（因《黄帝内經太素》缺第一卷），今别析分刊。

本套叢書内的仁和寺本《黄帝内經太素》及《黄帝内經明堂》之底本由北京神黄科技股份有限公司總經理王和平先生免費提供，此義舉體現了王先生襄贊中華文化傳承事業的殷殷之念，在此謹致謝忱與敬意。

《〈黄帝内經〉版本通鑒》卷帙浩大，爲出版這套叢書，北京科學技術出版社章健總編、侍偉主任，以及編輯吴丹、吕艷、李兆弟等同仁以極高的使命感和責任心，付出了極大的心血和努力，克服了諸多困難，終成其功，謹此致以崇高敬意。相信這套叢書的推出，必不辜負同仁之望，在促進中醫藥事業發展、深化祖國傳統文化研究、增强國家文化軟實力等諸多方面做出應有的貢獻。

囿於執筆者眼界、學識，諸篇解題必有疏漏及訛誤之處，請方家、讀者不吝指正。

錢超塵

［説明：爲更準確地體現版本、訓詁學研究的學術内涵，撰寫時保留了部分異體字的使用，所選擇字樣如下：欬（欬嗽）、鍼（鍼灸）、並（並且）、倂（合倂）、嶽（山嶽）、異（異同）。］

目　録

明嘉靖無名氏覆宋刻本《素問》（上）……一
明嘉靖無名氏覆宋刻本《素問》（下）……四六九

《黄帝内經》版本通鑒·第一輯

明嘉靖無名氏覆宋刻本《素問》（上）

解題 劉陽

解　題

明清以來的《素問》刻本，學界多以明嘉靖二十九年庚戌（一五五〇）顧從德覆宋刻本（以下簡稱顧本）爲最善。在《素問》的版本歷史上，還有一種明刻二十四卷本（今命之爲《素問》『明嘉靖無名氏覆宋刻本』），屢見於清人及同時代日本書志目録及題跋，每每與顧本並論，謂其酷肖而精善難分軒輊。但自二十世紀初以來，《素問》『明嘉靖無名氏覆宋刻本』却銷聲匿迹。今訪得此本（據筆者瞭解，宇内至少尚存四部），輒以影印出版，以饗讀者。

該版本特徵如下。

（1）題『重廣補注黄帝内經素問』，二十四卷，無刊刻者姓氏、刊行時間。覆宋刻，版式、文字摹刻細節與顧本酷似。半葉十行，行二十字，注文小字雙行，行三十字，左右雙邊，白口，單黑魚尾。版口刻『内經』二字（目録葉作『目録』二字），下方刻刻工姓名。文字避宋諱，殷、匡、炅、恒、玄、徵、鏡字，並缺末筆。

（2）書葉有誤刻誤裝：①卷十第二葉，脱，誤裝卷十八第三葉，重出；②卷十三第三葉，版心卷次、葉碼無訛，版面正文誤刻爲同卷第五葉内容；③卷十九第二葉，版心卷次、葉碼無訛，版面正文誤刻爲同卷第十九葉内容；④卷十九第三葉，版心卷次、葉碼無訛，版面正文誤刻爲同卷第十八葉内容；⑤卷二十第十一葉，版心卷次、葉碼無訛，版面正文誤刻爲卷二十二第二十一葉内容。（按，美國柏克萊加州大學東亞圖書館藏本皆抽去另抄配。）

（3）與顧本相較，其相異之處有：①無顧從德跋文；②版心下方刻工姓名時有缺失，而顧本無缺；③宋臣序第二葉之刻工名氏『陳仁』，顧本作『陳德』；④王冰序第五葉上六行，『不元玉册』，顧本作『天元玉册』；⑤卷一第十五葉下十行，『因於暑氏』，顧本作『因於暑汗』；⑥卷三第十二葉下八行，『以古視』，顧本作『以占視』；⑦卷七第一葉上八行，『■喘』，顧本作『故喘』。

（4）與《新刊黃帝内經靈樞》二十四卷合刊，其版式、字體風格高度一致。二者相異處有以下幾點：①魚尾颜色，《靈樞》白，《素問》黑；②《靈樞》版心下方全無刻工姓名，《素問》有而不全；③《靈樞》序文、正文葉碼各自獨立，《素問》序文葉碼下與正文卷一接續；④《靈樞》文字無避諱，《素問》嚴避宋諱。

經考證，該版本可能是陸深（一四七七—一五四四）所刻，刊刻時間可能在明嘉靖前期一五四○—一五四四年（見附文《明嘉靖無名氏覆宋刻〈素問〉、仿宋刻〈靈樞〉存本搜考記》）。

附：明嘉靖無名氏覆宋刻《素問》、仿宋刻《靈樞》存本搜考記

《素問》自北宋校正醫書局校正刊行後，迭經傳刻，今存世之本，主要形成兩大版本系統：其一，以明嘉靖二十九年庚戌（一五五〇）顧從德覆宋刻本（以下簡稱顧本）爲代表的二十四卷本系統，還包括金刻本（存十三卷）、元讀書堂本、明周曰校本、明醫統正脉本等；其二，以元後至元五年（一三三九）胡氏古林書堂刻本爲代表的十二卷本，還包括明趙府居敬堂本、明熊宗立本、明吴悌本等。此外有《道藏》五十卷本，鮮見流通。在林林總總的衆多傳本中，有一種精善的二十四卷本《素問》若存若亡，雖屢見於多種書志目録及題跋，著録者言之鑿鑿，但二十世紀以來却未有明確實物現世，令人扼腕。兹録列其記録如下。

其一，《天禄琳琅書目》卷九，明版子部：

重廣補注黄帝内經素問（一函十册）

二十四卷，唐王冰注，宋林億、孫奇、高保衡校正，孫兆改誤。前億等進書序，次冰原序。

按，晁公武《讀書志》、陳振孫《書録解題》俱稱王冰自號啓元子，陳氏又稱其爲寶應中人，官太僕令，而王冰之名載於《讀書志》及《文獻通考》者並作『砅』，惟《宋史·藝文志》仍作『冰』字，與此書同。

按，《集韵》《韵會》諸書，『砅』並音砰，爲水擊出岩聲，與『冰』字音義迥别，據此書作『冰』，則知晁、馬二家之誤也。又按，《宋史·藝文志》及晁、陳諸家著録，皆第稱《黄帝内經素問》二十四卷，而無『重廣補注』之名，則此本定爲明人翻刻時所加名目，且《書録解題》但稱林億、高保衡承詔校定，並無孫奇之名，亦不言有孫兆改誤之事，今本增入孫奇、孫兆二人，則『重廣補注』之名當即爲此二人所加矣。書中遇宋諸廟諱皆從缺筆，蓋僞充宋槧之所爲，然橅刻特精，固翻板之絶佳者。林億於宋嘉祐中官光禄卿，見《至元嘉禾志》。孫奇諸人無考。

『嘯月眠雲』及『丈夫意氣相許』二印未詳。

重廣補注黄帝内經素問（二函十四册）

篇目同前。

橅印在前部之後，墨色少差，而實爲一版也。

其二，日本内閣文庫藏原江户醫學館藏明刊本二十四卷《新刊黄帝内經靈樞》，日本天保十一年（一八四〇）丹波元堅手跋：

右《素問》《靈樞》各二十四卷，不著刊行姓氏與其歲月。考《天禄琳瑯書目》明版子部，有《重廣補注素問》一函十册，稱：『書中凡遇宋諸廟諱皆從缺筆，蓋僞充宋槧之所爲，然橅刻特精，固翻板之絶佳者。』想即此本也。然其《素問》則此間往往見之，更有顧從德覆刻，及吴勉學《醫統正脉》所收重雕本，並多現行。特至《靈樞》，則《琳瑯書目》既缺載之，而予所曾見止亡友伊澤憺甫所藏一部，殆絶無而僅有者已。兹者浪華書賈郵寄此本，雙璧宛然，紙刻蠲潔，足以驚人，况《内經》之存今者莫善於此，則豈何不什襲藏之耶！　天保十一年清明日，丹波元堅識於三松書屋南軒。

其三，森立之《經籍訪古志補遺·醫部》著録：

重廣補注黄帝内經素問二十四卷（明代摸刻宋本　聿修堂藏）

每半板高七寸强，幅五寸二分，十行，行廿字，注文雙行三十字，每卷末附釋音，板心記刻手名氏，不記刊行年月，每卷捺『東井文庫』（朱文）、『静然之印』（朱白相錯）二印。

柳沜先生跋曰：右本與顧氏所刻同從北宋板重雕者，若殷、匡、炅、恒、玄、徵、鏡字，並缺末筆，其楮墨鋟摹並臻精妙，遠過顧刻。　卷首鈐『東井文庫』印，蓋係慶元間名醫一溪先生舊物。

或曰，此本檢其體式，恐非北宋舊刊，據標目『重廣』字，卷首署諸臣銜名，俱似非當時之式，南宋刊經傳往往附釋音，此本亦然。

按，《素問》以此本爲最正。　而明代覆刻者凡有三種：其一，嘉靖庚戌顧定芳所重雕，其行款體式一與此同。（首有顧從德序。《松江府志》及《秦漢印統》舉顧氏世系履歷宜考。）其一爲無名氏所刊，板式亦同，不記梓行歲月，文字或有訛，蓋係坊間重雕。（存誠藥室藏。）其一爲吴勉學重雕顧氏本，收在《醫統正脉》中，卷首宋臣序，『序』字作『表』，板心文字頗屬削却。

又有萬曆甲申周曰校刊本，卷數與此同，今細勘之，實以無名氏仿宋本爲原，皇國二百年前活字配印本（容安書院藏）及寬文三年刊本並據此本，寬文本序後稱吴勉學重校梓，每卷宋臣名銜，次稱熊宗立句讀，蓋坊間求售伎倆，不復周氏之舊。　又潘之恒《黄海》所收本，亦依無名氏仿宋本（昌平學藏）。

新刊黄帝内經靈樞二十四卷（明代無名氏仿宋本　存誠藥室藏）

每卷末附釋音，不記刊行年月，每半板高六寸九分，幅五寸强，十行，行廿字。

按，此原與《素問》（已見上）合刊，檢其板式亦覆刻宋本者，然諱字無缺筆，殆南渡以後物乎？今行《靈樞》唯此爲最善。伊澤氏酌源堂藏亦有之。

周曰校本卷數亦與此同，即與《素問》合刻者，皇國重刊本文字多訛，亦非周氏之舊。

其四，清代耿文光《萬卷精華樓藏書記》卷七十八，子部五，醫家類一著録。

重廣補注黄帝内經素問二十四卷　唐王冰注

明本。此仿宋刻，無刊書年月，款式悉依宋本之舊，第一行題『重廣補注黄帝内經素問』，第二行題『啓元子次注』，林億、孫奇、高保衡等奉敕校正，孫兆重改誤。首目録，次校書表，次王冰序，每葉二十行，每行正文二十字，小注三十字，板口刻『内經』二字，下刻校書人名。案《漢志》内經十八卷，别有外經三十七卷，久佚，人無知者。《隋志》素問九卷，注云梁八卷。《宋志》素問二十卷，唐王冰注，今所行者即此本。又素問八卷，隋全元起注，此本今不可得，林億所校多采元起之説，故書内標全元起注第幾。（《唐志》全元起著素問九卷。）《崇文總目》以《通考》所載皆二十四卷，『素問』之名或云以素帛書所問，或云黄帝與岐伯素所問答。王冰，宋槧本作『冰』，晁志作『砅』，自號啓元子。《唐書·宰相世表》稱冰爲京兆參軍，《人物志》稱太僕令，校本引之，故醫家皆稱王太僕。岐黄之書或視爲無要，或茫然不解，諸家書目尤不經意，余深通斯理，故所著特詳。案問不必爲黄帝所著，然其微言奥義必有受，與他書之僞托者迥别，其中古言古字尤資考證，是真漢學之書也。此本紙墨皆佳，世所盛稱，余以重價得之，真堪寶貴。恭讀《天禄琳琅書目》所著宋本，與此本同，寶應元年冰序，校正銜名每卷末附音義亦同。一本爲長洲顧氏所藏，有『秀野草堂顧氏藏書印』『顧嗣立印』。一本爲陳選所藏，有『戲墨樓』三字印，『克庵』印，『方壺山人』四字印。一本爲太倉王氏所藏，有『婁東』二字印，『掃花庵鑒賞』五字印，『王時敏印』。三本皆一板所印，不著靈樞。又一本，板心有『紹定重刊』四字，松江朱氏藏本，有『文石朱氏家藏圖書印』。一本素問靈樞並著，有史崧序，亦每卷附音義，崧序云『家藏舊本靈樞』是，此書至南宋始出也。

黄帝内經靈樞二十四卷 是書宋志九卷與素問並行

明本。仿宋刻，每葉二十行，正文二十字，無注。前有目録，凡八十一篇。宋紹興乙亥錦官史崧序，首行題『新刊黄帝内經靈樞』，每卷末附音釋，第一篇内有缺葉。

其五，臺北圖書館藏本《重廣補注黄帝内經素問》二十四卷（書號05862），光緒十一年（一八八五）楊守敬手書題記（語及此本，其文字用下劃綫標示）：

宋槧黄帝内經素問廿四卷，缺北宋諸帝諱，雖未必即嘉祐初刻本，而字體端雅，紙質細潔，望而知爲宋槧。按，此書自元代古林書堂合併爲十二卷，明趙府居敬堂本、熊宗立本、黄海本皆因之，遞相訛謬不可讀。其廿四卷之本，明代有三刻：一爲嘉靖間顧從義本，體式全與此本同，而板心皆有刻工之姓名；一無名氏翻刻本，體式亦同，板心姓名則有載，有不載；一爲萬曆間周曰校刻本，則體式行款盡行改易，不復存原書面目（三書余皆有之）。此本則板心姓名全無。疑顧氏及無名氏皆從嘉祐刻本出，但經明人摹刻，輪廓雖具，意度已失，此則宋人以初刻印本上木，時代既近，手腕相同，故宛然嘉祐原本(唯板心姓名,在宋代翻刻,此等無關精要,故特去之,不足怪也),且首尾完具,近來著録家皆未之及,知爲海内稀有之本,亟重裝而藏之。光緒乙酉三月,宜都楊守敬記。

其六,以上楊守敬所語及其所藏的『無名氏翻刻本』現無可查,但一九九二年日本經絡學會影印的《素問·靈樞》附有小曾户洋文章《顧從德本素問與無名氏本靈樞》,引用了該書的楊守敬題記:

明刊仿宋素問二十四卷

無名氏重刊宋本素問,體式與顧從義本同,唯中縫刻工人姓名有載、有不載稍異。顧氏本刻於嘉靖時,此本相其紙質,當亦同時出,工拙亦在伯仲間,雖不及余所藏宋本,然以視熊宗立、周曰校本諸刻,則有雅俗之弁矣。光緒癸未八月,宜都楊守敬記。

總結以上記録,此種明刊《素問》具以下幾個特徵:第一,覆刻宋本,作二十四卷,題名『重廣補注黄帝内經素問』,無刊行者姓名及年月;第二,版式與顧本極爲相似,區别僅在於版心刻工姓名摹刻未全;第三,原與二十四卷《靈樞》合刊,《靈樞》作仿宋刻(無避諱)。

學者對此本贊譽有加,《天禄琳琅書目》云:『槧刻特精,固翻板之絶佳者。』森立之云:『《素問》以此本爲最正。』又引柳沜先生(丹波元胤)跋云:『其楮墨録摹並臻精妙,遠過於顧刻。』耿文光云:『此本紙墨皆佳,世所盛稱,余以重價得之,真堪寶貴。』但遍覽國内外影印及校注本,毫無此本踪迹,筆者一度以爲已亡佚不存,深以爲憾。

二十一世紀以來,電子技術突飛猛進,國内外多家圖書館以掃描電子圖版的形式在網絡上公布館藏古籍,惠及全世界普通讀者,其中包括漢籍醫書,流出不少善本珍品。筆者通過搜集電子資源,最初由美國柏克萊加州大學東亞圖書館藏《素問》二十四卷、《靈樞》二十四卷合刊本，啓發疑竇，進一步看到更多電子本，互參細考，最終發現：明無名氏覆宋刻二十四卷《重廣補注黄帝内經素問》尚存世至少四部；現學界所謂『明無名氏本《靈樞》二十四卷』實爲此本之合刊本，尚存至少六部。現將該版本發現與考證過程詳述如下。

一 柏克萊藏本（與《靈樞》合刊）的發現與考證

（一）『明無名氏覆宋刻本』的確認

筆者網上偶然獲得電子版柏克萊加州大學東亞圖書館藏《重廣補注黄帝内經素問》二十四卷，八册，合刊《新刊黄帝内經靈樞》二十四卷，四册，共十二册，分兩函裝。

《素問》第一册扉葉貼有一張卡片，印有牌記，題：上欄『嘉業堂藏書』，下右欄『子部醫家類』，下中欄『黄帝内經素問／二十四卷／唐王永（冰）注』（手寫填入），下左欄『嘉靖覆刊宋本 十二册』（『嘉靖覆刊宋』『十二』爲手寫填入）。同刊《靈樞》第一册扉葉亦貼一張卡片，印有同款牌記，題：上欄『嘉業堂藏書』，下右欄『子部醫家類』，下中欄『靈樞經二十四卷』（手寫填入），下左欄『本 册』（未填寫版本及册數）。

《素問》版式，半葉十行，行二十字，注文小字雙行，行三十字，左右雙邊，白口，單黑魚尾。版口刻『内經』二字（目録葉作『目録』二字），下刻刻工姓名，此等制度，悉與顧本同，惟刻工姓名有缺失，不如顧本之全。又宋臣序第二葉之刻工名氏，此本作『陳仁』，而顧本作『陳德』。卷八第十七葉、卷九第六葉、卷九第十葉、卷十第二葉、卷十三第三葉、卷十九第二及第三葉、卷二十第十一葉抄配。

文序作『宋臣序—王冰序—目録—正文』，但查正文卷一首葉葉碼爲『六』，其所接上葉目録末葉葉碼爲『四』，再查在前的王冰序末葉葉碼正作『五』，此必裝幀有誤。調整後正確的文序應是『目録—宋臣序—王冰序—正文』，與顧本合。避宋諱，殷、匡、炅、恒、玄、徵、鏡字，並缺末筆，與顧本同。文字之點畫氣度，亦與顧本絶相近似。惟正文内有少量误字，仍不若顧本精審，如卷一第十五葉下十行『因於暑氏』顧本作『因於暑汗』，是。

以上版本特點，與有關書志目録、題跋描述的明無名氏覆刻宋本《素問》的三個特徵完全符合。而同刻的《靈樞》版式、字體風格與《素問》高度一致，僅魚尾顔色作白色，版心下無刻工姓名，文字無避諱。考慮進一步核實取證，如果能够有存世的同版别本，與上述版本進行『平行對照』，就更加穩妥。幸運的是，上文引述的日本天保十一年（一八四〇）丹波元堅手跋提及的，與二十四卷《素問》同刊的二十四卷本《靈樞》，國立公文書館網站已開放圖像瀏覽並提供電子版下載（同刻《素問》未見）。經查詢，『日本所藏中文古籍數據庫』著録此本如下。

子部 醫家類 醫經

新刊黄帝内經靈樞二十四卷，宋史崧校，明刊，四册

多紀元堅手跋本

公文書館，江户·醫學館本。内閣文庫300—161

多紀元堅即丹波元堅。筆者將此電子本與柏克萊藏本，同時與日本經絡學會一九九二年影印的日本内經醫學會藏明無名氏本《靈樞》比對，發現它們版式完全相同，文字包括所有具有版本特色的墨丁位置和形狀也都完全一致，也就是説，它們全部都是學界習稱的《靈樞》無名氏本。再對照丹波元堅手跋内容，各項細節若合符契，洵可驚異。

至此已可判定：柏克萊加州大學東亞圖書館藏《重廣補注黄帝内經素問》二十四卷，即是前述多種書志目録及題跋所稱的明無名氏覆宋刻本。與之合刊的《新刊黄帝内經靈樞》二十四卷，即是學界所習稱、此前舉世僅見一部的『明無名氏本《靈樞》』。

（二）收藏、流傳脉絡考證

柏克萊藏本《素問》鈐印有：『吴興劉氏嘉業堂藏書記』朱文長方印，『觀』朱文圓印，『遵王』朱文方印，『醉月主人』朱文方印，『洞庭柳容邨經眼』朱文方印，『搜訪人間未見書』白文方印，『柳』朱文方印，『容邨經眼』白文方印，『隱螺』朱文方印，『可秋』朱文方印。《靈樞》無『洞庭柳容邨經眼』『醉月主人』『搜訪人間未見書』三方印，其餘同《素問》。

遵王，是清代藏書家、版本學家錢曾（一六二九——一七〇一）的字，其父錢裔肅和族曾祖錢謙益均爲藏書家。錢曾先後繼承父藏和錢謙益絳雲樓焚餘之書，聚書至四千一百餘種，内多宋元刻本和精鈔本。此書當經錢曾收藏，然其《述古堂書目》《也是園書目》均未著録，又《絳雲樓書目》卷三録《素問》九卷，亦非此本，故已無法追溯其早期更詳細的流傳情況。

『吴興劉氏嘉業堂藏書記』之印，表明此書曾被嘉業堂收藏。嘉業堂是近代著名的私人藏書樓，其主人劉承幹（一八八一—一九六三）從事以傳統典籍爲主的收藏、刊刻活動，始於清朝末年，經歷二十餘年的發展，於二十世紀三十年代達到高峰，藏書量達到二十萬册、六十萬卷，被稱爲近代私家藏書的巨擘。經歷了短暫的輝煌之後，劉氏的藏書事業旋即衰落，從四十年代初至五十年代初，樓藏圖書精華相繼流出，部分流失到了海外。本書應即輾轉流傳至加利福尼亞大學柏克萊分校者。

『洞庭柳容邨經眼』，『柳』『容邨經眼』皆柳容邨印。柳氏或稱柳蓉村、柳蓉春，爲民國初期滬上（今上海市）著名書商，開設博古齋，與嘉業堂主人劉承幹多有往來。劉承幹日記云：『蓉村在敝處交易有年，其人誠實可靠，决不有所游移……蓉村謹慎，非長美可比也。』故此書當是柳容邨所收，又售於劉承幹者。

『醉月主人』朱文方印、『搜訪人間未見書』白文方印、『隱螺』朱文方印、『可秋』朱文方印，四印未詳。

《嘉業堂藏書志》卷三子部醫家類著録：『重廣補注黃帝内經素問二十四卷新刊内經靈樞二十四卷（明刻本）。』與柏克萊藏本電子版合。而繆荃孫解題云：『明周曰刻，有音釋。兩書至元本即併成二十卷。嘉靖顧從德本又刻《素問》，無《靈樞》。他書目罕見著録。』按，此解文義略不通順，又有誤。此本不當判爲周曰校本。『周曰』應作『周曰校』，亦稱『周對峰』，明萬曆間金陵人，其所刻《黃帝内經》，雖卷數同，但版式全異，另其每卷首有題『綉谷書林周曰校刊行』（『刊行』或作『重刊』），皆可明辨，繆氏未審。『併成二十卷』，實當是二十四卷。考《嘉業堂藏書志》從一九一七年開始編纂，最初交繆荃孫主持，至一九一九年繆氏身殁，兩年間共完成一千二百種圖書的著録。其時繆氏年事已高，精力不濟，解題文字很少爲親自評斷者，往往采用《四庫提要》或前人評騭。其後又延吴昌綬續編，據復旦大學藏《嘉業堂藏書志編纂擬例》稿本，吴氏對繆稿頗有微詞：『繆老筆墨，往往兩字爲句（其自著中即有之），如「佳甚」之類。仿肆口吻，通行俗字，一概欄入。且爲晚年所作，有僅寫數字而語氣不完整者（如寫「持静齋」三字，欲有所引而未及者）；有僅記其人之姓名而忘其名字，空格已待補者，及所引書名訛□，尤難僂數。更有一書兩見，疑不盡出繆手者。』陳乃乾《上海書林夢憶録》亦載：『然筱珊對於此事，實未經經心，僅規定一種格式，囑子侄輩依樣填寫而已。』據此則本條解題之誤或因繆氏年事已高，編修工作繁重而失考，或因非經其手，由其子侄依樣填寫，而其後輩學術水平不及所致。

嘉業堂的藏書是如何流傳到柏克萊的呢？據《嘉業堂志》云：『一九四九年初，美國柏克萊加州大學東亞圖書館艾爾温（Richard Irwin）在上海購得嘉業堂舊藏善本一批。』但周欣平認爲此説不確，他的結論是：『柏克萊加州大學東亞圖書館現存的這一批嘉業堂舊藏應該有以下三個來源：一是一九四九年艾爾温從上海商務印書館購得嘉業堂藏明清方志十六種和明刻本《道藏輯要》一種，共十七種；二是一九七二年柏克萊加州大學東亞圖書館從新加坡購得的「賀蔣藏書」中含兩種嘉業堂舊藏的明刻本；三是一九五〇年從日本三井文庫采購了其餘六十種珍貴的嘉業堂善本，包括宋元刊本、明清刻本、稿本、鈔本和四庫全書寫本和另外一種民國期間的刊印本。』若從此説，則明無名氏覆宋本《素問》、仿宋本《靈樞》是柏克萊加州大學於一九五〇年間接從三井文庫購入。而嘉業堂藏書如何流入三井文庫，其秘辛已很難瞭解。

二〇〇五年出版的《柏克萊加州大學東亞圖書館中文古籍善本書志》收録了四種版本的《黄帝内經》，其中三種亦見於《嘉業堂藏書志》，現皆有電子版本流出，可資查閱。在著録此本時，作：

308 R127. 1. C56

重廣補注黄帝内經素問二十四卷

唐王冰注，宋林億等校正，宋孫兆改誤，附新刊黄帝内經靈樞十二卷，明刻本，十二册。匡高二十一點四厘米，廣十四點七厘米。半葉十行，行大字二十，小字三十，左右雙邊，白口，單魚尾，版心鎸刻工名。卷端題『啓玄子次注林億、孫奇、高保衡等奉敕校正，孫兆重改誤』。首目録，次國子博士高保衡、光禄卿直祕閣林億等序，次寶應元年王冰自序，後列孫兆、高保衡、孫奇、林億銜名四行。各卷末附『音釋』。

此翻刻嘉靖二十九年顧從德本，行款、刻工名一依原本，字劃較劣，無顧氏後跋。曾經柳蓉邨、劉承幹收藏。《嘉業堂藏書志》著録。

鈐有『遵王』朱文方、『觀』朱文圓、『柳』朱文方、『容邨經眼』白文方、『洞庭柳容邨經眼』朱文方、『搜訪人間未見書』白文方、『吴興劉氏嘉業堂藏書記』朱文長方印。

此處將《素問》誤判爲翻刻顧從德本，另外將同刊《靈樞》誤録作『十二卷』，而總册數不誤。同書將趙府居敬堂本《素問》《靈樞》合刊之《靈樞》十二卷失録，而總册數『十册』亦不誤，或是因此而舛。

二　臺北圖書館藏本二部(《素問》《靈樞》合刊)的發現

(一)明無名氏覆宋刻《素問》、仿宋刻《靈樞》的確認

臺北圖書館網站的『古籍與特藏文獻資源庫』亦提供館藏古籍查詢服務，以及部分資源的電子圖

片瀏覽。偶然間，筆者發現一種很特别的資源，摘録信息如下。

題名：重廣補注黄帝内經素問二十四卷，内經靈樞二十四卷。

版本：明嘉靖庚戌（二十九年，一五五〇）武陵顧從德覆宋刊本。

附注項：正文卷端題『重廣補注黄帝内經素問卷第一／啓玄子次注林億孫奇高保衡等奉敕校正孫兆重改誤』。

序：『唐寶應元年王冰』『黄帝内經靈樞序 紹興乙亥史崧』『重廣補注黄帝内經素問序 高保衡』『重廣補注黄帝内經素問序 林億』。

十行，行二十字，注文小字雙行，行三十字，左右雙欄，版心白口，單白魚尾，下方記刻工名『陳仁、付言、陳安、林仁、王文、鄭保、張詢、王椿、鄭友、王太、程保、林才、江壽、周琳、朱保、陳英、王迪、林明、黄運（或作運）、李昱、林茂、王仁、丁保、周賜、付益、仲益、薛惇、鄭俊、陳德、黄與（？）、周才、陳付、陳三、詹才、林宗等』，避宋帝始祖玄朗諱，玄、弦……等字缺末筆，徵字亦缺末筆。

上述信息存在一些小問題，如『單白魚尾』當作『單黑魚尾』，『微』當作『徵』。同時更有一個很大的問題：版本學界幾乎衆所周知，顧從德未刊刻過《靈樞》，則此題名中的『内經靈樞二十四卷』從何而來？題名與版本其中必有一誤。

這份資源同版有兩部。其一部，登録號rarecatx0509057，『作者姓名』欄内，於王冰等人之外，多出『（明）余玄度（手跋）』；『（清）秦淵（手跋）』信息；『附注項』作『附注：有微捲』，『朱校』，『藏印：「國立中央圖／書館收藏」朱文長方印、「養／生主」朱文方印、「子子孫孫其／永寶用」朱文長方印、「秦淵眇房日/校閲書印」朱文長方印、「余明/遠印」朱文方印、「谷/岸」朱文方印、「珠厓」朱文長方印、「白雲/司印」朱文長方印、「淮海第/二十八世孫」朱文長方印、「名余/曰淵」白文方印、「別號/季雲」白文方印、「季/雲」白文方印、「舊/史氏」白文方印』『(明)余玄度及(清)秦淵各手跋』。

另一部,登録號rarecatx0509056,『附注項』作『附注:又一部』,『藏印:「國立中/央圖書/館考藏」朱文方印』『書根題「黄帝内經素問」』。

可以看到,其一部的版本内涵很豐富,尤其是余、秦手跋,根據此特徵,可稱『余玄度秦淵手跋本』,此版本此前幾乎不爲人知,幸運的是,網站提供了此部黑白電子圖片可供瀏覽。查手跋位置在《靈樞》書末葉,余氏識語一行,接音釋末行另起頂格,云:『皇明天啓二年壬戌桂月望後余玄度識。』下端鈐『忠節/儒家』白文方印。秦氏識語二行,接余氏識語行另起,上空一字格寫,跨版心,第二行缺損,云:『道光十年九月十七購於吴門,時將赴淮漕節署□雲秦淵識。』下端鈐『養/生主』朱文方印、『子子孫孫其/永寶用』朱文長方印。

另一部則信息相對較少,可以略總結其特點是『無私家藏書印』,網站並未公布此部電子圖片。

經查『余玄度秦淵手跋本』發現,即使只看《素問》,也可判斷不是顧從德本(無顧氏跋、刻工姓名不全、序第二葉『陳德』作『陳仁』、卷一第十五葉下十行作『因於暑氏』),何況此版本確由《素問》《靈樞》各二十四卷合刊組成,則網站提供的版本信息顯然錯了。然則此種書究竟是何版本?筆者第一時間想到的是與前述柏克萊藏明無名氏覆宋本互校,結果再次令人震驚——此本無論《素問》《靈樞》,版式、文字與柏克萊本全同。凡柏克萊藏本《素問》之八張抄配葉,此本對應情況如下:①卷八第十七葉，存正確印刷葉；②卷九第六葉、卷九第十葉，抄配；③卷十第二葉，脱，誤裝卷十八第三葉，重出；④卷十三第三葉，版心卷次、葉碼無訛，版面正文誤刻爲同卷第五葉內容；⑤卷十九第二葉，版心卷次、葉碼無訛，版面正文誤刻爲同卷第十九葉內容；⑥卷十九第三葉，版心卷次、葉碼無訛，版面正文誤刻爲同卷第十八葉內容；⑦卷二十第十一葉，版心卷次、葉碼無訛，版面正文誤刻爲卷二十二第二十一葉內容。

可印證柏克萊藏本《素問》的抄配當分三種情況：第一葉屬脱葉補苴；次二葉不明；後五葉屬錯版糾訛。

至此，明無名氏覆宋本《素問》、仿宋刻《靈樞》合刊存世者再次確認兩部。

（二）收藏、流傳脉絡考證

審『余玄度秦淵手跋本』諸私家印鑒，『余明遠印』應屬余玄度，玄度同玄覽，有遠眺義，與『明遠』關聯；其餘各印應屬秦氏。

余玄度，查無資料。而見『余元度』有二，一爲北宋人，非。另見丹波元胤《中國醫籍考》卷六十三：

余氏（元度）用藥心法 未見

華希閔序曰：余舉業之暇，喜讀岐黃書，喜與岐黃家言，言人人殊，其學有據依，不爲夸言欺世者，莫如外舅余元度先生，先生之言曰： 治病之法，在望聞問切，切以探其內之情，望聞問以盡其外之形，情隱而形顯，故望聞問較先於切，今人喜言切脉，而略於對證者蔽也。先生之學，傳自異人鏡機子，治病百無誤，嘗語余，病一而證之變凡幾，證一而候之變凡幾，識其證，審其候，而後可以用藥，余既盡聞其證候諸變説，退疏其言成帙，竊謂可盡乎人之病矣！盡乎吾藥之法矣！名曰用藥心法，寫二帙，一授兒嘉，一授從弟。（《延綠閣集》）

余玄度可能即此『余元度』，其爲業醫者身份切合。華希閔（一六七四—一七五一），無錫人，清康熙間生人，因避玄燁諱而改『玄』作『元』亦合。惟余氏跋語在明天啓二年（一六二二），至少當已青壯，而其甥華希閔聆訓至少得在其少年時，估之當時余玄度應超過八十歲。甥舅年齡差如此之大屬於罕見，故年齡略存疑，但仍可通。

秦淵（一七四五—一八三六），字躍時，號季雲，又號珠崖，婁縣泗涇鎮人。乾隆甲寅（一七九四）舉人，嘉慶丙辰（一七九六）進士，翰林院庶吉士，習滿書，改授户部湖廣清吏司主事，改刑部四川司主事。以長安居不易，且氣體素弱，怯於北地之寒，請假歸。日事吟詠，足迹不入城市。所著《珠崖吟稿》，兵燹後散佚無存。

據秦氏跋語，本套書是在道光十年（一八三〇）購得，時秦淵已八十六歲高齡。六年後去世，書籍並未散出，而是在家族中珍藏，傳給了子孫。這位秦氏是秦觀（號淮海居士）後人，印鑒内有一方『淮海第二十八世孫』朱文印，屬秦淵之子所鈐。

此後直至收入公藏，流傳情況不詳。

三 日本内閣文庫藏昌平坂學問所舊藏本的發現

日本國立公文書館網站已開放了很多古籍的圖像瀏覽，並提供下載服務。其中一種題爲顧從德本的《素問》電子本，爲昌平坂學問所舊藏。查詢『日本所藏中文古籍數據庫』，亦著録此本，提供如下信息。

子部　醫家類　醫經

重廣補注黄帝内經素問二十四卷

唐王冰注，宋林億等校，宋孫兆改誤，明顧從德校，明〔嘉靖〕刊（覆宋），八册

公文書館，昌平坂學問所本。内閣文庫300—140

詳查此本，也發現了問題。此本原無顧氏跋文，原收藏者精心抄録一份，裝於書首，徑稱顧本。根據早前識斷經驗，凡無顧氏跋文者均有可疑。經仔細核實刻工姓名，果然不全，且『陳仁』名氏亦赫然當位；查柏克萊藏本抄配對應八葉，前三葉存正確印刷葉，後五葉錯誤情況俱與臺北圖書館藏『余玄度秦淵手跋本』同；又查卷一第十五葉下十行，正作『因於暑氏』誤文。故此本非顧從德本，實無名氏覆宋本也。

又據經驗，此本本應與二十四卷《靈樞》同刻，遂進一步搜尋，果然在公文書館網站找到一部電子本《靈樞》（函號300—150），亦昌平坂學問所舊藏。查詢『日本所藏中文古籍數據庫』著録如下。

子部　醫家類　醫經

新刊黄帝内經靈樞二十四卷，宋史崧校，明刊，四册

公文書館，昌平坂學問所本。内閣文庫300—150

查其行款、文字，果同明無名氏本。又與函號300—140的《素問》比較，就電子版看紙寬、紙高

(封皮旁設有標尺),完全相同;又目視其書内紙張色澤、質地,也一致;查每册書末鈐『昌平坂/學問所』細黑色印,没有其他藏書印,此特點也完全一致。根據這些特徵,判斷這兩本書當屬原本合刊的一套,後來拆散。可能日本學者重視《素問》而不甚重視《靈樞》,此本《素問》遂被誤認作顧從德本,加以校批學習,今見朱、藍、黑色批點痕迹甚多。而原本同刊的《靈樞》則無人問津,至今素面光潔。

至此,明無名氏覆宋刻《素問》、仿宋刻《靈樞》合刊存世者再次確認一部。

四　小曾户洋《顧從德本素問與無名氏本靈樞》中的材料

在明無名氏刊本的考證過程中,需要查閲明無名氏本《靈樞》,此書的唯一影印正式出版物是一九九二年日本經絡學會出版的《素問・靈樞》,錢超塵先生曾獲贈一部,因借閲之。其書内附小曾户洋文章《顧從德本素問與無名氏本靈樞》,日文撰寫。因筆者不識日文,故起初不曾措意,後乃發現其文中有些引文及表格悉用漢字,極有價值。本文前文所引楊守敬題跋即從此出。

更令人驚異的是,小曾户氏曾考察日本國内及臺灣地區所藏,似已發現數部明無名氏覆宋本,包括昌平坂學問所藏本及臺灣地區藏余玄度、秦淵手跋本。更詳校其文,找出數處異文列出表格,兹轉述如下。

(1)序第五葉上六行,『不元玉册』,顧本作『天元玉册』。

(2)卷三第十二葉下八行,『以古視』,顧本作『以占視』。

(3)卷七第一葉上八行,『■喘』,顧本作『故喘』。

凡三條，畢見其工之細。筆者以之復驗於前述三家所藏無名氏覆宋《素問》電子本，皆密合。此三處異文極大地充實了版本的鑒定依據，爲小曾户洋先生之功。不敢掠美，謹具述之。

五　刊刻者及刊行時間考證

（一）有關綫索

關於明無名氏覆宋《素問》、仿宋《靈樞》合刻的刊刻時代及刊行者，原刻既無標識，則只能以其他綫索來推測了。目前所得綫索如下。

（1）嘉業堂藏書卡片著録作『明嘉靖覆刊宋本』，未知何據，然空穴來風，必有所因。

（2）楊守敬題記云：『顧氏本刻於嘉靖時，此本相其紙質，當亦同時出。』楊氏所得一部的紙質，已不如丹波元胤云『楮墨錂摹並臻精妙，遠過顧刻』，及耿文光云『紙墨俱佳，世所盛稱』，恐是後印之本，不再追求極善，其紙墨已換爲當時普通的印紙、印墨。

（3）查現存《素問》四部、《靈樞》六部之藏書印及題跋，參以書志目録記載，所獲時間最早的藏書記號是明天啓二年（一六二二）的余玄度跋識，其時已在晚明。另據森立之考證：『萬曆甲申周曰校刊本，卷數與此同，今細勘之，實以無名氏仿宋本爲原。』據筆者核查，周曰校本『因於暑氏』之訛，確與無名氏本同，森氏之言當可爲信，則此本下限可上提至萬曆甲申（一五八四），距此時間點愈遠的可能性愈小。嘉靖時期（一五二二—一五六六）長達四十五年之久，且時距適合，刊刻時間着落在此時段内的可能性很大。

(4)已知此版明清收藏者所在地域,皆不出三吴,刊刻地亦當不出此區。

(5)刊刻者必藏有宋本《素問》及《靈樞》,又能倩工精刻,且用上善紙墨刷印過一定數量精品,氣魄甚豪,此人必富家資,是大藏書家、大鑒賞家的可能性極大。

(6)《素問》宋臣序首葉版心下方刻工姓名,據顧刻本應作『陳德』,此本則抹去,次葉又改作『陳仁』,這可能是避家諱,否則無此必要。後卷八第十一、十二葉,卷十一第十二葉,均再次出現『陳德』則未避,殆因未居顯要之處,不必嚴格之故;又鑒於此本訛謬頗衆,知審校不精,也完全可能因審校疏漏而致。

(二)陸深其人

根據以上綫索,筆者細爲尋繹,發現確有一位生活於明嘉靖時期的人物符合以上條件,此人就是陸深。

陸深(一四七七—一五四四),初名榮,字子淵,號儼山,南直隸松江府(今上海市)人。弘治十八年(一五〇五)進士,二甲第一。選庶吉士,授編修。劉瑾嫉翰林官亢己,悉改外,深得南京主事。瑾誅,深復職,歷國子司業、祭酒,充經筵講官。奏講官撰進講章,閣臣不宜改竄。忤輔臣,謫延平同知。晋山西提學副使,改浙江。纍官四川左布政使。松、茂諸番亂,深主調兵食,有功,賜金幣。嘉靖十六年(一五三七)召爲太常卿兼侍讀學士。世宗南巡,深掌行在翰林院印,進詹事府詹事,年六十八卒,謚文裕。其著作傳世有《儼山集》等。

陸深是明代名儒，從他的生平、性情、修養、交游、財富等方面來看，無不符合『無名氏』刻書人，以下就幾個方面逐一分析。

第一，生活時代、地域及家世相符。

陸氏爲東吴著姓，陸深家族一支，屬華亭陸氏，自陸德衡（陸深曾祖）遷居黄浦，逐漸發展爲巨室。陸深一生的後二十三年，即四十六至六十八歲，正處於嘉靖時代。其仕履、學術積纍、資歷名望、個人財富，盡屬上升而至成熟的階段，如晚明文震孟題陸深像贊曰：『公之科名，巍然冠乎兩京；　公之學識，卓然一代之儀型；　公之文章，熚然彪炳於日星。』

明朝前、中期，避國諱（皇帝名諱）不嚴，但士大夫對於家諱仍會重視。家諱一般至少要避曾祖、祖父、父親三代之名。陸深之曾祖名『德衡』，正符合避『德』字家諱的條件。

第二，陸深是頂尖的藏書家和鑒賞家。

《明史》卷二百八十六載陸深『爲文章有名，工書，仿李邕、趙孟頫，賞鑒博雅，爲詞臣冠』，他是當時頂尖的文人，文學藝術水準極高，賞鑒眼光得到當世公認，不具述。

陸深家族自其祖父算起即好藏書，其藏書樓名『江東山樓』。陸深本人著有《江東藏書目録》（已佚），但其小序在《儼山外集》卷三十一《古奇器録》内有存，云：

余家學時，喜收書，然覼覼屑屑，不能舉群有也。壯游兩都，多見載籍，然限於力，不能舉群聚也。間有殘本不售者，往往廉取之，故余之書多斷闕。闕少者或手自補綴，多者幸他日之偶完，而未可知也。正德戊辰夏六月，寓安福里，宿疴新起，命僮出曝，既乃次第於寓樓數年之積，與一時長老朋舊所遺，歷歷在目，顧而樂焉。余四方人也，又慮放失，是故録而存之，各繫所得，儻後益焉，將以類續入。是月六日，史官江東陸深識。

刻印精良的書籍是藝術品，需要製作人具高明手眼。而頂級的紙墨，更屬奢侈雅趣，非頂尖鑒賞家莫備。陸深善藏書、讀書、賞鑒，家財豐厚（見後），符合以上條件。

第三，具備刊刻醫書的動機。

陸深是一位典型的士大夫，恒懷兼濟天下之心。『端方直諒，師範嚴肅，臨事持正議，侃侃不阿，好學秉禮，務以身教，正文體，黜浮華，以興起斯文爲己任。』（《杭州府志》明萬曆刻本，卷六十二）凡有益於經濟、教化之事，他都特爲着意。在『江東藏書目録小序』中，陸深對於藏書的分類，自出機杼，以正經爲第一，理性第二，正史第三，非經非史的古書第四，諸子第五，文集第六，詩集第七，類書第八，雜史第九，山經地志類的諸志第十，韵書第十一，小學醫藥第十二，方術雜流類第十三。其中以小學醫藥爲一類，諸家書目未見，陸深這么分類的原因是，『不幼教者不懋成，不早醫者不速起，其道一也』，其認爲醫學亦是『與起斯文』重要的一端，對醫教的重視程度超過一般士大夫。

陸深涉醫不止於此，他還有一個很特殊的身份，即顧從德之父顧定芳（一四八九——一五五四）的表兄。顧定芳，字世安，松江華亭人，從嘉靖十七年（一五三八）至三十年（一五五一）任太醫院御醫，『領内局，有天下之望。』（『顧母李孺人五十壽序』，《儼山集》卷五十一）今有陸深的《行書與世安》信札傳世，云：

深再拜，自珠涇夜别，多感多謝。廿六日抵任後，兼旬雨雪，人事粗遣，俱隨分而已。除夕葉鳴玉過杭，云思齋，是月半起陸，附去一柬，諸所周旋處，當有待也。賢弟官事結未？頗以爲念。黃甥還，附此充信，家下煩早晚照拂之。匆匆不多及，餘惟順時保重爲祝。寓浙臬，深頓首，世安賢弟道誼。

十一日。具空。

此信作於陸深黜任『福建延平府同知』，路過杭州時，當嘉靖九年（一五三〇）初。此時顧定芳尚未被召入京，在家鄉經營祖業。信中提到的『黃甥』，名黃標，是陸深刻書事業的關鍵人物。黃標，字良式，陸深姊之子，太學生，自幼從舅陸深問學，一生追隨左右。《儼山集》卷八十七『跋所書黃甥良式綾卷』云：『黃甥標，字良式。予赴召，侍予北行。及赴調，又欲侍予。南行至杭，予辭之。』亦語及此事原委。陸深憫黃甥一家追隨勞苦，過杭州時便遣其回鄉，因與顧定芳去信囑托照拂。由此事見得陸、顧關係密切，感情甚篤。

就現存資料，知陸深與顧定芳在刻書事業中直接産生過一次重要的交集，正與醫書有關。陸深晚年傷家鄉百姓天花爲患，多方尋覓相關醫書刊刻。《儼山集》卷四十八『重刊痘疹論序』云：

> 嘗聞宋有聞人規者，著書專論痘疹，具有條理，往在館閣多方尋訪而未獲。表弟顧世安氏素修醫業，收蓄古書甚富，每與論此而托焉。歸田之又明年，汾州柏山劉先生莅松之日，首以此書爲惠，展卷讀之，殊快夙心。乃爲手訂數字，因命黃甥標校勘出，甥立抄方以成一家之言。……世安授官太醫院爲御醫，供事聖濟殿，蓋欲廣先生之意，因請爲序以傳。

據『歸田之又明年』來看，《痘疹論》一書刊刻時間是陸深致仕兩年後，即嘉靖二十二年（一五四三）。乃陸深托顧定芳訪得，轉劉柏山交來，陸深親自過目，手訂數字，再付黃標校勘、刊刻而成。此事亦見陸深對於醫教之重視，並顧定芳深預其中。更有文獻綫索顯示，顧從德覆刻《素問》底本應即陸深藏本（詳後）。

第四，具備覆刻宋本《素問》的物質條件。

陸深家貲富有，在今上海擁有大片宅院莊園，晚年還卜宅松江府佘山，買下整幢昭慶寺，舉家遷居。陸深去世之後，上海當地爲御倭患而築城，夫人梅氏慷慨捐出田五百畝、銀二千兩，並承擔了建築小東門的所有材料和人力。一九六九年因防空洞建設，在上海浦東新區陸家嘴輪渡東南發現兩座墓葬，分别爲陸深夫婦及其子陸楫夫婦墓，隨葬品豐富，其中銀絲髮罩、多件金鑲玉首飾及玉飾件等，無不是罕見珍品。故陸深刻書完全不以營利爲目的，也從未以財力爲憂，常見不計工本之舉。如《與黄甥良式十二首》之七云：『吾甥作事必精，所刻書不下古人，計費亦不貲也。』

故以陸家之富，完全具備近乎奢侈的雇傭頂級刻工進行覆宋、仿宋刊刻，並提供頂級紙墨進行精品印刷的條件，達到『楮墨錽摹並臻精妙』的程度並不困難。

《天禄琳琅書目後編》卷五宋版子部，載『重廣補注黄帝内經素問（一函十四册）』一種，其印鑒見有『江東陸氏書畫珍藏』朱文，可見陸深家藏便有宋本《素問》，刻書的必要條件之一已具備。

該書除有陸深的藏書印外，還鈐有一方『方壺山人』白文，正是顧從德的印章，此印亦見於顧氏覆宋刻《素問》跋文末。宋本書至明中葉時已屬稀有之物，查所有資料，未聞顧從德曾獲兩部宋本《素問》，則顧氏覆刻的底本便是陸深藏本無疑。

顧從德覆宋本跋文對於底本來歷述云：『客歲，以試事北上，問視之暇，（家大人）遂以宋刻善本見授，曰：廣其傳，非細事也，汝圖之。』即一五四九年，顧從德北上應試，時在京任御醫的顧定芳授之以宋本《素問》，此時相去陸深身故已五年。而顧定芳是如何從陸深處得到此書，已無從查考。

第五，所刻《古今説海》亦有剜去部分刻工姓名的現象。

陸深一生主要在宦途中顛沛（『余四方人也』，見『江東藏書目録小序』），無暇親身經營刊刻。致仕之後，又遷居松江府，兼疾病纏身，故陸深主要的刻書工作都是全權委托給黄標完成，自己只負責指導以及少量的校勘工作。

現存《與黄甥良式十二首》書信，大都與刻書有關，其中明確付刻的書目有《古今説海》及《痘疹論》，今僅前者見存。《古今説海》是陸深極爲重視之書，在給黄標的信札中反復叮囑，商討選書、鳩工、費用、校勘等細節，書名亦是陸深所定。此書刊刻過程持續八年，終在嘉靖二十三年（一五四四）陸深去世之前完工。在這段時間内，當亦有刊刻他書，然現今明確見載的僅《痘疹論》一種了。

陸深指導黄標所刻《古今説海》的存本，筆者未親見，但相關研究者發現一種很特殊的現象，以下轉引《〈古今説海〉考》的説法：

筆者在逐葉查檢上海圖書館所藏《古今説海》之明嘉靖間刻本的過程中，發現明代刻本的《古今説海》，在其版心下鎸文字如『儼山書院』『雲山書院』或『青藜館』等的下方還有其他一些單字，其中可以辨認的有宗、鳴、喬、明、曹、相、岐、葉等10餘個單字，其他的筆者難以辨認，此外還有許多較爲明顯的單字被剜掉後留下的痕迹。……至於部分刻工姓名被鏟去的原因，因本文内容意在不在此，暫且存疑。

剜去部分刻工姓名的事實令人費解，基本已無從查考原因，而無名氏覆宋刻《素問》恰好也存在相同現象。兩部書在如此罕見特徵上的巧合，足以使人懷疑它們之間淵源頗深。有很大可能，它們出自同一刊刻團隊（主持者、刻工、審校者）之手。

（三）疑點解讀

1．匿名原因

據前文分析已知，陸深是東吴地區人，是嘉靖前期的大藏書家、大鑒賞家，家貲富有，與顧從德之父御醫顧定芳有表親關係，擁有宋本《素問》，避『德』字家諱，所刊《古今説海》亦有剜去部分刻工姓名之特徵現象——種種迹象均與文獻綫索合契，顯示他極有可能是覆宋刻《素問》、仿宋刻《靈樞》合刊本的策劃、指導人，黄標是具體刊刻執行者。

至於此書責任者爲何匿名不揚，有一個重要的旁證：同是陸深指導黄標總纂輯刻，在陸深心目中最爲重視的《古今説海》亦不具名，若非《儼山集》内的零星記載，真正刻書人也將成爲懸案（按，學界此前多以爲是陸深之子陸楫所刻，近來不少學者辨正得實，不贅述）。對比之下，兩書刊刻責任人的低調行爲方式極爲相似，這很可能就是陸深、黄標刻書的一貫作風。

此外，由於這套書出現相當多的刻版訛誤，如《素問》的錯葉、誤字，《靈樞》的墨丁，很可能陸深對此本並不滿意，認爲不匹配他的文化地位而不具名。因其性格高傲，『頗倨傲，人以此少之』，可能對於這種近似於學術污點的事情不肯張揚。顧定芳、顧從德也許知曉個中端委，但爲尊者、逝者諱，也不願提及。筆者猜想，顧定芳很可能是繼承了陸深的遺願，受其遺贈宋本《素問》，爲彌補其遺憾而重新覆刻。

2.版刻訛誤偏多的原因

可能因晚年精力不足，陸深很少親自校勘書籍，如《與黄甥良式十二首》之八談到：『小説若刊，須唤得吴中匠手方可。發還九種檢入，但訛謬極多，要校勘得精，却不枉工價也。』又如前述《重刊痘疹論》，也只是手批幾個字，就交付給了黄標。《與黄甥良式十二首》其六云：『刻書復成幾種，可草草印來一閲。』顯示陸深僅負責最後的審定。

《崇禎松江府志》卷四十二謂黄標學識淵博，藏書甚富，審閲不倦，『舅陸文裕臨文有疑義，必屬標考核』。所以黄標的學識水平没有問題，但當時二人主要精力都放在《古今説海》上，此書卷帙浩繁，堪堪在陸深去世前刻竣，工期緊張，對於其他任務必然重視程度不及。如《重刊痘疹論》的刊刻過程中，陸深囑咐：『痘疹書校勘得可寫便寫，入刻早完，亦一件事了。』（《與黄甥良式十二首》之十一）『劉柏山北行在近，可促匠手早完，欲送與一部以答其意耳。』（《與黄甥良式十二首》之十二）此書今已不傳，無法核實其質量，但完全可以想見，如此要求下顯然不可能精雕細刻，審核也難嚴格。《素問》《靈樞》若是同一刊刻團隊、同一時期所爲，出現版式、内容的紕漏不足爲奇。

（四）刊刻時間分析

陸深的刻書事業，主要由黄標實施，而與顧定芳也多有交集。試按年序列表（陸深、黄標、顧定芳刻書年表）對照如下：

陸深、黃標、顧定芳刻書年表

時間＼人物	陸深	黃標	顧定芳
嘉靖八年（一五二九）之前	在京任職	跟隨陸深左右	在上海家鄉經營祖業
嘉靖八年（一五二九）	黜任福建延平府同知，路過杭州。時年五十四	離開陸深回上海	受陸深所托照顧黃標
嘉靖十四年（一五三五）	在四川刊刻《史通》		
嘉靖十六年（一五三七）	出蜀赴京，擢光禄卿。開始指導黃標刊刻《古今説海》	受陸深指導開始刊刻《古今説海》	爲刊《古今説海》獻書二十卷
嘉靖十七年（一五三八）	任太常寺卿兼侍讀學士	返京再入太學學習	入太醫院
嘉靖十八年（一五三九）	掌行在翰林院印。御筆删侍讀二字，進詹事府詹事	妻陳氏卒，有歸鄉意	
嘉靖十九年（一五四〇）		返回上海	
嘉靖二十年（一五四一）	致仕，返鄉		
嘉靖二十二年（一五四三）	刻《重刊痘疹論》	刻《重刊痘疹論》	幫助陸深找到《聞人氏痘疹論》底本

嘉靖二十三年（一五四四）	《古今説海》刻成。卒。時年六十八	《古今説海》刻成於儼山書院	翻刻宋本《醫説》
嘉靖二十八年（一五四九）			在京將原陸深藏宋本《素問》授與顧從德
嘉靖二十九年（一五五〇）			顧從德覆刻宋本《素問》

根據此表，可知陸深在世時，黄標有兩個時段能够在家鄉穩定主持刻書工作：第一段，嘉靖八年至十七年（一五二九——一五三八）；第二段，嘉靖十九年至二十三年（一五四〇——一五四四）。

據資料分析如下。

（1）陸深在第一時段内宦迹不定，歷官數任時間都不長，七八年間連續輾轉福建、山西、浙江、江西、四川多地，難有時間、精力穩定從事校書、刻書工作，即使托付黄標刻書，往來通信、指導條件也很艱難。

（2）陸深在第一時段内没有在家鄉刻書的記録，惟一一種《史通》是在蜀藩刻出，時亦在第一時段後期。

（3）陸深在宦途各地顛沛的過程也是其收書過程，宋本《素問》《靈樞》極可能在第一時段内纔收得，此時無法與黄標見面交付刊刻。交付底本的時間可能在一五四〇年黄標從京返回上海之時。

（4）陸深與黄標論及刻書工作的信札，都在一五三七年調回京城任職之後，大部分在第二時段之内。

（5）推測出於同一刊刻團隊之手的《古今説海》主要在第二時段内完成。

故據以上五點，推測覆宋刻《素問》、仿宋刻《靈樞》應刻於一五四〇——一五四四年。

六　結語

明無名氏覆宋刻二十四卷《重廣補注黄帝内經素問》，在清代有多種書志目録及題跋著録提及，而進入二十世紀以後湮而無聞。筆者通過廣泛考查網絡電子善本，運用目録學、版本學方法，考證出此書尚存世至少四部，其中三部被收藏機構誤録爲顧從德本。同時證實，現學界習稱的『明無名氏本《靈樞》二十四卷』實爲此本《素問》之合刊本，尚存至少六部，其中三部仍與《素問》合訂，一部未合訂但與同版《素問》存於同一藏書機構，其餘兩部已單行。結合有關文獻綫索進一步考證推測，可能的刊刻者是陸深，可能的刊刻時間是明嘉靖前期一五四〇——一五四四年。

明嘉靖無名氏覆宋刻《素問》、仿宋刻《靈樞》存本總結如下。

（1）《重廣補注黄帝内經素問》二十四卷、《新刊黄帝内經靈樞》二十四卷合璧，存四部。

①美國柏克萊加州大學東亞圖書館藏本，嘉業堂舊藏。《素問》八册，《靈樞》四册。版本信息作『嘉靖覆刊宋本』。②臺北圖書館藏余玄度、秦淵手跋本。版本信息誤作『明嘉靖庚戌（二十九年，一五五〇）武陵顧從德覆宋刊本』。③臺北圖書館藏無私家收藏印本。版本信息誤作『明嘉靖庚戌（二十九年，一五五〇）武陵顧從德覆宋刊本』。電子版本未提供。④日本内閣文庫藏本，昌平坂學問所

舊藏。《素問》函號300—140，八册，版本信息誤作『明顧從德校，明〔嘉靖〕刊（覆宋）』。《靈樞》函號300—150，四册，版本信息作『明刊』。

（2）僅《新刊黄帝内經靈樞》二十四卷。存二部。

①日本内閣文庫藏丹波元堅手跋本，江户醫學館舊藏。函號300—161，四册，版本信息作『明刊』。②日本内經醫學會藏本，内藤湖南舊藏。日本經絡學會一九九二年影印。『日本所藏中文古籍數據庫』未查詢到有關信息，無電子版本。

劉陽

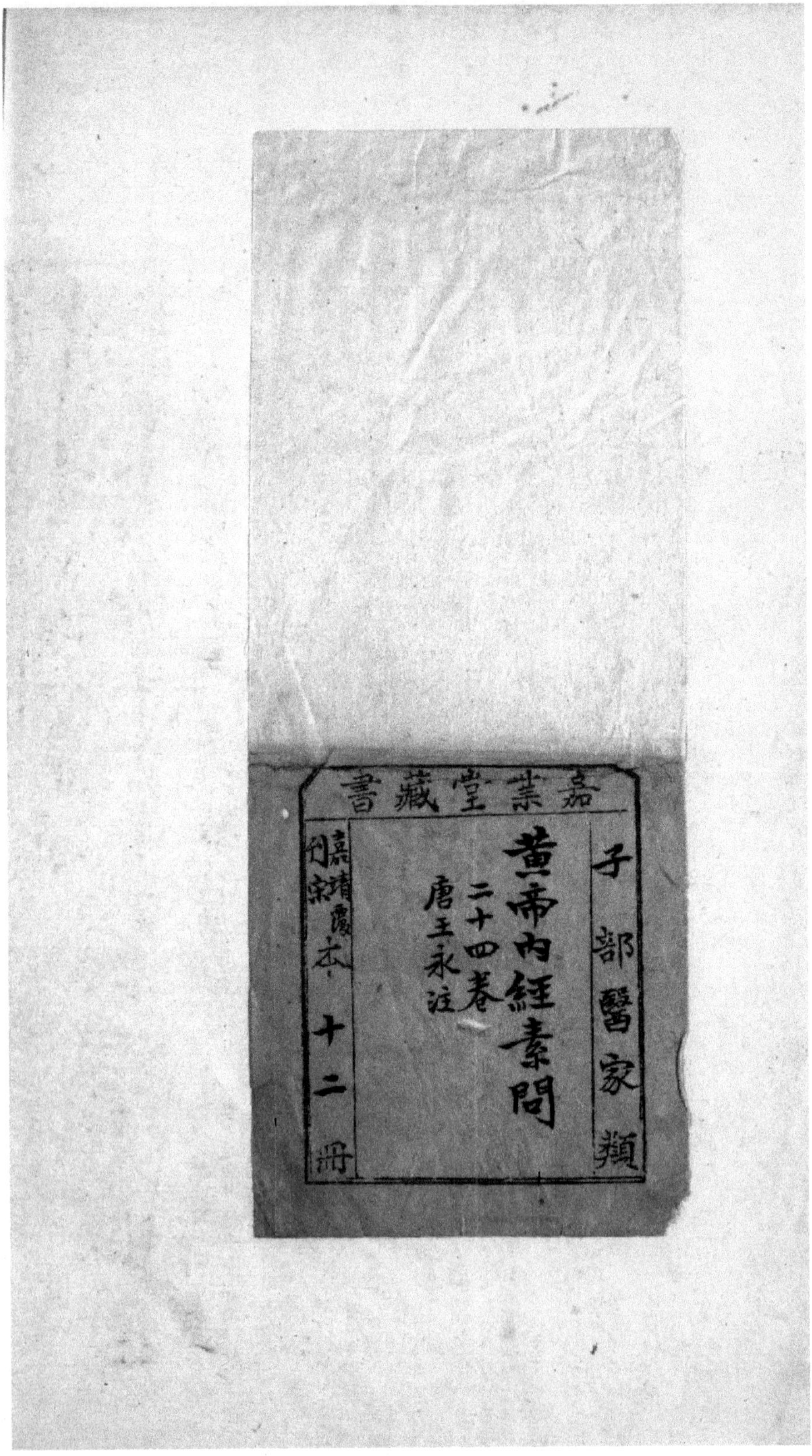
嘉業堂藏書
子部醫家類
黃帝內經素問
二十四卷
唐王冰注
嘉靖覆宋刊本
十二冊

重廣補注黄帝内經素問序

臣聞安不忘危存不忘亡者往聖之先務求民之瘼恤民之隱者上主之深仁在昔黄帝之御極也以理身緒餘治天下坐於明堂之上臨觀八極考建五常以謂人之生也負陰而抱陽食味而被色外有寒暑之相盪内有喜怒之交侵夭昏札瘥國家代有將欲斂時五福以敷錫厥庶民乃與岐伯上窮天紀下極地理遠取諸物近取諸身更相問難垂法以福萬世於是雷公之倫授業傳之而内經作矣歷代寶之未有失墜蒼周之興秦和述六氣之論具明於左史厥

後越人得其一二演而述難經西漢倉公傳其舊學東漢仲景撰其遺論晉皇甫謐剌而爲甲乙及隋楊上善纂而爲太素時則有全元起者始爲之訓解闕第七一通迄唐寶應中太僕王冰篤好之得先師所藏之卷大爲次註猶是三皇遺文爛然可觀惜乎唐令列之醫學付之執技之流而薦紳先生罕言之去聖已遠其術晻昧是以文注紛錯義理混淆殊不知三墳之餘帝王之高致聖賢之能事唐堯之授四時虞舜之齊七政神禹修六府以興帝功文王推六子以敘卦氣伊尹調五味以致君箕子陳五行以佐世

其致一也柰何以至精至微之道傳之以至下至淺
之人其不廢絕爲已幸矣頃在嘉祐中
仁宗念
聖祖之遺事將墜于地廼
詔通知其學者俾之是正臣等承之典校伏念旬歲
遂乃搜訪中外裒集衆本寖尋其義正其訛舛十得
其三四餘不能具竊謂未足以稱
明詔副
聖意而又採漢唐書錄古醫經之存於世者得數十
家敘而考正焉貫穿錯綜磅礴會通或端本以尋支

或泝流而討源定其可知次以舊目正繆誤者六千餘字增注義者二千餘條一言去取必有稽考舛文疑義於是詳明以之治身可以消患於未兆施於有政可以廣生於無窮恭惟
皇帝撫大同之運擁無疆之休述先志以奉成興微學而永正則和氣可召災害不生陶一世之民同躋于壽域矣

國子博士臣高保衡　光禄卿直秘閣臣林億等謹上

重廣補註黄帝内經素問序

啓玄子王冰撰〔新校正云按唐人物志冰仕唐爲太僕令年八十餘以壽終〕

夫釋縛脫艱全眞導氣拯黎元於仁壽濟羸劣以獲安者非三聖道則不能致之矣孔安國序尚書曰伏羲神農黄帝之書謂之三墳言大道也班固漢書藝文志曰黄帝内經十八卷素問即其經之九卷也兼靈樞九卷迺其數焉〔新校正云詳王氏此説蓋本皇甫士安甲乙經之序彼云七略藝文志黄帝内經十八卷今有鍼經九卷素問九卷共十八卷即内經也故王氏遵而用之又素問外九卷漢張仲景及西晉王叔和脉經只爲之九卷皇甫士安名爲鍼經亦專名九卷楊玄操云黄帝内經二帙帙各九卷按隋書經籍志謂之九靈王冰名爲靈樞〕雖復年移代革而授學猶存懼非其人而時有所隱故第七一卷師氏藏之今

之奉行惟八卷爾然而其文簡其意博其理奥其趣深天地之象分陰陽之候列變化之由表死生之兆彰不謀而遐邇自同勿約而幽明斯契稽其言有徵驗之事不忒誠可謂至道之宗奉生之始矣假若天機迅發妙識玄通蒇謀雖屬乎生知標格亦資於詁訓未嘗有行不由逕出不由戶者也然刻意研精探微索隱或識契真要則目牛無全故動則有成猶鬼神幽賛而命世奇傑時時間出焉則周有秦公新校正云按别本一作和緩漢有淳于公魏有張公華公皆得斯妙道者也咸日新其用大濟蒸人華葉遞榮聲實相副蓋教之

著矣亦天之假也然弱齡慕道夙好養生幸遇真經式爲龜鏡而世本紕繆篇目重疊前後不倫文義懸隔施行不易披會亦難歲月既淹襲以成弊或一篇重出而別立二名或兩論併吞而都爲一目或問荅未已別樹篇題或脫簡不書而云世闕重合經而冠鍼服併方宜而爲欬篇隔虛實而爲逆從合經絡而爲論要節皮部爲經絡退至教以先鍼諸如此流不可勝數且將升岱嶽非逕奚爲欲詣扶桑無舟莫適乃精勤博訪而并有其人歷十二年方臻理要詢謀得失深遂夙心時於先生郭子齋堂受得先師張公秘

本文字昭晰，義理環周，一以參詳，群疑冰釋。恐散於末學，絕彼師資，因而撰註，用傳不朽。兼舊藏之卷，合八十一篇二十四卷，勒成一部。新校正云：詳素問第七卷亡已久矣。按皇甫士安晉人也，序甲乙經云亦有亡失，隋書經籍志載梁七録亦云止存八卷，全元起隋人，所注本乃無第七，王冰唐寶應中人，上至晉皇甫謐甘露中已六百餘年，而冰自爲得舊藏之卷，今竊疑之。仍觀天元紀大論、五運行論、六微旨論、氣交變論、五常政論、六元正紀論、至真要論七篇，居今素問四卷，篇卷浩大，不與素問前後篇卷等。又且所載之事，與素問餘篇略不相通。竊疑此七篇乃陰陽大論之文，王氏取以補所亡之卷，猶周官亡冬官以考功記補之之類也。又按漢張仲景傷寒論序云：撰用素問九卷、八十一難經、陰陽大論。是素問與陰陽大論兩書甚明，乃王氏并陰陽大論於素問中也。要之，陰陽大論亦古醫經，終非素問第七矣。冀乎究尾明首，尋註會經，開發童蒙，宣揚至理而已。其中簡脱文斷，義不相接者，搜求經論所有，遷移以補其處；篇目墜缺，指事不明者，量其意趣，加字以昭其義篇論吞并義不相涉闕漏名目者區分事類別目以冠篇首君臣請問禮儀乖失者考校尊卑增益以光其意錯簡碎文前後重疊者詳其指趣削去繁雜以存其要辭理秘密難粗論述者別撰玄珠以陳其道新校正云詳王氏玄珠世無傳者今有玄珠十卷昭明隱旨三卷蓋後人附託之文也雖非王氏之書亦於素問第十九卷至二十二四卷頗有發明其隱旨三卷與今出所謂不元玉冊者正相表裏而與王冰之義多不同凡所加字皆朱書其文使今古必分字不雜糅庶厥昭彰聖旨敷暢玄言有如列宿高懸奎張不亂深泉淨瀅鱗介咸分君臣無夭枉之期夷夏有延齡之望俾工徒勿誤學者惟明至道流行徽音累屬千載之後方

知大聖之慈惠無窮時大唐寶應元年歲次壬寅序

將仕郎守殿中丞孫　兆　重改誤

朝奉郎守國子博士同校正醫書上騎都尉賜緋魚袋高　保衡

朝奉郎守尚書屯田郎中同校正醫書騎都尉賜緋魚袋孫　奇

朝散大夫守光禄卿直秘閣判登聞檢院上護軍林　億

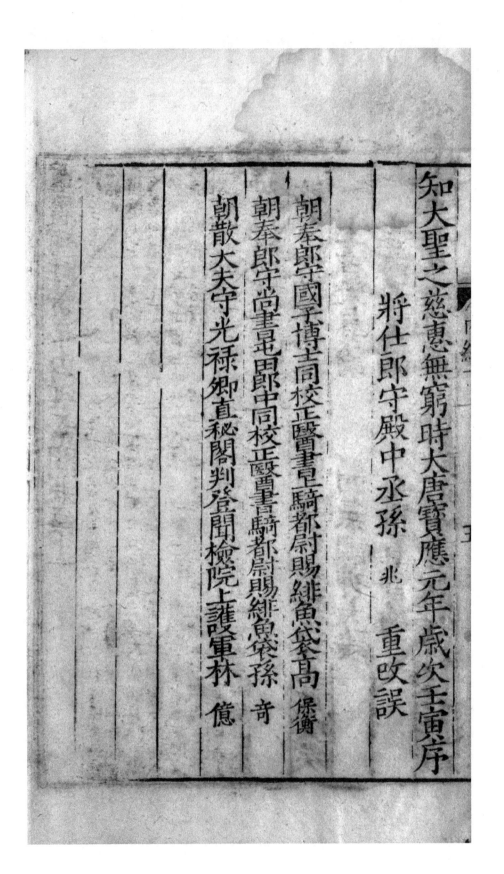

黄帝内經目録

第一卷

上古天真論一　四氣調神大論二
生氣通天論三　金匱真言論四

第二卷

陰陽應象大論五　陰陽離合論六
陰陽別論七

第三卷

靈蘭秘典論八　六節藏象論九
五藏生成論十　五藏別論十一

第四卷
異法方宜論十二　移精變氣論十三
湯液醪醴論十四　玉板論要篇十五
診要經終論十六
第五卷
脉要精微論十七　平人氣象論十八
第六卷
玉機真藏論十九　三部九候論二十
第七卷
經脉别論二十一　藏氣法時論二十二

宣明五氣篇二十三　血氣形志篇二十四
第八卷
寶命全形論二十五　八正神明論二十六
離合真邪論二十七　通評虛實論二十八
太陰陽明論二十九　陽明脉解三十
第九卷
熱論三十一　刺熱論三十二
評熱病論三十三　逆調論三十四
第十卷
瘧論三十五　刺瘧篇三十六

氣厥論三十七　欬論三十八
第十一卷
舉痛論三十九　腹中論四十
刺腰痛論四十一
第十二卷
風論四十二　痹論四十三
痿論四十四　厥論四十五
第十三卷
病能論四十六　奇病論四十七
大奇論四十八　脉解篇四十九

第十四卷
刺要論五十　刺齊論五十一
刺禁論五十二　刺志論五十三
鍼解五十四　長刺節論五十五
第十五卷
皮部論五十六　經絡論五十七
氣穴論五十八　氣府論五十九
第十六卷
骨空論六十　水熱穴論六十一
第十七卷

調經論六十二
第十八卷
繆刺論六十三　四時刺逆從論六十四
標本病傳論六十五
第十九卷
天元紀大論六十六　五運行大論六十七
六微旨大論六十八
第二十卷
氣交變大論六十九　五常政大論七十
第二十一卷

六元正紀大論七十一　刺法論七十二亡
本病論七十三亡
第二十二卷
至真要大論七十四
第二十三卷
著至教論七十五　示從容論七十六
疏五過論七十七　徵四失論七十八
第二十四卷
陰陽類論七十九　方盛衰論八十一
解精微論八十一

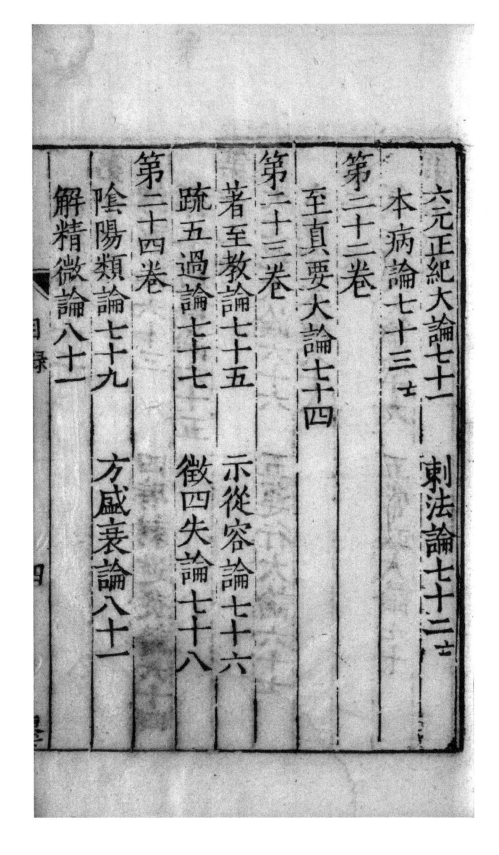

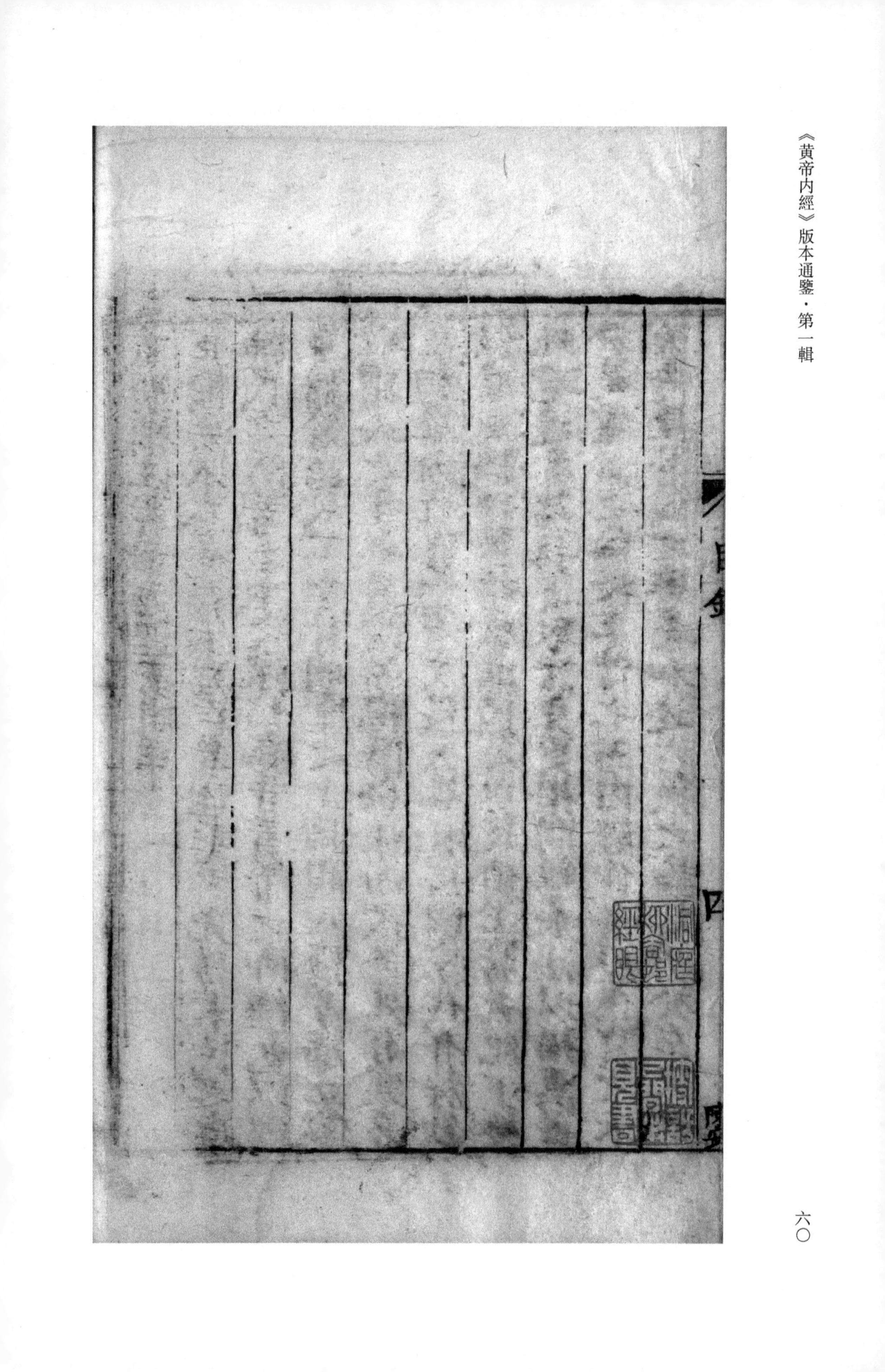

重廣補註黃帝內經素問卷第一

新校正云按王氏不解所以名素問之義及素問之名起於何代按隋書經籍志始有素問之名甲乙經序晉皇甫謐之文已云素問論病精辨王叔和西晉人撰脈經云出素問鍼經漢張仲景撰傷寒卒病論集云撰用素問是則素問之名著於隋志上見於漢代也自仲景已前無文可見莫得而知據今世所存之書則素問之名起漢世也所以名素問之義全元起有說云素者本也問者黃帝問岐伯也方陳性情之源五行之本故曰素問元起雖有此解義未甚明按乾鑿度云夫有形者生於無形故有太易有太初有太始有太素太易者未見氣也太初者氣之始也太始者形之始也太素者質之始也氣形質具而痾瘵由是萌生故黃帝問此太素質之始也素問之名義或由此

啓玄子次註林億孫奇高保衡等奉敕校正孫兆重改誤

上古天真論　四氣調神大論

生氣通天論　金匱真言論

上古天真論篇第一

新校正云按全元起注本在第九卷王氏重次篇第移冠篇首今注逐篇必具全元起本之卷

第者欲存素問舊第目見今之篇次皆王氏之所移也

昔在黃帝生而神靈弱而能言幼而徇齊長而敦敏成而登天有熊國君少典之子姓公孫徇疾也敦信也敏達也習用干戈以征不享平定天下殄滅蚩尤以土德王都軒轅之丘故號之曰軒轅黃帝後鑄鼎於鼎湖山鼎成而白日升天羣臣葬衣冠於橋山墓今猶在迺問於天師曰余聞上古之人春秋皆度百歲而動作不衰今時之人年半百而動作皆衰者時世異耶人將失之耶天師岐伯也岐伯對曰上古之人其知道者法於陰陽和於術數上古謂玄古也知道謂知修養之道也夫陰陽者天地之常道術數者保生之大倫故修養者必謹先之老子曰萬物負陰而抱陽沖氣以為和四氣調神大論曰陰陽四時者萬物之終始死生之本逆之則災害生從之則苛疾不起是謂得道此之謂也食飲有節起居有常不妄作勞食飲者充虛之滋味起居者動止之綱紀故修養者謹而行之痺論曰飲食自倍腸胃乃傷生氣通天論曰起居如驚神氣乃浮是惡妄動也

廣成子曰必靜必清無勞汝形無搖汝精乃可以長生故聖人先之也 新校正云按全元起注本云飲食有常節起居有常度不妄不作太素同楊上善云以理而取聲色芳味不妄視聽也循理而動不爲分外之事**故能形與神俱而盡終其天年度百歲乃去**形與神俱同臻壽分謹於修養以奉天真故盡得終其天年去謂去離於形骸也靈樞經曰人百歲五藏皆虛神氣皆去形骸獨居而終矣以其知道故年長壽延年度百歲謂至一百二十歲也尚書洪範曰一曰壽百二十歲也**今時之人不然也**動之死地離於道也**以酒爲漿**溺於飲也**以妄爲常**寡於信也**醉以入房**過於色也**以欲竭其精以耗散其真**樂色曰欲輕用曰耗樂色不節則精竭輕用不止則真散是以聖人愛精重施髓滿骨堅老子曰弱其志強其骨河上公曰有欲者亡身曲禮曰欲不可縱 新校正云按甲乙經耗作好**不知持滿不時御神**言輕用而縱欲也老子曰持而盈之不如其已言愛精保神如持盈滿之器不慎而動則傾竭天真真誥曰常不能慎事自致百痾豈可怨咎於神明乎此之謂也 新校正云按別本時作解**務快其心逆於生樂**快於心欲之用則逆養生之樂矣老子曰甚愛必大費此之類歟夫甚愛而不能救議道而以爲未然者伐生之大患也**起居無節故半百**

而衰也亦耗散而致是也夫道者不可斯須離於道則壽不能終盡於天年矣老子曰物壯則老謂之不道不道早亡此之謂離道也夫

上古聖人之教下也皆謂之虛邪賊風避之有時邪乘虛入是謂

虛邪竊害中和謂之賊風避之有時謂八節之日及太一入從之於中宮朝八風之日也靈樞經曰邪氣不得其虛不能獨傷人明人虛乃邪勝之也新校

正云按全元起注本云上古聖人之教也下皆爲之太素千金同楊上善云上古聖人使人行者身先行之爲不言之教不言之教勝有言之教故下百姓倣

行者衆故曰下皆爲之太一入從於中宮朝八風義具天元玉冊中恬惔虛无眞氣從之精神内守

病安從來恬惔虛无靜也法道清淨精氣内持故其氣邪不能爲害是以志閑而少欲心安

而不懼形勞而不倦内機息故少欲外紛靜故心安然情欲兩亡是非一貫起居皆適故不倦也氣從

以順各從其欲皆得所願志不貪故所欲皆順心易足故所願必從以不異求故無難得也老子曰知足

不辱知止不殆可以長久故美其食順精麤也新校正云按別本美一作甘任其服隨美惡也樂其俗

去傾慕也高下不相慕其民故曰朴至無求也是所謂心足也老子曰禍莫大於不知足咎莫大於欲得故知

足之足常足矣蓋非謂物足者爲知足心足者乃爲知足矣不謀於欲
昇則朴同故聖人云我無欲而民自朴　新校正云按全云曰作日 是以

嗜欲不能勞其目淫邪不能惑其心 不妄視故嗜欲不能 心與玄同故淫邪

能惑老子曰不見可欲使心不
亂又曰聖人爲腹不爲目也 愚智賢不肖不於物故合於

道 情計兩亡不爲謀府冥心一觀勝負俱捐故心志合同於道庚桑楚
曰全汝形抱汝生無使汝思慮營營　新校正云一本注云合於

道數 所以能年皆度百歲而動作不衰以其德全不

危也 不涉於危故德全也莊子曰執道者德全德全者
全者聖人之道也又曰無爲而性命不全者未之有也 帝曰人年

老而無子者材力盡邪將天數然也 材幹可以
以身者 岐伯曰

女子七歲腎氣盛齒更髮長 老陽之數極於九少陽之數次於
七女子爲少陰之氣故以少陽數

偶之明陰陽氣和乃能生成其
形體故七歲腎氣盛齒更髮長 二七而天癸至任脈通太衝脈

盛月事以時下故有子 癸謂壬癸北方水干名也任脈衝脈皆奇
經脈也腎氣全盛衝任流通經血漸盈應

時而下天眞之氣降與之從事故去天癸也然衝爲血海任主胞胎二者相資故能有子所以謂之月事者平和之氣常以三旬而一見也故愆期者謂之有病　新校正云按全元起注本及太素甲乙經俱作伏衝下太衝同　三七腎氣平均故眞牙生而長極眞牙謂牙之最後生者腎氣平而眞牙生者表牙齒爲骨之餘也　四七筋骨堅髮長極身體盛壯女子天癸之數七七而終年居四七材力之半故身體盛壯長極於斯　五七陽明脉衰面始焦髮始墮陽明之脉氣營於面故其衰也髮墮面焦靈樞經曰足陽明之脉起於鼻交頞中下循鼻外入上齒中還出俠口環脣下交承漿却循頤後下廉出大迎循頰車上耳前過客主人循髮際至額顱手陽明之脉上頸貫頰入下齒縫中還出俠口故面焦髮墮也　六七三陽脉衰於上面皆焦髮始白三陽之脉盡上於頭故三陽衰則面皆焦髮始白所以衰者婦人之生也有餘於氣不足於血以其經月數泄脫之故　七七任脉虛太衝脉衰少天癸竭地道不通故形壞而無子也經水絶止是爲地道不通衝任衰微故去形壞無子　丈夫八歲腎氣實髮長齒更老陰之數極於十少陰之數次於八男子爲少陽之氣故以少陰數合之易繫辭曰天九地十則其

數也

二八腎氣盛天癸至精氣溢寫陰陽和故能有子男女有陰陽之質不同天癸則精血之形亦異陰靜海滿而去血陽動應合而泄精二者通和故能有子易繫辭曰男女構精萬物化生此之謂也

三八腎氣平均筋骨勁強故真牙生而長極以其好用故爾

四八筋骨隆盛肌肉滿壯丈夫天癸八八而終年居四八亦半之半也

五八腎氣衰髮墮齒槁腎主於骨齒為骨餘腎氣既衰精無所養故令髮墮齒復乾枯

六八陽氣衰竭於上面焦髮鬢頒白陽氣亦陽明之氣也靈樞經曰足陽明之脉起於鼻交頞中下循鼻外入上齒中還出俠口環脣下交承漿却循頤後下廉出大迎循頰車上耳前過客主人循髮際至額顱故衰於上則面焦髮鬢頒白也

七八肝氣衰筋不能動天癸竭精少腎藏衰形體皆極肝氣養筋肝衰故筋不能動腎氣養骨腎衰故形體疲極天癸已竭故精少也匪惟材力衰謝固當天數使然

八〻則齒髮去陽氣竭精氣衰故齒髮不堅離形骸矣去落也

腎者主水受五藏六府之精而藏之故五藏盛乃能寫五藏六府精氣

淫溢而滲灌於腎腎藏乃受而藏之何以明之靈樞經曰五藏主藏精藏精者不可傷由是則五藏各有精隨用而灌注於腎此乃腎爲都會關司之所非腎一藏而獨有精故曰五藏盛乃能寫也今五藏皆衰筋骨解墮天癸盡矣故髮鬢白身體重行步不正而無子耳所謂物壯則老謂之天道者也帝曰有其年已老而有子者何也言似非天癸之數也岐伯曰此其天壽過度氣脉常通而腎氣有餘也所稟天真之氣本自有餘也此雖有子男不過盡八八女不過盡七七而天地之精氣皆竭矣雖老而生子子壽亦不能過天癸之數帝曰夫道者年皆百數能有子乎岐伯曰夫道者能却老而全形身年雖壽能生子也是所謂得道之人也道成之證如下章云黃帝曰余聞上古有真人者提挈天地把握陰陽真人謂成道之人也夫真人之身隱見莫測其爲小也入於無間其爲大也徧於空境其變化也出入天地内外莫見迹順至真以表道成之

謡凡如此者故能提挈天地把握陰陽也呼吸精氣獨立守神肌肉若一真人心合於氣氣合於神神合於无故呼吸精氣獨立守神肌膚若冰雪綽約如處子　新校正云按全元起注本云身肌宗一太素同楊上善云真人身之肌體與太極同質故云宗一故能壽敝天地无有終時體同於道壽與道同故能无有終時而壽盡天地也敝盡也此其道生惟至道生乃能如是中古之時有至人者淳德全道全其至道故曰至人然至人以此淳朴之德全彼妙用之道　新校正云詳楊上善云積精全神能至於德故稱至人和於陰陽調於四時和謂同和諧謂調適言至人動靜必適中於四時生長收藏之令參同於陰陽寒暑升降之宜去世離俗積精全神心遠世紛身離俗染故能積精而復全神游行天地之間視聽八達之外神全故也庚桑楚曰神全之人不慮而通不謀而當精照无外志凝宇宙若天地然又曰體合於心心合於氣氣合於神神合於无其有介然之有唯然之音雖遠際八荒之外近在眉睫之內來于我者吾必盡知之夫如是者神全故所以能矣此蓋益其壽命而強者也亦歸於真人同歸於道也其次有聖人者處天地之和從

八風之理與天地合德與日月合明與四時合其序與鬼神合其吉凶故曰聖人所以順天地之淳和順八風之正理者欲其養正避彼虛邪適嗜欲於世俗之間无恚嗔之心聖人志深於道故適於嗜欲心全廣愛故不有恚嗔是以常德不離殁身不殆行不欲離於世被服章新校正云詳被服章三字疑衍此三字上下文不屬舉不欲觀於俗聖人舉事行止雖常在時俗之間然其見爲則與時俗有異爾何者貴法道之清靜也老子曰我獨異於人而貴求食於母母亦諭道也外不勞形於事内无思想之患聖人爲无爲事無事是以内无思想外不勞形以恬愉爲務以自得爲功恬靜也愉悦也法道清靜適性而動故悦而自得也形體不敝精神不散亦可以百數外不勞形内无思想故形體不敝精神保全神守不離故年登百數此蓋全性之所致爾庚桑楚曰聖人之於聲色滋味也利於性則取之害於性則捐之此全性之道也敝疲敝也其次有賢人者法則天地象似日月次聖人者謂之賢人然自強不息精了百端不慮而通發謀必當志同於天地心燭於洞幽故云法則天地象似日月也辯列星辰逆從陰陽分別四時星衆星也辰北辰也

揆列者謂定内外星官座位之所於天三百六十五度遠近之分次也逆從陰陽者謂以六甲等法逆順數而推步吉凶之徵兆也陰陽書曰人中甲子從甲子起以乙丑爲次順數之地下甲子從甲戌起以癸酉爲次逆數之此之謂逆從也分別四時者謂分其氣序也春溫夏暑秋清涼冬冰冽此四時之氣序也

將從上古合同於道亦可使益壽而有極時 將從上古合同於道謂如上古知道之人法於陰陽和於術數食飲有節起居有常不妄作勞也上古知道之人年度百歲而去故可使益壽而有極時也

四氣調神大論篇第二 新校正云按全元起本在第九卷

春三月此謂發陳 春陽上升氣潛發散生育庶物陳其姿容故曰發陳也所謂春三月者皆因節候而命之夏秋冬亦然 天地俱生萬物以榮 天氣溫地氣發溫發相合故萬物滋榮 夜卧早起廣步於庭 溫氣生寒氣散故夜卧早起廣步於庭 被髮緩形以使志生 法象也春氣發生於萬物之首故被髮緩形以使志意發生也 生而勿殺予而勿奪賞而勿罰 春氣發生施無求報故養生者必順於時也 此春氣之應養生之道也 所謂因時之序也然立春之節初五日東風解凍次五日蟄蟲

始振後五日魚上冰次雨水氣初五日獺祭魚次五日鴻鴈來後五日草木萌動次仲春驚蟄之節初五日小桃華　新校正云詳小桃華月令作桃始華次五日倉庚鳴後五日鷹化爲鳩次春分氣初五日玄鳥至次五日雷乃發聲芍藥榮後五日始電次季春清明之節初五日桐始華次五日田鼠化爲鴽牡丹華後五日虹始見次穀雨氣初五日萍始生次五日鳴鳩拂其羽後五日戴勝降于桑凡此六氣一十八候皆春陽布發生之令故養生者必謹奉天時也　新校正云詳芍藥榮牡丹華今月令無

逆之則傷肝夏爲寒變奉長者少　逆謂反行秋令也肝象木王於春故行秋令則肝氣傷夏火王而木廢故病生於夏然四時之氣春生夏長逆春傷肝故少氣以奉於夏長之令也

夏三月此謂蕃秀　陽自春生至夏洪盛物生以長故蕃秀也蕃茂也盛也秀華也美也

天地氣交萬物華實　舉夏至也脉要精微論曰夏至四十五日陰氣微上陽氣微下　由是則天地氣交也然陽氣施化陰氣結成成化相合故萬物華實也陰陽應象大論曰陽化氣陰成形

夜卧早起無厭於日使志無怒使華英成秀使氣得泄若所愛在外　緩陽氣則物化寬志意則氣泄物化則華英成秀氣泄則膚腠宣通時令發陽故所愛亦順陽而在外也

此夏氣之應養長之道也　立夏之節初五日螻蟈鳴次五日蚯蚓出次五日赤箭生　新校正云按月令

作王瓜生次小滿氣初五日吴葵華。新校正云按月令作苦菜秀次五日靡草死後五日小暑至次仲夏芒種之節初五日螳螂生次五日鵙始鳴後五日反舌無聲次夏至氣初五日鹿角解次五日蜩始鳴後五日半夏生木堇榮次季夏小暑之節初五日温風至次五日蟋蟀居壁後五日鷹乃學習次大暑氣初五日腐草化為螢次五日土潤溽暑後五日大雨時行凡此六氣一十八候皆夏氣揚蕃秀之令故養生者必敬順天時也　新校正云詳木堇榮今月令無

逆之則傷心秋為痎瘧奉收者少冬至重病逆謂反行冬令也痎痎瘦之瘧也心象火王於夏故行冬令則心氣傷秋金王而火廢故病發於秋而為痎瘧也然四時之氣秋收冬藏逆夏傷心故少氣以奉於秋收之令也冬水勝火故重病於冬至之時也

秋三月此謂容平万物夏長華實已成容狀至秋平而定也天氣以急地氣以明天氣以急風聲切也地氣以明物色變也早臥早起與雞俱興懼中寒露故早臥欲使安寧故早起使志安寧以緩秋刑志氣躁則不慎其動不慎其動則助秋刑急順殺伐生茲使志安寧緩秋刑也收斂神氣使秋氣平神蕩則欲熾欲熾則傷和氣和氣既傷則秋氣不平調也故收斂神氣使秋氣平也無外其志使肺氣清亦順秋氣之收斂也此秋氣之應養

收之道也立秋之節初五日涼風至次五日白露降後五日寒蟬鳴次處暑氣初五日鷹乃祭鳥次五日天地始肅後五日禾乃登次仲秋白露之節初五日盲風至鴻鴈來次五日玄鳥歸後五日羣鳥養羞次秋分氣初五日雷乃收聲次五日蟄蟲坏戶景天華後五日水始涸次季秋寒露之節初五日鴻鴈來賓次五日雀入大水為蛤後五日菊有黃華次霜降氣初五日豺乃祭獸次五日草木黃落後五日蟄蟲咸俯凡此六氣一十八候皆秋氣正收斂之令故養生者必謹奉天時也新校正云詳景天華三字今月令無逆之則傷肺冬為飱泄奉藏者少逆謂反行夏令也肺象金王於秋故行夏令則氣傷冬水王而金廢故病發於冬飱泄者食不化而泄中也逆秋傷肺故少氣以奉於冬藏之令也冬三月此謂閉藏草木凋蟄蟲去地戶閉塞陽氣伏藏水冰地坼無擾乎陽陽氣下沈水冰地坼故宜周密不欲煩勞擾謂煩也勞也早臥晚起必待日光避於寒也使志若伏若匿若有私意若已有得皆謂不欲妄出於外觸冒寒氣也故下文云去寒就溫無泄皮膚使氣亟奪去寒就溫言居深室也靈樞經曰冬日在骨蟄蟲周密君子居室無泄皮膚謂勿汗也汗則陽氣發泄陽氣發泄則數為寒氣所迫奪之亟數也此冬氣之應養藏之道也立冬之節初五日水始冰次五日地

始凍後五日雉入大水爲蜃次小雪氣初五日虹藏不見次五日天氣上騰地氣下降後五日閉塞而成冬次仲冬大雪之節初五日冰益壯地始坼鶡鳥不鳴次五日虎始交後五日芸始生荔挺出次冬至氣初五日蚯蚓結次五日麋角解後五日水泉動次季冬小寒之節初五日鴈北鄉次五日鵲始巢後五日水澤腹堅凡此六氣一十八候皆冬氣正養藏之令故養生者必謹奉天時也逆之則傷腎春爲痿厥奉生者少逆謂反行夏令也腎象水王於冬故行夏令則腎氣傷春木王而水廢故病發於春也逆冬傷腎故少氣以奉於春生之令也天氣清淨光明者也言天明不竭以清淨故致人之壽延長亦由順動而得故言天氣以示於人也藏德不止新校正云按別本止一作上故不下也四時成序七曜周行天不形言是藏德也德隱則應用不屈故不下也老子曰上德不德是以有德也言天至尊高德猶見隱也況全生之道而不順天乎天明則日月不明邪害空竅天所以藏德者爲其欲隱大明故大明見則小明滅故大明之德不可不藏天若自明則日月之明隱矣所諭者何言人之眞氣亦不可泄露當清淨法道以保天眞苟離於道則虛邪入於空竅陽氣者閉塞地氣者冒明陽謂天氣亦風熱也地氣謂濕亦雲霧也風熱之害人則九竅閉塞霧濕之爲病則掩翳精明取類者在天則日月不光在人則兩目藏曜也靈樞經曰天有日月人有眼目易曰喪明于易豈非失養正之道邪雲霧不精則上

應白露不下霧者雲之類露者雨之類夫陽盛則地不上應陰虛則天不下交故雲霧不化精微之氣上應於天而爲白露不下之咎矣陰陽應象大論曰地氣上爲雲天氣下爲雨雨出地氣雲出天氣明二氣交合乃成雨露方盛衰論曰至陰虛天氣絶至陽盛地氣不足明氣不相召亦不能交合也交通不表萬物命故不施不施則名木多死夫雲霧不化其精微雨露不霑於原澤是爲天氣不降地氣不騰變化之道既虧生育之源斯泯故萬物之命無稟而生然其死者則名木先應故云名木多死也名謂名果珍木表謂表陳其狀也易繫辭曰天地絪縕萬物化醇然不表交通則爲否也易曰天地不交否惡氣不發風雨不節白露不下則菀槀不榮惡謂害氣也發謂散發也節謂節度也菀謂蘊積也槀謂枯槀也言害氣伏藏而不散發風雨無度折傷復多槀木蘊積春不榮也豈惟其物獨遇是而有之哉人離於道亦有之矣故下文曰賊風數至暴雨數起天地四時不相保與道相失則未央絶滅不順四時之和數犯八風之害與道相失則天真之氣未期久遠而致滅亡央久也遠也唯聖人從之故身無奇病萬物不失生氣不竭道非遠於人人心遠於道惟聖人心合於道故壽命無窮從猶順也謂順四時之令也然四時之令不可逆之

逆之則五藏內傷而他疾起

逆春氣則少陽不生肝氣內變生謂動出也陽氣不出內鬱於肝則肝氣混糅變而傷矣

逆夏氣則太陽不長心氣內洞長謂外茂也洞謂中空也陽不外茂內薄於心澳熱內消故心中空也

逆秋氣則太陰不收肺氣焦滿收謂收斂焦謂上焦也太陰行氣主化上焦故肺氣不收上焦滿也　新校正云按焦滿全元起本作進滿甲乙太素作焦滿

逆冬氣則少陰不藏腎氣獨沈沈謂沈伏也少陰之氣內通於腎故少陰不伏腎氣獨沈　新校正云詳獨沈太素作沈濁

夫四時陰陽者萬物之根本也時序運行陰陽變化天地合氣生育萬物故萬物之根悉歸於此

所以聖人春夏養陽秋冬養陰以從其根陽氣根於陰陰氣根於陽無陰則陽無以生無陽則陰無以化全陰則陽氣不極全陽則陰氣不窮春食涼夏食寒以養於陽秋食溫冬食熱以養於陰滋苗者必固其根伐下者必枯其上故以斯調節從順其根二氣常存蓋由根固百刻曉暮食亦宜然

故與萬物沈浮於生長之門聖人所以身無奇病生氣不竭者以順其根也

逆其根則伐其本壞其真矣是則失四時陰陽之道也

故陰陽四

時者萬物之終始也死生之本也逆之則災害生從之則苛疾不起是謂得道（謂得養生之道苛者重也）道者聖人行之愚者佩之（聖人心合於道故勤而行之愚者性守於迷故佩服而已老子曰道者同於道德者同於德失者同於失同於道者道亦得之同於德者德亦得之同於失者失亦得之愚者未同於道德則可謂失道者也）從陰陽則生逆之則死從之則治逆之則亂反順爲逆是謂内格（格拒也謂内性格拒於天道也）是故聖人不治已病治未病不治已亂治未亂此之謂也（知之至也）夫病已成而後藥之亂已成而後治之譬猶渴而穿井鬭而鑄錐不亦晚乎（知不及時也備御虚邪事符握虎盛而後藥雖悔何爲）

生氣通天論篇第三（新校正云按全元起注本在第四卷）

黄帝曰夫自古通天者生之本本於陰陽天地之間

六合之内其氣九州九竅五藏十二節皆通乎天氣六合謂四方上下也九州謂冀兖青徐揚荆豫梁雍也外布九州而内應九竅故云九州九竅也五藏謂五神藏也五神藏者肝藏魂心藏神脾藏意肺藏魄腎藏志而此成形矣十二節者十二氣也天之十二節氣人之十二經脉而外應之咸同天紀故云皆通乎天氣也十二經脉者謂手三陰三陽足三陰三陽也　新校正云詳通天者生之本六節藏象注甚詳又按鄭康成云九竅者謂陽竅七陰竅二也其生五其氣三數犯此者則邪氣傷人此壽命之本也言人生之所運爲則内依五氣以立然其鎮塞天地之内則氣應三元以成三謂天氣地氣運氣也犯謂邪氣觸犯於生氣也邪氣數犯則生氣傾危故寶養天眞以爲壽命之本也庚桑楚曰聖人之制万物也以全其天天全則神全矣靈樞經曰血氣者人之神不可不謹養此之謂也蒼天之氣清淨則志意治順之則陽氣固春爲蒼天發生之主也陽氣者天氣也陰陽應象大論曰清陽爲天則其義也本天全神全之理全則形亦全矣雖有賊邪弗能害也此因時之序以因天四時之氣序故賊邪之氣弗能害也故聖人傳精神服天氣而通神明夫精神可傳惟聖人得道者乃能爾故服天眞之氣

則妙用自通於神明也失之則內閉九竅外壅肌肉衛氣散解失謂逆蒼天清
淨之理也然衛氣者合天之陽氣也上篇曰陽氣者閉塞謂陽氣之窮人則竅寫閉塞也靈樞經曰衛氣者所以溫分肉而充皮膚肥腠理而司開闔故失其
度則內閉九竅外壅肌肉以衛不營運故言散解也此謂自傷氣之削也夫逆蒼天之氣違清淨之理使正真之氣如削
去之者非天降之人自為之爾陽氣者若天與日失其所則折壽而不彰
此明前陽氣之用也諭人之有陽若天之有日天失其所則日不明人失其所則陽不固日不明則天境暝昧陽不固則人壽夭折故天運當
以日光明言人之生固宜藉其陽氣也是故陽因而上衛外者也此所以明陽氣運行
之部分輔衛人身之正用也因於寒欲如運樞起居如驚神氣乃浮欲如
運樞謂內動也起居如驚謂暴卒也言因天之寒當深居周密如樞紐之內動不當煩擾筋骨使陽氣發泄於皮膚而傷於寒毒也若起居暴卒馳騁荒佚則
神氣浮越無所綏寧矣脉要精微論曰冬日在骨蟄蟲周密君子居室四氣調神大論曰冬三月此謂閉藏水冰地坼無擾乎陽又曰使志若伏若匿若有私
意若已有得去寒就溫無泄皮膚使氣亟奪此之謂也新校正云按全元起本作連樞元起云陽氣定如連樞者動繫也因於暑氏

汗

煩則喘喝，靜則多言。此則不能靜慎，傷於寒毒，至夏而變暑病也。煩謂煩躁，靜謂安靜，喝謂大呵出聲也。言病因於暑，則當汗泄，不爲發表，邪熱內攻，中外俱熱，故煩躁喘數，大呵而出其聲也。若不煩躁，內熱外涼，瘀熱攻中，故多言而不次也。喝，一爲鳴。

體若燔炭，汗出而散。此重明可汗之理也。爲体若燔炭之炎熱者，何以救之？必以汗出，乃熱氣施散。燔，一爲燥，非也。

因於濕，首如裹，濕熱不攘，大筋緛短，小筋弛長，緛短爲拘，弛長爲痿。表熱爲病，當汗泄之，反濕其首，若濕物裹之，望除其熱。熱氣不釋，兼濕內攻，大筋受熱則縮而短，小筋得濕則引而長。縮短故拘攣而不伸，引長故痿弱而無力。攘，除也。緛，縮也。弛，引也。

因於氣，爲腫，四維相代，陽氣乃竭。素常氣疾，濕熱加之，氣濕熱爭，故爲腫也。然邪氣漸盛，正氣侵微，筋骨血肉，互相代負，故云四維相代也。致邪代正，氣不宣通，衛無所從，便至衰竭，故言陽氣乃竭也。衛者，陽氣也。

陽氣者，煩勞則張，精絕，辟積於夏，使人煎厥。此又誡起居暴卒，煩擾陽和也。然煩擾陽和，勞疲筋骨，動傷神氣，耗竭天真，則筋脈䐜脹，精氣竭絕，既傷腎氣，又損膀胱，故當於夏時，使人煎厥。以煎迫而氣逆，因以煎厥爲名。厥謂氣逆也。煎厥之狀，當如下說。新校正云：按脉解云：所謂少氣善怒者，陽氣不治，陽氣不治則陽氣不得出，肝氣當治而未得，故善怒。善怒者名曰煎厥目盲不可以視耳閉不可以聽潰潰乎若壞都汩汩乎不可止既且傷腎又竭膀胱腎經内屬於耳中膀胱脉生於目眥故目盲所視耳閉厥聽大矣哉斯乃房之患也既盲目視又閉耳聰則志意心神筋骨腸胃潰潰乎若壞都汩汩乎煩悶而不可止也陽氣者大怒則形氣絶而血菀於上使人薄厥此又誡喜怒不節過用病生也然怒則傷腎甚則氣絶大怒則氣逆而陽不下行陽逆故血積於心胷之内矣上謂心胷也然陰陽相薄氣血奔并因薄厥生故名薄厥舉痛論曰怒則氣逆甚則嘔血靈樞經曰盛怒而不止則傷志陰陽應象大論曰喜怒傷氣由此則怒甚氣逆血積於心胷之内矣菀積也有傷於筋縱其若不容怒而過用氣或迫筋筋絡内傷機關縱緩形容痿廢若不維持汗出偏沮使人偏枯夫人之身常偏汗出而濕潤者久久偏枯半身不隨新校正云按沮千金作袒全元起本作恒汗出見濕乃生痤疿陽氣發泄寒水制之熱怫内餘鬱於皮裏甚爲痤癤微作疿瘡疿風癮也高粱之變足生大丁受如持虚高膏也梁粱也不忍之人汗出淋洗則結爲痤疿膏粱之人内多滯熱皮厚肉密故内變爲丁矣外濕既侵中熱相感如持虚器受此邪毒故曰受如持虚所以丁生於足者四支爲諸陽之本也以其甚費於下

邪毒襲虛故爾新校正云按丁生之處不常於足蓋謂膏粱之變饒生大丁非偏著足也勞汗當風寒薄爲皶鬱乃痤時月寒涼形勞汗發淒風外薄膚腠居寒脂液遂凝稸於玄府依空滲涸皶刺長於皮中形如米或如針久者上黑長一分餘色白黃而瘦於玄府中俗曰粉刺解表已玄府謂汗空也痤謂色赤瞋憤內蘊血膿形小而大如酸棗或如按豆此皆陽氣內鬱所爲待耎而攻之大甚焫出之陽氣者精則養神柔則養筋此又明陽氣之運養也然陽氣者內化精微養於神氣外爲柔耎以固於筋動靜失宜則生諸疾開闔不得寒氣從之乃生大僂開謂皮腠發泄闔謂玄府閉封然開闔失宜爲寒所襲內深筋絡結固虛寒則筋絡拘緛形容僂俯矣靈樞經曰寒則筋急此其類也陷脉爲瘻留連肉腠陷脉謂寒氣陷缺其脉也積寒留舍經血稽凝久瘀內攻結於肉理故發爲瘍瘻肉腠相連俞氣化薄傳爲善畏及爲驚駭言若寒中於背俞之氣變化入深而薄於藏府者則善爲恐畏及發爲驚駭也營氣不從逆於肉理乃生癰腫營逆則血鬱血鬱則熱聚爲膿故爲癰腫也正理論云熱之所過則爲癰腫魄汗未盡形弱而氣爍穴俞以閉發爲風瘧汗出未止形弱氣消風寒薄之穴俞隨閉熱藏

不出以至於秋秋陽復收兩熱相合故令振慄寒熱相移以所起爲風故名風瘧也金匱真言論曰夏暑汗不出者秋成風瘧蓋論從風而爲是也故下文曰

故風者百病之始也清靜則肉腠閉拒雖有大風苛毒弗之能害此因時之序也夫嗜欲不能勞其目淫邪不能惑其心不妄作勞是爲清靜以其清靜故能肉腠閉皮膚密真正內拒虛邪不侵然大風苛毒不必常求於人蓋由人之冒犯爾故清淨則肉腠閉陽氣拒大風苛毒弗能害之請靜者但因循四時氣序養生調節之宜不妄作勞起居有度則生氣不竭永保康寧

故病久則傳化上下不并良醫弗爲并謂氣交通也然病之深久變化相傳上下不通陰陽否隔雖醫良法妙亦何以爲之陰陽應象大論曰夫善用鍼者從陰引陽從陽引陰以右治左以左治右若是氣相格拒故良醫弗可爲也

故陽畜積病死而陽氣當隔隔者當寫不亟正治粗乃敗之言三陽畜積怫結不通不急寫之亦病而死何者畜積不已亦上下不并矣何以驗之隔塞不便則其證也若不急寫粗工輕侮必見敗亡也陰陽別論曰三陽結謂之隔又曰剛與剛陽氣破散陰氣乃消亡淖則剛柔不和經氣乃絕

故陽氣者一日而主外晝則陽氣在外周身行二十五度靈樞經曰目開則氣上行於頭衛氣行於陽二十五度也

平旦人氣生日中而陽氣隆日西而陽氣已虛氣門
乃閉隆猶高也盛也夫氣之有者皆自少而之壯積暖以成炎炎極又涼物之理也故陽氣平曉生日中盛日西而已減虛也氣門謂玄府也所以發泄經脈營衛之氣故謂之氣門也
是故暮而收拒無擾筋骨無見霧露反
此三時形乃困薄皆所以順陽氣也陽出則出陽藏則藏暮陽氣衰內行陰分故宜收斂以拒虛邪擾筋骨則逆陽精耗見霧露則寒濕具侵故順此三時乃天真久遠也
岐伯曰新校正云詳篇首云帝曰此岐伯曰非相對問也
陰者藏精
而起亟也陽者衛外而為固也言在人之用也亟數也
陰不勝其陽
則脈流薄疾并乃狂薄疾謂極虛而急數也并謂盛實也狂謂狂走或妄攀登也陽并於四支則狂陽明脈解曰四支者諸陽之本也陽盛則四支實實則能登高而歌也熱盛於身故棄衣欲走也夫如是者皆為陰不勝其陽也
陽不勝其陰則
五藏氣爭九竅不通九竅者內屬於藏外設為官故五藏氣爭則九竅不通也言九竅謂前陰後陰不通兼言上七竅也若兼則目為肝之官鼻為肺之官口為脾之官耳為腎之官舌為心之官舌非通竅也金匱真言論曰南方赤色入通於心開竅於耳北方黑色入通於

腎開竅於二陰故也是以聖人陳陰陽筋脉和同骨髓堅固氣血皆從從順也言循陰陽法近養生道則筋脉骨髓各得其宜故氣血皆能順時和氣也如是則內外調和邪不能害耳目聰明氣立如故邪氣不剋故真氣獨立而如常若失聖人之道則致疾於身故下文引曰風客淫氣精乃亡邪傷肝也自此已下四科並謂失聖人之道也風氣應肝故風淫精亡則傷肝也陰陽應象大論曰風氣通於肝也風薄則熱起熱盛則水乾水乾則腎氣不營故精乃亡也亡無也　新校正云按全元起云淫氣者陰陽之亂氣因其相亂而風客之則傷精傷精則邪入於肝也因而飽食筋脉橫解腸澼為痔甚飽則腸胃橫滿腸胃滿則筋脉解而不屬故腸澼而為痔也痺論曰飲食自倍腸胃乃傷此傷之信也因而大飲則氣逆飲多則肺布葉舉故氣逆而上奔也因而強力腎氣乃傷高骨乃壞強力謂強力入房也高骨謂腰高之骨也然強力入房則精耗精耗則腎傷腎傷則髓氣內枯故高骨壞而不用也聖人交會則不如此當如下句云凡陰陽之要陽密乃固陰陽交會之要者正在於陽氣閉密而不妄泄爾密不妄泄乃生氣強固而能久長此聖人之道也兩者不和若

春無秋若冬無夏 所謂陰陽和謂和合則交會也若如也言絕陰陽和合之道者如天四時有春無秋有冬無夏也所以然者絕廢於生成也故聖人不絕和合之道但貴於閉密以守固天真法也 因而和之是謂聖度 因陽氣盛發中外相應賈勇有餘乃相交合則聖人交會之制度也 故陽強不能密陰氣乃絕 陽自強而不能閉密則陰泄寫而精氣竭絕矣 陰平陽秘精神乃治 陰氣和平陽氣閉密則精神之用日益治也 陰陽離決精氣乃絕 若陰不和平陽不閉密強用施寫損耗天真二氣分離經絡決憊則精氣不化乃絕流通也 因於露風乃生寒熱 因於露體觸冒風邪風氣外侵陽氣內拒風陽相薄故寒熱由生 是以春傷於風邪氣留連乃為洞泄 風氣通肝春肝木王木勝脾土故洞泄生也新校正云按陰陽應象大論曰春傷於風夏生飧泄 夏傷於暑秋為痎瘧 夏熱已甚秋陽復收陽熱相攻則為痎瘧痎老也亦曰瘦也 秋傷於濕上逆而欬 濕謂地濕氣也秋濕既勝冬水復王水來乘肺故欬逆病生 新校正云按陰陽應象大論云秋傷於濕冬生欬嗽 發為痿厥 濕氣內攻於藏府則欬逆外散於筋脈則痿弱也陰陽應象大論曰地之濕氣感則害皮肉筋脈故濕氣之資發為痿厥厥謂逆氣也 冬傷於

寒，春必温病。冬寒且凝，春陽氣發，寒不為釋，陽怫于中，寒怫相持，故為温病。新校正云：按此與陰陽應象大論重，彼注甚詳。四時之氣，更傷五藏。寒暑温涼遞相勝負，故四時之氣更傷五藏之和也。陰之所生，本在五味；陰之五宮，傷在五味。所謂陰者，五神藏也。宮者，五神之舍也。言五藏所生本資於五味，五味宣化各湊於本宮，雖因五味以生，亦因五味以損，正為好而過節，乃見傷也。故下文曰：是故味過於酸，肝氣以津，脾氣乃絶。酸多食之，令人癃，小便不利，則肝多津液，津液内溢，則肝葉舉，肝葉舉則脾經之氣絶而不行。何者？木制土也。味過於鹹，大骨氣勞，短肌，心氣抑。鹹多食之，令人肌膚縮短，又令心氣抑滞而不行。何者？鹹走血也。大骨氣勞，鹹歸腎也。味過於甘，心氣喘滿，色黑，腎氣不衡。甘多食之，令人心悶，甘性滞緩，故令氣喘滿而腎不平。何者？土抑水也。衡，平也。味過於苦，脾氣不濡，胃氣乃厚。苦性堅燥，又養脾胃，故脾氣不濡，胃氣強厚。味過於辛，筋脉沮弛，精神乃央。沮，潤也。弛，緩也。央，久也。辛性潤澤，散養於筋，故令筋緩脉潤，精神長以。向者，辛補肝也。藏氣法時論曰：肝欲散，急食辛以散之，用辛補之。新校正云：按此論所說所傷，辯作精[illegible]

夬乃缺也古文通用如膏粱之作高梁草滋之作草茲之類也古文簡略字多假借用者也是故謹和五味骨正筋柔氣血以流湊理以密如是則骨氣以精謹道如法長有天命是所謂修養天真之至道也

金匱真言論篇第四新校正云按全元起注本在第四卷

黃帝問曰天有八風經有五風何謂經謂經脈所以流通營衛血氣者也岐伯對曰八風發邪以爲經風觸五藏邪氣發病原其所起則謂八風發邪經脈受之則循經而觸於五藏以邪干正故發病也所謂得四時之勝者春勝長夏長夏勝冬冬勝夏夏勝秋秋勝春所謂四時之勝也春木夏火長夏土秋金冬水皆以所剋殺而爲勝也言五時之相勝者不謂八風中人則病各謂隨其不勝則發病也勝謂制剋之也東風生於春病在肝俞在頸項春氣發榮於萬物之上故俞在頸項歷忌曰甲乙不治頸此之謂也南風

生於夏病在心俞在胷脇（心少陰脉循胷出脇故俞在焉）西風生於秋病
在肺俞在肩背（肺處上焦背爲胷府肩背相次故俞在焉）北風生於冬病在腎俞
在腰股（腰爲腎府股接次之以氣相連故兼言也）中央爲土病在脾俞在脊（以脊應土言居
中）故春氣者病在頭（春氣謂肝氣也各隨其藏氣之所應　新校正云按周禮云春時有痟首疾）夏氣者病
在藏（心之應也）秋氣者病在肩背（肺之應也）冬氣者病在四支（四支氣少寒毒
善傷隨所受邪則爲病處）故春善病鼽衄（以氣在頭也禮記月令曰季秋行夏令則民多鼽嚏）仲夏善病胷
脇（心之脉循胷脇故也）長夏善病洞泄寒中（土主於中是爲倉廩糟粕水穀故爲洞泄寒中也）秋善病
風瘧（以涼折暑乃爲是病生氣通天論曰魄汗未盡形弱而氣爍穴俞以閉發爲風瘧此之謂以涼折暑之義也禮記月令曰孟秋行夏令則民多瘧疾也）
冬善病痺厥（血象於水寒則水冰以氣薄流故爲痺厥）故冬不按蹻春不鼽衄（按
謂按摩蹻謂如蹻捷者之舉動手足是所謂導引也然擾動筋骨則陽氣不
藏春陽氣上升重熱熏肺肺通於鼻病則形之故冬不按蹻春不鼽衄鼽謂

中水出衄謂鼻中血出 春不病頸項仲夏不病胷脇長夏不病洞泄寒中秋不病風瘧冬不病痹厥飧泄而汗出也此上五句並為冬不按蹻之所致也　新校正云詳飧泄而汗出也六字上文疑剩 夫精者身之本也故藏於精者春不病温此正謂冬不按蹻則精氣伏藏以陽不妄升故春无温病 夏暑汗不出者秋成風瘧此正謂以風涼之氣折暑汗也　新校正云詳此下義與上文不相接 此平人脉法也謂平病人之脉法也 故曰陰中有陰陽中有陽言其初起與其王也 平旦至日中天之陽陽中之陽也日中至黄昏天之陽陽中之陰也日中陽盛故曰陽中之陽黄昏陰盛故曰陽中之陰陽氣主晝故平旦至黄昏皆為天之陽而中復有陰陽之殊耳 合夜至雞鳴天之陰陰中之陰也雞鳴至平旦天之陰陰中之陽也雞鳴陽氣未出故也天之陰平旦陽氣已升故曰陰中之陽 故人亦應之夫言人之陰陽則

外爲陽内爲陰言人身之陰陽則背爲陽腹爲陰言人身之藏府中陰陽則藏者爲陰府者爲陽藏謂五神藏府謂六化府肝心脾肺腎五藏皆爲陰膽胃大腸小腸膀胱三焦六府皆爲陽靈樞經曰三焦者上合於手心主又曰足三焦者太陽之别名也正理論曰三焦者有名無形上合於手心主下合右腎主謁道諸氣名爲使者也所以欲知陰中之陰陽中之陽者何也爲冬病在陰夏病在陽春病在陰秋病在陽皆視其所在爲施鍼石也故背爲陽陽中之陽心也心爲陽藏位處上焦以陽居陽故爲陽中之陽也靈樞經曰心爲牡藏牡陽也背爲陽陽中之陰肺也肺爲陰藏位處上焦以陰居陽故謂陽中之陰也靈樞經曰肺爲牝藏牝陰也腹爲陰陰中之陰腎也腎爲陰藏位處下焦以陰居陰故謂陰中之陰也靈樞經曰腎爲牝藏牝陰也腹爲陰陰中之陽肝也肝爲陽藏位處中焦以陽居陰故謂陰中之陽也靈

（樞經曰肝爲牡藏牡陽也靈樞經曰脾爲牝藏牝陰也）腹爲陰陰中之至陰脾也（脾爲陰藏位處中焦以太陰居陰故謂陰中之至陰）此皆陰陽表裏內外雌雄相輸應也故以應天之陰陽也（以其氣象參合故能上應於天）帝曰五藏應四時各有收受乎岐伯曰有東方青色入通於肝開竅於目藏精於肝（精謂精氣也木精之氣其神魂陽升之方以目爲用故開竅於目）其病發驚駭（象木屈伸有摇動也　新校正云詳東方云病發驚駭餘方各闕者按五常政大論委和之紀其發驚駭疑此文爲衍）其味酸其類草木（性柔脆而曲直）其畜雞（以雞爲畜取巽言之易曰巽爲雞）其穀麥（五穀之長者麥故東方用之本草曰麥爲五穀之長　新校正云按五常政大論云其畜犬其穀麻）其應四時上爲歲星（木之精氣上爲歲星十二年一周天）是以春氣在頭也（萬物發榮於上故春氣在頭　新校正云詳東方言春氣在頭不言故病在頭餘方言故病在某不言某氣在某者互文也）其音角（角木聲也孟春之月律中太蔟林鐘所生三分益一管率長八寸仲春之月律中夾鍾夷則所生三分益一管率長七寸五分　新校正云按

鄭康成云七寸二千一百八十七分寸之千七十五　季春之月律中姑洗南
吕所生三分益一管率長七寸又二十分寸之一　新校正云按鄭康成云九
分寸之一　凡是三管皆木氣應之　其數八　木生數三成數八尚書洪範曰三曰木　是以知病之在筋
也　木之堅柔類筋氣故　其臭臊　凡氣因木變則爲臊　新校正云詳臊月令作羶　南方赤色入通於
心開竅於耳藏精於心　火精之氣其神神舌爲心之宫當言於舌舌用非竅故云耳也繆刺論曰手少陰之絡會
於耳中義取此也　故病在五藏　以夏氣在藏也　其味苦其類火　性炎上而燔灼　其畜
羊　以羊爲畜言其未也以土同王故通而言之　新校正云按五常政大論云其畜馬　其穀黍　黍色赤　其應四時
上爲熒惑星　火之精氣上爲熒惑星七百四十日一周天　是以知病之在脉也　火之
躁動類於脉氣　其音徵　徵火聲也孟夏之月律中仲吕无射所生三分益一管率長六寸七分　新校正云按鄭康成云六寸萬九千六百
八十三分寸之萬二千九百七十四　仲夏之月律中㽔賓應鍾所生三分益一管率長六寸三分　新校正云按鄭康成云六寸八十一分寸之二十六　季
夏之月律中林鍾黄鍾所生三分減一管率長六寸凡是三管皆火氣應之　其數七　火生數二成數七尚書洪範曰二曰火　其

臭焦反不因火變則爲焦中央黃色入通於脾開竅於口藏精於脾土精之氣其神意脾爲化穀口主迎糧故開竅於口故病在舌本脾脉上連於舌本故病氣居之其味甘其類土性安靜而化造其畜牛土王四季故畜取丑牛文以牛色黃也其穀稷色黃而味甘也其應四時上爲鎮星土之精氣上爲鎮星二十八年一周天是以知病之在肉也土之柔厚類肉氣故其音宮宮土聲也律書以黃鍾爲濁宮林鍾爲清宮蓋以林鍾當六月管也五音以宮爲主律呂初起於黃一爲濁宮林鍾爲清宮也其數五土數五尚書洪範曰五曰土其臭香凡氣因土變則爲香西方白色入通於肺開竅於鼻藏精於肺金精之氣其神魄肺藏氣鼻爲息故開竅於鼻故病在背以肺在胷中背爲胷中之府也其味辛其類金性音聲而堅勁其畜馬畜馬者取乾也易曰乾爲馬新校正云按五常政大論云其畜雞其穀稻稻堅白其應四時上爲太白星金之精一上爲太白星三百六十五日一周天是以知病之在皮毛也金之堅密類皮毛也其音商商金聲也孟秋之月律中夷則大呂所生三分減一管率長五寸七分仲

內經一　三

秋之月律中南吕太簇所生三分減一管率長五寸三分季秋之月律中无射夾鍾所生三分減一管率長五寸凡是三管皆金氣應之其數九金生數四成數九尚書洪範曰四曰金其臭腥凡氣因金變則為腥羶之氣也北方黑色入通於腎開竅於二陰藏精於腎水精之氣其神志腎藏精陰泄注故開竅於二陰也故病在谿谿謂肉之小會也氣穴論曰肉之大會為谷肉之小會為谿其味鹹其類水性潤下而滲灌其畜彘彘豕也其穀豆豆黑色其應四時上為辰星水之精氣上為辰星三百六十五日一周天是以知病之在骨也腎主幽暗骨體內藏以類相同故病居骨也其音羽羽水聲也孟冬之月律中應鍾沽洗所生二分減一管率長四寸七分半仲冬之月律中黃鍾仲吕所生三分益一管率長九寸季冬之月律中大吕蕤賓所生三分益一管率長八寸四分凡是三管皆水氣應之其數六水生數一成數六尚書洪範曰一曰水其臭腐凡氣因水變則為腐朽之氣也故善為脈者謹察五藏六府一逆一從陰陽表裏雌雄之紀藏之心意合心於精心合精微則深知通變非其人勿教非其真

勿授是謂得道隨其所能而與之是謂得師資教授之道也靈樞經明目者可使視色耳聰者可使聽音捷疾辭語者可使論語徐而安靜手巧而心審諦者可使行針艾理血氣而調諸逆順察陰陽而兼諸方論緩節柔筋而心和調者可使導引行氣疾毒言語輕人者可使唾癰呪病爪苦手毒爲事善傷者可使按積抑痺由是則各得其能方乃可行其名乃彰故曰非其人勿教非其真勿授也

重廣補註黃帝內經素問卷第一

序 迺其上音乃 蕆勑芥丑切 糅女救切雜也 瑩音瑩

上古天真論 徇徐閏切病也 痺必至切 更齒上古行切下齒更同 恬憺上徒兼切下音淡 頞於葛切 俠口胡夾切下同 頷顱落胡盧切 滲灌上所禁切 解墮上上聲下上聲 壽敝毗祭切 眉睫音接 恚嗔上於桂切 愉音俞

四氣調神大論 予而上音與 獺他達切 鴽音如鶉也 蕃秀上音煩 螻蟈上音樓下古獲切蛙也 蚯蚓上音丘下以忍切 鶪古闃切搏勞鳥也 蜩音條 溽暑上音辱 痎音皆瘦瘧也 欲熾尺志切 坏戶

上步回切始涸胡各切豺音柴亟奪上去吏切鶡苦割切荔挺上力計切下大頂切鄉音向

雊古豆切雉鳴否符鄙切下不交否同燠熱上於六切生氣通天論分上音暴

卒倉沒切荒佚音逸躁則到切喝呼葛切瘀衣倨切褰攘汝陽切緛音軟

縮也潰潰古沒切頃閔不止也眥在計切又前計切奔併下去声偏沮子魚切潤也痤昨禾

切疿方味切怫符弗切皶織加切稸許竹切瘈天制切焫而劣切大僂

力主切瘻力闘切癰瘻瘍音陽下並同俞音庶否隔符鄙切塞也粗千胡切淖奴教

切下並同腸澼普擊切決憊蒲拜切癃音隆金匱真言論鼽音求按安

蹻音脚燔灼上音煩彘直利切

重廣補注黃帝內經素問卷第二

啓玄子次注林億孫奇高保衡等奉敕校正孫兆重改誤

陰陽應象大論　陰陽離合論
陰陽別論

陰陽應象大論篇第五（新校正云：按全元起本在第九卷。）

黃帝曰：陰陽者，天地之道也，（謂變化生成之道也。老子曰：萬物負陰而抱陽，沖氣以為和。易繫辭曰：一陰一陽之謂道。此之謂也。）萬物之綱紀，（滋生之用也。陽與之正氣以生，陰為之主持以立，故為萬物之綱紀也。陰陽離合論曰：陽與之正，陰為之主。則謂此也。）變化之父母，（異類之用也。何者？然鷹化為鳩，田鼠化為鴽，腐草化為螢，雀入大水為蛤，雉入大水為蜃，如此皆異類因變化而成有也。）生殺之本始，（寒暑之用也。萬物假陽氣溫而生，因陰氣寒而死，故知生殺本始，是陰陽之所運為也。）神明之府也，（府，宮府也。言所以生殺變化之多端者何哉？以神明居其中也。下文曰：天地之動靜，神明為之綱紀。故易繫辭曰：陰陽不測之謂神亦謂居其中也　新校正云詳陰陽至神明之府與天元紀大論同注頗異　治病必求於本陰陽與萬類生殺變化猶然在於人身同相參合故治病之道必先求之　故積陽爲天積陰爲地言陰陽爲天地之道者何以此　陰靜陽躁言應物類運用之標格也　陽生陰長陽殺陰藏明前天地殺生之殊用也　神農曰天以陽生陰長地以陽殺陰藏　新校正云詳陰長陽殺之義或者疑之按周易八卦布四方之義則可見矣坤者陰也位西南隅時在六月七月之交萬物之所盛長也安謂陰無長之理乾者陽也位戌亥之分時在九月十月之交萬物之所收殺也孰謂陽無殺之理以是明之陰長陽殺之理可見矣此語又見天元紀大論其說自異　陽化氣陰成形明前萬物滋生之綱紀也　寒極生熱熱極生寒明前之大體也　寒氣生濁熱氣生清言正氣也　清氣在下則生飧泄濁氣在上則生䐜脹熱氣在下則穀不化故飧泄寒氣在上則氣不散故䐜脹何者以陰靜而陽躁也　此陰陽反作病之逆從也反謂反覆作謂作務反覆作務則病如是　故清陽爲天濁陰爲地地氣上爲雲天氣下爲雨雨出地氣雲出天

氣陰凝上結則合以成雲陽散下流則注而爲雨雨從雲以施化故言雨出地雲憑氣以交合故言雲出天天地之理且然人身清濁亦如是也故清陽出上竅濁陰出下竅氣本乎天者親上氣本乎地者親下各從其類也上竅謂耳目鼻口下竅謂前陰後陰清陽發腠理濁陰走五藏腠理謂滲泄之門故清陽可以散發五藏爲包藏之所故濁陰可以走之清陽實四支濁陰歸六府四支外動故清陽實之六府內化故濁陰歸之水爲陰火爲陽水寒而靜故爲陰火熱而躁故爲陽陽爲氣陰爲味氣惟散布故陽爲之味曰從形故陰爲之味歸形形歸氣氣歸精精歸化形食味故味歸形氣養形故形歸氣精食氣故氣歸精化生精故精歸化故下文曰精食氣形食味氣化則精生味和則形長故云食之也化生精氣生形精微之液惟血化而成形質之有資氣行營立故斯二者各奉生乎味傷形氣傷精過其節也精化爲氣氣傷於味精承化養則食氣精若化生則不食氣精血內結鬱爲穢腐攻胃則五味倦然不得入也女人重身精化百日皆傷於味也陰味出下竅陽氣出上竅味有質故下流於便寫之竅氣無形故上出於呼吸之門味厚者

爲陰薄爲陰之陽氣厚者爲陽薄爲陽之陰陽爲氣氣厚者爲純陽陰爲味味厚者爲純陰故味薄者爲陰中之陽氣薄者爲陽中之陰味厚則泄薄則通氣薄則發泄厚則發熱陰氣潤下故味厚則泄利陽氣炎上故氣厚則發熱味薄爲陰少故通泄氣薄爲陽少故汗出發泄謂汗出也壯火之氣衰少火之氣壯火之壯者壯已必衰火之少者少已則壯壯火食氣氣食少火壯火散氣少火生氣氣生壯火故云壯火食氣少火滋氣故云氣食少火以壯火食氣故氣得壯火則耗散以少火益氣故氣得少火則生長人之陽氣壯少亦然氣味辛甘發散爲陽酸苦涌泄爲陰非惟氣味分正陰陽然辛甘酸苦之中復有陰陽之殊氣爾何者辛散甘緩故發散爲陽酸收苦泄故涌泄爲陰陰勝則陽病陽勝則陰病勝則不病不勝則病陽勝則熱陰勝則寒是則太過而致也新校正云按甲乙經作陰病則熱陽病則寒文異意同重寒則熱重熱則寒物極則反亦猶壯火之氣衰少火之氣壯也寒傷形熱傷氣寒則衛氣不利故傷形熱則榮氣内消故傷氣雖陰成形陽化氣一過其節則形氣被傷

氣傷痛，形傷腫。氣傷則熱結於肉分故痛，形傷則寒薄於皮腠故腫。故先痛而後腫者，氣傷形也；先腫而後痛者，形傷氣也。先氣證而病形，故曰氣傷形；先形證而病氣，故曰形傷氣。

風勝則動，風勝則庶物皆搖，故為動。新校正云：按左傳曰：風淫末疾。即此義也。熱勝則腫，熱勝則陽氣內鬱，故洪腫暴作，甚則榮氣逆於內理，聚為癰膿之腫。燥勝則乾，燥勝則津液竭涸，故皮膚乾燥。寒勝則浮，寒勝則陰氣結於玄府，玄府閉密，陽氣內攻，故為浮。濕勝則濡寫。濕勝則內攻於脾胃，脾胃受濕則水穀不分，水穀相和，故大腸傳道而注寫也。以濕內盛而寫，故謂之濡寫。新校正云：按左傳曰：雨淫腹疾。則其義也。風勝則動至此五句，與天元紀大論文重，彼注頗詳矣。

天有四時五行，以生長收藏，以生寒暑燥濕風。春生、夏長、秋收、冬藏，謂四時之生長收藏。冬水寒，夏火暑，秋金燥，春木風，長夏土濕，謂五行之寒暑濕燥風也。然四時之氣，土雖寄王，原其所主，則濕屬中央，故云五行以生寒暑燥濕風五氣也。

人有五藏化五氣，以生喜怒悲憂恐。五藏謂肝心脾肺腎。五氣謂喜怒悲憂恐。然是五氣更傷五藏之和氣矣。新校正云：按天元紀大論悲作思，又本篇下文肝在志為怒，心在志為喜，脾在志為思，肺在志為憂，腎在志為恐，玉機真藏論作悲誥論不同皇甫士安甲乙經精神五藏篇具有其說蓋言悲者以悲能勝怒取五志迭相勝而爲言也舉思者以思爲脾之志也各舉一則義與不足兩見之則互相成義也

故喜怒傷氣寒暑傷形喜怒之所生皆生於氣故云喜怒傷氣寒暑之所勝皆勝於形故云寒暑傷形近取舉凡則如斯失細而言者則熱傷於氣寒傷於形

暴怒傷陰暴喜傷陽怒則氣上喜則氣下故暴卒氣上則傷陰暴卒氣下則傷陽

厥氣上行滿脈去形厥氣逆也逆氣上行滿於經絡則神氣浮越去離形骸矣

喜怒不節寒暑過度生乃不固靈樞經曰智者之養生也必順四時而適寒暑和喜怒而安居處然喜怒不恒寒暑過度天真之氣何可久長

故重陰必陽重陽必陰言傷寒傷暑亦如是

故曰冬傷於寒春必溫病夫傷於四時之氣皆能爲病以傷寒爲毒者最爲殺厲之氣中而即病故曰傷寒不即病者寒毒藏於肌膚至春變爲溫病至夏變爲暑病故養生者必慎傷於邪也

春傷於風夏生飧泄風中於表則內應於脾肝氣乘脾故飧泄新校正云按生氣通天論云春傷於風邪氣留連乃爲洞泄

夏傷於暑秋必痎瘧夏暑已甚秋熱復壯兩熱相攻故爲痎瘧痎瘦也

秋傷於濕冬生欬嗽秋濕既多冬水復王水濕相得肺氣又衰故冬寒甚則爲嗽新校正云

按生氣通天論云秋傷於濕上逆而欬發爲痿厥帝曰余聞上古聖人論理人形列別藏府端絡經脈會通六合各從其經氣穴所發各有處名谿谷屬骨皆有所起分部逆從各有條理四時陰陽盡有經紀外内之應皆有表裏其信然乎六合謂十二經脈之合也靈樞經曰太陰陽明爲一合少陰太陽爲一合厥陰少陽爲一合手足之脈各三則爲六合也手厥陰則心包胳脈也氣穴論曰肉之大會爲谷肉之小會爲谿分肉之間谿谷之會以行榮衛以會大氣屬骨者爲骨相連屬處表裏者諸陽經脈皆爲表諸陰經脈皆爲裏　新校正云詳帝曰至信其然乎全元起本及太素在上古聖人之教也上岐伯對曰東方生風陽氣上騰散爲風也風者天之號令風爲教始故生自東方風生木風鼓木榮則風生木也木生酸凡物之味酸者皆木氣之所生也尚書洪範曰曲直作酸酸生肝生謂生長也凡味之酸者皆先生長於肝肝生筋肝之精氣生養筋也筋生心陰陽書曰木生火然肝之木氣内養筋已乃生心也肝主目目見曰明類齊同也其在天爲玄玄謂玄冥言天色高遠尚未盛明也在人爲

道 道謂道化以道而化人則歸從 在地爲化 化謂造化也庶類時育皆造化者也 化生五味 萬物生五味具皆變化爲母而使生成也 道生智 智從正化而有故曰道生智 玄生神 玄冥之内神處其中故曰玄生神 神在天爲風 飛揚鼓坼風之用也然發而周遠无所不通信乎神化而能爾 在地爲木 柔軟曲直木之性也 新校正云詳其在天至爲木與天元紀大論同注頗異 在體爲筋 束絡連綴而爲力也 在藏爲肝 其神魂也道經義曰魂居肝魂靜則至道不亂 在色爲蒼 蒼謂薄青色象木色也 在音爲角 角謂木音調而直也樂記曰角亂則憂其民怨 在聲爲呼 呼謂叫呼亦謂之嘯 在變動爲握 握所以牽就也 新校正云按楊上善云握憂噦欬慄五者改志而有名曰變動也 在竅爲目 目所以司見形也 在味爲酸 酸可用收斂也 在志爲怒 怒所以禁非也 怒傷肝 雖志爲怒甚則自傷 悲勝怒 悲則肺金并於肝木故勝怒也宣明五藏篇曰精氣并於肺則悲 新校正云詳五志云怒喜思憂恐悲當云憂今變憂爲悲者蓋以悲憂而不解則傷意悲哀而動中則傷魂故不云憂也 風傷筋 風勝則筋絡拘急 新校正云按五運行大論曰風傷肝 燥勝風 燥爲金氣故勝木風 酸傷筋 過節也 辛勝酸 辛金味故勝木酸 南方

生熱 陽氣炎燥故生熱 熱生火 鑽燧改火惟熱是生 火生苦 凡物之味苦者皆火氣之所生也尚書洪範曰炎上作苦 苦生心 凡味之苦者皆先生長於心 心生血 心之精氣生養血也 血生脾 陰陽書曰火生土然心火之氣內養使血已乃生脾土 新校正云按太素血作脉 心主舌 心別是非舌以言事故主舌 其在天為熱 暄暑熾燠熱之用也 在地為火 炎上翕赩火之性也 在體為脉 通行榮衛而養血也 在藏為心 其神心也道經義曰神處心神守則血氣流通 在色為赤 象火色 在音為徵 徵謂火音和而美也樂記曰徵亂則哀其事勤 在聲為笑 笑喜聲也 在變動為憂 憂可以成務 新校正云按楊上善云心之憂在心變動肺之憂在肺之志是則肺主於秋憂為正也心主於夏變而生憂也 在竅為舌 舌所以司辨五味也金匱真言論曰南方赤色入通於心開竅於耳尋其為竅則舌義便乖以其主味故云舌也 在味為苦 苦可用燥泄也 在志為喜 喜所以和樂也 喜傷心 雖志為喜甚則自傷 恐勝喜 恐則腎水并於心火故勝喜也宣明五藏篇曰精氣并於腎則恐 熱傷氣 熱勝則喘息促急 寒勝熱 寒為水氣故勝火熱 苦傷氣 以火生也 新校正云詳此篇論所傷之旨其例有三東方云風傷筋酸傷筋中央云濕傷肉甘傷肉是自傷者也南方

云熱傷氣苦傷氣北方云寒傷血鹹傷血是傷已所勝西方云熱傷皮毛是被勝傷已辛傷皮毛是自傷者也凡此五方所傷有此三別不同太素則俱云自傷

鹹勝苦（鹹水味故勝火苦）

中央生濕（陽氣盛薄陰氣固外外薄相合故生濕也易義曰陽上薄陰陰能固之然後蒸而爲雨明濕生於固陰之氣也　新校正云按楊上善云六月四陽二陰合蒸以生濕氣也）濕生土（土濕則固明濕生也　新校正云按楊上善云四陽二陰合而爲濕蒸腐萬物成土也）土生甘（凡物之味甘者皆土氣之所生也尚書洪範曰稼穡作甘）甘生脾（凡味之甘者皆先生長於脾）脾生肉（脾之精氣生養肉也）肉生肺（陰陽書曰土生金然脾土之氣內養肉已乃生肺金）脾主口（脾受水穀口納五味故主口）其在天爲濕（霧露雲雨濕之用也）在地爲土（安靜稼穡土之德也）在體爲肉（覆裹筋骨充其形也）在藏爲脾（其神意也道經義曰意託脾意寧則智无散越）在色爲黃（象土色也）在音爲宮（宮謂土音大而和也樂記曰宮亂則荒其君驕）在聲爲歌（歌嘆聲也）在變動爲噦（噦謂噦噫胃寒所生　新校正云詳王謂噦爲噦噫噫非噦也按楊上善云噦氣忤也）在竅爲口（口所以司納水穀）在味爲甘（甘可用寬緩也）在志爲思（思所以知遠也）思傷脾（雖志爲思甚則自傷）怒勝思（怒則不思）

勝可知矣濕傷肉脾主肉而惡濕故濕勝則肉傷風勝濕風爲木氣故勝土濕甘傷肉亦過節也新校正云按
五運行大論云甘傷脾酸勝甘酸木味故勝土甘西方生燥天氣急切故生燥燥生金金燥有聲則生
金金生辛凡物之味辛者皆金氣之所生也尚書洪範曰從革作辛辛生肺凡味之辛者皆先生長於肺
肺生皮毛肺之精氣生養皮毛皮毛生腎陰陽書曰金生水然肺金之氣養皮毛已乃生腎水肺主鼻
肺藏氣鼻通息故主鼻其在天爲燥輕急勁強燥之用也在地爲金堅勁從革金之性也在體爲
皮毛包藏膚腠扞其邪也在藏爲肺其神魄也道經義曰魄在肺魄安則德修壽延在色爲白象金色在
音爲商商謂金聲輕而勁也樂記曰商亂則陂其宮壞在聲爲哭哭哀聲也在變動爲欬
欬謂欬嗽所以利咽喉也在竅爲鼻鼻所以司嗅呼吸在味爲辛辛可用散潤也在志爲憂
憂深慮也憂傷肺雖志爲憂過則損也喜勝憂喜則心火并於肺金故勝憂也宣明五氣篇曰精氣并於心則喜熱傷
皮毛熱從火生耗津液故寒勝熱陰制陽也新校正云按太素作燥傷皮毛熱勝燥又按王注五運行大論云火有二別故此

再本熱傷之形證辛傷皮毛過而招損苦勝辛苦火味故勝金辛北方生寒陰氣凝冽故生寒也
寒生水寒氣盛凝變爲水水生鹹凡物之味鹹者皆水氣之所生也尚書洪範曰潤下作鹹鹹生腎凡味之鹹者皆
生長於腎腎生骨髓腎之精氣生養骨髓髓生肝陰陽書曰水生木然腎之氣養骨髓已乃生肝木腎主耳腎屬
北方位居幽暗聲入故主耳其在天爲寒凝清慘冽寒之用也在地爲水清潔潤下水之用也在體爲骨
端直貞幹以立身也在藏爲腎其神志也道經義曰志藏於腎志營則骨髓滿實在色爲黑象水色在音爲
羽羽謂水音沈而深也樂記曰羽亂則危其財匱在聲爲呻呻吟之聲也在變動爲慄慄謂戰慄甚寒大恐
而悉有之在竅爲耳耳所以司聽五音新校正云按金匱真言論云開竅於二陰蓋以心寄竅於耳故與此不同在味爲
鹹鹹可用以柔耎也在志爲恐恐所以懼惡也恐傷腎恐而不已則內感於腎故傷也靈樞經曰恐懼而不解則傷精
明感腎也思勝恐思深慮遠則見事源故勝恐也寒傷血寒則血凝傷可知也新校正云按太素血作骨燥勝寒
燥從熱生故勝寒也新校正云按太素燥作濕鹹傷血食鹹而渴傷血可知新校正云按太素血作骨甘勝鹹甘土鹹水之

𣶒水咸　新校正云詳自前岐伯對曰至此與五運行論同兩注頗異當並用之故曰天地者萬物之上下也觀其云載而萬物之上下可見矣陰陽者血氣之男女也陰主血陽主氣陰生女陽生男左右者陰陽之道路也陰陽間氣左右循環故左右爲陰陽之道路也　新校正云詳間氣之說具六微旨大論中楊上善云陰氣右行陽氣左行水火者陰陽之徵兆也觀水火之氣則陰陽徵兆可明矣陰陽者萬物之能始也謂能爲變化之生成之元始　新校正云詳天地者至萬物之能始與天元紀大論同注頗異彼无陰陽者血氣之男女一句又以金木者生成之終始代陰陽者萬物之能始故曰陰在內陽之守也陽在外陰之使也陰靜故爲陽之鎮守陽動故爲陰之役使帝曰法陰陽柰何岐伯曰陽勝則身熱腠理閉喘麤爲之俛仰汗不出而熱齒乾以煩寃腹滿死能冬不能夏陽勝故能冬熱甚故不能夏陰勝則身寒汗出身常清數慄而寒寒則厥厥則腹滿死厥謂氣逆能夏不能

冬陰勝故能夏寒甚故不能冬此陰陽更勝之變病之形能也帝曰調此二者柰何調謂順天癸性而治身之血氣精氣也岐伯曰能知七損八益則二者可調不知用此則早衰之節也用謂房色也女子以七七爲天癸之終丈夫以八八爲天癸之極然知八可益知七可損則各隨氣分脩養天真終其天年以度百歲上古天真論曰女子二七天癸至月事以時下丈夫二八天癸至精氣溢寫然陰七可損則海滿而血自下陽八宜益交会而泄精由此則七損八益理可知矣年四十而陰氣自半也起居衰矣内耗故陰減中乾故氣力始衰灵樞經曰人年四十奏理始疏榮華稍落髮斑白由此之節言之亦起居衰之欲也年五十體重耳目不聰明矣衰之漸也年六十陰痿氣大衰九竅不利下虛上實涕泣俱出矣衰之甚矣故曰知之則強不知則老知謂知七損八益全形保性之道也故同出而名異耳同謂同于好欲異謂異其老壯之名智者察同愚者察異智者察同欲之閒而能性道愚者見形容別異方乃効之自性則道益有餘放効則治生不足故下文曰愚

者不足智者有餘先行故有二后斈故不足有餘則耳目聰明身體輕強老者復壯壯者益治夫保性全形蓋由知道之所致也故曰道者不可斯須離可離非道此之謂也是以聖人爲無爲之事樂恬憺之能從欲快志於虛无之守故壽命无窮與天地終此聖人之治身也聖人不爲无益以害有益不爲害性而順性故壽命長遠與天地終庚桑楚曰聖人之于声色嗞味也利于性則取之害于性則損之此全性之道也書曰不作无益害有益也天不足西北故西北方陰也而人右耳目不如左明也在上故法天地不滿東南故東南方陽也而人左手足不如右強也在下故法地帝曰何以然歧伯曰東方陽也陽者其精并於上并於上則上明而下虛故使耳目聰明而手足不便也西方陰也陰者其精并於下并於下則

下盛而上虚故其耳目不聰明而手足便也故俱感於邪其在上則右甚在下則左甚此天地陰陽所不能全也故邪居之夫陰陽之應天地猶水之在器也器圓則水圓器曲則水曲人之血氣亦如是故隨不足則邪氣留居之故天有精地有形天有八紀地有五里陽爲天降精氣以施化陰爲地布和氣以成形五行爲生育之井里八風爲變化之綱紀八紀謂八節之紀五里謂五行化育之里故能爲萬物之父母陽天化氣陰地成形五里運行八風鼓折收藏生長死皆時宜夫如是故能爲萬物變化之父母也清陽上天濁陰歸地所以能爲萬物之父母者何以有是之升降也是故天地之動靜神明爲之綱紀清陽上天濁陰歸地然其動靜誰所主司蓋由神明之綱紀爾上文曰神明之府此之謂也故能以生長收藏終而復始神明之運爲乃能如是惟賢人上配天以養頭下象地以養足中傍人事以養五藏頭圓故配天足方故象地人事更易以五藏濡守故從而養也天氣通於

肺（居高故）地氣通於嗌（次下故）風氣通於肝（風生木故）雷氣通於心（雷象火之有聲故）谷氣通於脾（谷空虛脾受納故）雨氣通於腎（腎主水故　新校正云按千金方云風氣應於肝雷氣動於心穀氣感於脾雨氣潤於腎）六經為川（流注不息故）腸胃為海（以皆受納也　靈樞經曰胃為水穀之海）九竅為水注之氣（清明者象水之內明流注者象水之流注）以天地為之陰陽（以人事配象則近指天地以為陰陽）陽之汗以天地之雨名之（夫人汗泄於皮腠者是陽氣之發泄爾然其取類於天地之間則雲騰雨降而相後也故曰陽之汗以天地之雨名之）陽之氣以天地之疾風名之（陽氣散發疾風飛揚故以應之舊經元名之二字尋前類例故加之）暴氣象雷（暴氣鼓擊鳴轉有聲故）逆氣象陽（逆氣陵上陽氣亦然）故治不法天之紀不用地之理則災害至矣（背天之紀違地之理則六經反作五氣更傷五氣既傷則災害之至可知矣　新校正云按上文天有八紀地有五里此文注中理字當作里）故邪風之至疾如風雨（至謂至於身形）故善治者治皮毛（止於萌也）其次治

肌膚救其已生其次治筋脉攻其已病其次治六府治其已甚其次治五藏
治五藏者半死半生也治其已成神農曰病勢已成可得半愈然初成者獲愈固久者伐形故治五藏者半生半
死也故天之邪氣感則害人五藏四時之氣八正之風皆天邪也金匱真言論曰八風發邪以爲經風觸五
藏邪氣發病故天之邪氣感則害人五藏水穀之寒熱感則害於六府熱傷胃及膀胱寒傷腸及膽氣
地之濕氣感則害皮肉筋脉濕氣勝則榮衛之氣不行故感則害於皮肉筋脉故善用
鍼者從陰引陽從陽引陰以右治左以左治右以我
知彼以表知裏以觀過與不及之理見微得過用之
不殆深明故也善診者察色按脉先別陰陽別於陽者則知病處別於陰者則知死生之期
審清濁而知部分謂察色之青赤黃白黑也部分謂藏府之位可占候處視喘息聽音聲而
知所苦謂聽聲之宮商角徵羽也視喘息謂候呼吸之長短也觀權衡規矩而知病所主

權謂秤權衡謂星衡規謂圓形矩謂方象然權也者所以察中外衡也者所以定高卑規也者所以表柔虛矩也者所以明強盛脉要精微論曰以春應中規言陽氣柔軟以夏應中矩言陽氣盛強以秋應中衡言陰升陽降氣有高下以冬應中權言陽氣居下也故善診之用必備見焉所主者謂應四時之氣所主生病之在高下中外也

按尺寸觀浮沉滑濇而知病所生以治 浮沉滑濇皆脉象也浮脉者浮於手下也沉脉者按之乃得也滑脉者往來易濇脉者往來難故審尺寸觀浮沉而知病之所生以治之也 新校正云按甲乙經作知病所在以治則無過下無過二字續此爲句

無過以診則不失矣 有過無過皆以診知則所主治無誤失也

故曰病之始起也可刺而已 以輕微也 其盛可待衰而已 病盛取之毀傷真氣故其盛者必可待衰

故因其輕而揚之 輕者發揚則邪去 因其重而減之 重者節減去之 因其衰而彰之 因病氣衰攻令邪去則真氣堅固血色彰明

形不足者溫之以氣精不足者補之以味 氣謂衛氣味謂五藏之味也靈樞經曰衛氣者所以溫分肉而充皮膚肥腠理而司開闔故衛氣溫則形分足矣上古天真論曰腎者主水受五藏六府之精而藏之故五藏盛乃能寫由此則精不足者補五藏之味也

其高者因而越

之越謂越揚也 其下者引而竭之引謂泄引出 中滿者寫之於內內謂腹內 其有邪者漬形以爲汗邪謂風邪之氣風中於表則汗而發之 其在皮者汗而發之在外故汗發泄也 其慓悍者按而收之慓疾也悍利也氣候疾利則按之以收斂也 其實者散而寫之陽實則發散陰實則宣寫故下文 審其陰陽以別柔剛陰曰柔陽曰剛 陽病治陰陰病治陽所謂從陰引陽從陽引陰以右治左以左治右者也 定其血氣各守其鄉鄉謂本經之氣位 血實宜決之決謂決破其血 氣虛宜掣引之掣讀爲導導引則氣行條暢 新校正云按甲乙經掣作導

陰陽離合論篇第六新校正云按全元起本在第三卷

黃帝問曰余聞天爲陽地爲陰日爲陽月爲陰大小月三百六十日成一歲人亦應之以四時五行運用於內故人亦應之 新校正云詳

天爲陽至成一歲與六節藏象篇重今三陰三陽不應陰陽其故何也歧伯對曰陰陽者數之可十推之可百數之可千推之可萬萬之大不可勝數然其要一也一謂離合也雖不可勝數然其要妙以離合推步悉可知之天覆地載萬物方生未出地者命曰陰處名曰陰中之陰處陰之中故曰陰處形未動出亦是爲陰以陰居陰故曰陰中之陰則出地者命曰陰中之陽形動出者是則爲陽以陽居陰故曰陰中之陽陽予之陰爲之主陽施正氣萬物方生陰爲主持群形乃立故生因春長因夏收因秋藏因冬失常則天地四塞春夏爲陽故生長也秋冬爲陰故收藏也若天其常道則春不生夏不長秋不收冬不藏夫如是則四時之氣閉塞陰陽之氣无所運行矣陰陽之變其在人者亦數之可數天地陰陽雖不可勝數在於人形之用者則數可知之帝曰願聞三陰三陽之離合也歧伯曰聖人南面而立前曰

廣明後曰太衝廣大也南方丙丁火位主之陽氣盛明故曰大明也嚮明治物故聖人南面而立易曰相見乎離蓋謂此也然在人身中則心藏在南故謂前曰廣明衝脈在北故謂後曰太衝然太衝者腎脈與衝脈合而盛大故曰太衝是以下文云太衝之地名曰少陰此正明兩脈相合而為表裏也少陰之上名曰太陽腎藏為陰膀胱府為陽陰氣在下陽氣在上此為一合之經氣也靈樞經曰足少陰之脈者腎脈也起於小指之下邪趣足心又曰足太陽之脈者膀胱脈也循京骨至小指外側由此故少陰之上名太陽也是以下文曰太陽根起於至陰結於命門名曰陰中之陽至陰穴名在足小指外側命門者藏精光照之所則兩目也太陽之脈起於目而下至於足故根於指端結於目也靈樞經曰命門者目也此與靈樞義合以太陽居少陰之地故曰陰中之陽新校正云按素問太陽言根結餘經不言結甲乙今具中身而上名曰廣明廣明之下名曰太陰靈樞經曰天為陽地為陰腰以上為天腰以下為地分身之旨則中身之上屬於廣明廣明之下屬太陰也又心廣明藏下則太陰脾藏也太陰之前名曰陽明人身之中胃為陽明脈行在脾脈之前脾為太陰脈行於胃脈之後靈樞經曰足太陰之脈者脾脈也起於大指之端循指內側白肉際過核骨後上內踝前廉上踹內循胻骨之後足陽明之脈者胃脈也

下膝三寸而別以下入中指外間由此故太陰之前名陽明也是以下文曰陽明根起於厲兌名曰陰中之陽厲兌穴名在足大指次指之端以陽明居太陰之前故曰陰中之陽厥陰之表名曰少陽人身之中膽少陽脈行肝脈之分外肝厥陰脈行膽脈之位內靈樞經曰足厥陰之脈者肝脈也起於足大指聚毛之際上循足跗上廉足少陽之脈者循跗也循足跗上出小指次指之端由此則厥陰之表名少陽也故下文曰少陽根起於竅陰名曰陰中之少陽竅陰穴名在足小指次指之端以少陽居厥陰之表故曰陰中之少陽是故三陽之離合也太陽為開陽明為闔少陽為樞離謂別離應用合謂配合於陰別離則正位於三陽配合則表裏而為藏府矣開闔樞者言三陽之氣多少不等動用殊也夫開者所以司動靜之基闔者所以執禁固之權樞者所以主動轉之微由斯殊氣之用故此三變之也　新校正云按九墟太陽為關陽明為闔少陽為樞故關折則肉節潰緩而暴病起矣故候暴病者取之太陽闔折則氣无所止息悸病起故悸者皆取之陽明樞折則骨搖而不能安於地故骨搖者取之少陽甲乙經同三經者不得相失也搏而勿浮命曰一陽三經之至搏擊於手而无輕重之異則正可謂一陽之氣无復有三陽差降之為用也帝曰願

闚三陰岐伯曰外者爲陽内者爲陰言三陽爲外運之離合三陰爲内用之離合也然則中爲陰其衝在下名曰太陰衝脉在脾之下故言其衝在下也靈樞經曰衝脉者與足少陰之絡皆起於腎下上行者過於胞中由此則其衝之上太陰位也太陰根起於隱白名曰陰中之陰隱白穴名在足大指端以太陰居陰故曰陰中之陰太陰之後名曰少陰藏位及經脉之次也太陰脾也少陰腎也脾藏之下近後則腎之位也靈樞經曰足太陰之脉起於大指之端循指内側及上内踝前廉上腨内循骭骨後足少陰之脉起於小指之下斜趣足心出於然骨之下循内踝之後以上腨内由此則太陰之下名少陰也少陰根起於涌泉名曰陰中之少陰涌泉穴名在足心下蜷指宛宛中少陰之前名曰厥陰亦藏位及經脉之次也少陰腎也厥陰肝也腎藏之前近上則肝之位也靈樞經曰足少陰脉循内踝之後上腨内廉足厥陰脉循足跗上廉去内踝一寸上踝八寸交出太陰之後上膕内由此故少陰之前名厥陰也厥陰根起於大敦陰之絶陽名曰陰之絶陰大敦穴名在足大指之端三毛之中也兩陰相合故曰陰之絶陽厥盡也陰氣至此而盡故名曰陰之絶陰是故三陰之離

合也太陰爲開厥陰爲闔少陰爲樞（亦氣之不等也　新校正云按九墟云開折則倉廩無所輸膈洞膈洞者取之太陰闔折則氣弛而善悲悲者取之厥陰樞折則脉有所結而不通不通者取之少陰甲乙經同）三經者不得相失也搏而勿沈名曰一陰（沈言殊見也陽浮亦然若經氣應至無沈浮之異則悉可謂一陰之氣非復有二陰升降之殊用也）陰陽𩅟𩅟積傳爲一周氣裏形表而爲相成也（𩅟𩅟言氣之往來也積謂積脉之動也傳謂陰陽之氣流傳也夫脉氣往來動而不止積其所動氣血循環應水下二刻而一周於身故曰積傳爲一周也然榮衛之氣因息遊布周流形表拒捍虚邪中外主司互相成立故言氣裏形表而爲相成也　新校正云按別本𩅟𩅟作衝衝）

陰陽別論篇第七（新校正云按全元起本在第四卷）

黄帝問曰人有四經十二從何謂（經謂經脉從謂順從）岐伯對曰四經應四時十二從應十二月十二月應十二脉（春脉弦夏脉洪秋脉浮冬脉沈謂四時之經脉也從謂天氣順行十二辰之分故應十二月也十二月謂春建寅卯辰夏建巳午未秋建申酉戌冬建亥子丑之月也十二脉謂手三陰

三陽足三陰三陽之脈也以氣數相應故參合之脈有陰陽知陽者知陰知陰者知陽深知則備藏其變易凡陽有五五五二十五陽五陽謂五藏之陽氣也五藏應時各形一脈一脈之內包總五藏之陽五五相乘故二十五陽也　新校正云按玉機真藏論云故病有五變五五二十五變義與此通所謂陰者真藏也見則為敗敗必死也五藏為陰故曰陰者真藏也然見者謂肝脈至中外急如循刀刃責責然如按琴瑟弦心脈至堅而搏如循薏苡子累累然肺脈至大而虛如以毛羽中人膚腎脈至搏而絕如以指彈石辟辟然脾脈至弱而乍數乍踈夫如是脈見者皆為藏敗神去故必死也所謂陽者胃脘之陽也胃脘之陽謂人迎之氣也察其氣脈動靜小大與脈口應否也胃為水穀之海故候其氣而知病處人迎在結喉兩傍脈動應手其脈之動常左小而右大左小常以候藏右大常以候府　一云胃胞之陽非也別於陽者知病處也別於陰者知死生之期陽者衛外而為固然外邪所中別於陽則知病處陰者藏神而內守若考真正成敗別於陰則知病者死生之期　新校正云按玉機真藏論云別於陽者知病從來別於陰者知死生之期三陽在頭三陰在手所謂一也頭謂人迎手謂氣口兩者相應俱往俱來若引繩小大齊等者名曰平人故言

所謂一也氣口在手魚際之後一寸人迎在結喉兩傍一寸五分皆可以候藏府之氣別於陽者知病忌時別於陰者知死生之期識氣定期故知病忌審明成敗故知死生之期謹熟陰陽無與衆謀謹量氣候精熟陰陽病忌之準可知生死之疑自決正行無惑何用衆謀議也所謂陰陽者去者為陰至者為陽靜者為陰動者為陽遲者為陰數者為陽言脉動之中也凡持真脉之藏脉者肝至懸絶急十八日死心至懸絶九日死肺至懸絶十二日死腎至懸絶七日死脾至懸絶四日死真脉之藏脉者謂肯藏之脉也十八日者金木成數之餘也九日者水火生成數之餘也十二日者金火生成數之餘也七日者水土生數之餘也四日者木生數之餘也故平人氣象論曰肝見庚辛死心見壬癸死肺見丙丁死腎見戊巳死脾見甲乙死者以此如是者皆至所期不勝而死也何者以不勝剋賊之氣也曰二陽之病發心脾有不得隱曲女子不月二陽謂陽明大腸及胃之脉也隱曲謂隱蔽委曲之事也夫腸胃發病心脾受之心受之則血不流脾受之則

味不化血不流故女子不月味不化則男子少精是以隱蔽委曲之事不能為也陰陽應象大論曰精不足者補之以味由是則味不化而精氣少也奇病論曰胞胎者繫於腎又評熱病論曰月事不來者胞脈閉胞脈者屬於心而絡於胞中令氣上迫肺心氣不得下通故月事不來則其義也又上古天真論曰女子二七天癸至任脈通太衝脈盛月事以時下丈夫二八天癸至精氣溢寫由此則在女子為不月在男子為少精其傳為風消其傳為息賁者死不治言其深久者也胃病深久傳入於脾故為熱以消削大腸病甚傳入於肺為喘息而上賁然腸胃脾肺兼及於心三藏二府互相尅薄故死不治曰三陽為病發寒熱下為癰腫及為痿厥腨痟三陽謂太陽小腸及膀胱之脈也小腸之脈起於手循臂繞肩髃上頭膀胱之脈從頭別下背貫臀入膕中循腨故在上為病則發寒熱在下為病則為癰腫腨痛及為痿厥腨痟痠疼也痿無力也厥足冷即氣逆也其傳為索澤其傳為頹疝熱甚則精血枯涸故皮膚潤澤之氣皆散盡也然陽氣下墜陰脈上爭上爭則寒多下墜則筋緩故睾垂縱緩內作頹疝曰一陽發病少氣善欬善泄一陽謂少陽膽及三焦之脈也膽氣乘胃故善泄三焦內病故少氣陽上熏肺故善欬何故心火內應也其傳為心掣其傳為隔陽氣乘心心熱故陽氣內掣三焦內結中熱故隔塞不便二陽一

陰發病主驚駭背痛善噫善欠名曰風厥一陰謂厥陰心主又肝之脉也心主之脉起於胷中出屬心經云心主病脅背肩胛間痛又在氣爲噫故背痛善噫心氣不足則腎氣乘之肝主驚駭故驚駭善欠夫肝氣爲風腎氣陵逆既風又厥故名風厥二陰一陽發病善脹心滿善氣二陰謂少陰心腎之脉也腎膽同逆三焦不行氣稸於上故心滿下虛上盛故氣泄出也三陽三陰發病爲偏枯痿易四支不舉三陰不足則發偏枯三陽有餘則爲痿易謂變易常用而痿弱無力也鼓一陽曰鉤鼓一陰曰毛鼓陽勝急曰絃鼓陽至而絶曰石陰陽相過曰溜言何以知陰陽之病脉邪一陽鼓動脉見鉤也何以然一陽謂三焦心脉之府然一陽鼓動者則鉤脉當之鉤脉則心脉也此言正見者也一陰厥陰肝木氣也毛肺金脉也金來鼓木其脉則毛金氣內乘木陽尚勝急而內見脉則爲絃也若陽氣至而急脉名曰絃屬肝陽氣至而或如斷絶脉名曰石屬腎陰陽之氣相過无能勝負則脉如水溜也陰爭於內陽擾於外魄汗未藏四逆而起起則熏肺使人喘鳴若金鼓不已陽氣大勝兩氣相持內爭外擾則流汗不止手足反寒甚則陽氣內燔流汗不藏則熱攻於肺故

起則熏肺使人喘鳴也陰之所生和本曰和陰謂五神藏也言五藏之所以能生而全天真和氣者以各得自從其和性而安靜爾若乖所適則爲他氣所乘百端之病由斯而起奉生之道可不慎哉是故剛與剛陽氣破散陰氣乃消亡剛謂陽也言陽氣內蒸外爲流汗灼而不已則陽勝又陽故盛不久存而陽氣已散陽已破敗陰不獨存故陽氣破散陰氣亦消亡此乃爭勝招敗矣淖則剛柔不和經氣乃絕血淖者陽常勝視人之血淖者宜謹和其氣常使流通若不能深思寡欲使氣序乖衷陽爲重陽內燔藏府則死且可待生其能久乎死陰之屬不過三日而死火乘金也生陽之屬不過四日而死木乘火也新校正云按別本作四日而生全元起注本作四日而巳俱通詳上下文義作死者非所謂生陽死陰者肝之心謂之生陽母來親子故曰生陽匪惟以木生火亦自陽氣主生爾心之肺謂之死陰陰主刑殺火復乘金金得火亡故云死肺之腎謂之重陰亦母子也以俱爲陰氣故曰重陰腎之脾謂之辟陰死不治土氣辟併水乃可升土辟水升故云辟陰結陽者腫四支以四支爲諸陽之本故結陰者便血一升陰主血故

再結二升三結三升一盛謂之再結三盛謂之三結陰陽結斜多陰少陽
曰石水少腹腫所謂失法二陽結謂之消二陽結謂胃及大腸俱熱結也腸胃藏熱則喜消水
穀　新校正云詳此少二陰結三陽結謂之隔三陽結謂小腸膀胱熱結也小腸結熱則血脈燥膀胱熱則津液涸故膈塞而
不便寫三陰結謂之水三陰結謂脾肺之脈俱寒結也脾肺寒結則氣化爲水一陰一陽結謂之
喉痺一陰謂心主之脈一陽謂三焦之脈也三焦心主脈並絡喉氣熱內結故爲喉痺陰搏陽別謂之有子
陰謂尺中也搏謂搏觸於手也尺脈搏擊與寸口殊別陽氣挺然則爲有妊之兆何者陰中有別陽故陰陽虛腸辟死辟陰
也然胃氣不留腸開勿禁陰中不廪是真氣竭絕故死　新校正云按全元起本辟作澼陽加於陰謂之汗陽在下陰在上
陽氣上搏陰能固之則蒸而爲汗陰虛陽搏謂之崩陰脈不足陽脈盛搏則內崩而血流下三陰俱搏
二十日夜半死脾肺成數之餘也搏謂伏鼓異於常候也陰氣盛極故夜半死二陰俱搏十三日
夕時死心腎之成數也陰氣未極故死在夕時一陰俱搏十日死肝心生成之數也三陽俱

搏且鼓三日死陽氣速急故三陰三陽俱搏心腹滿發盡不得隱曲五日死兼陰氣也隱曲謂便寫也二陽俱搏其病温死不治不過十日死陽胃之生數也 新校正云詳此闕一陽搏

重廣補注黃帝内經素問卷第二

陰陽應象大論 䐜脹上昌眞切脹起也 滲泄上所禁切 翕赩下許極切 噦噫上乙劣切下烏界切 能冬上奴代切下能夏形能並同 放效上妃兩切 弁於上去聲 嗌伊者切 滑濇下音色 漬即賜切

陰陽離合論 予猶與也

陰陽別論 腨音喘腓腸也 痟音消瘦也 淖音淘水朝宗于海

重廣補注黃帝內經素問卷第三

啓玄子次注林億孫奇高保衡等奉敕校正孫兆重改誤

靈蘭秘典論　六節藏象論

五藏生成篇　五藏別論

靈蘭秘典論篇第八 新校正云按全元起本名十二藏相使在第三卷

黃帝問曰：願聞十二藏之相使，貴賤何如？ 藏，藏也。言腹中之所藏者，非復有十二形神之藏也。 岐伯對曰：悉乎哉問也！請遂言之。心者，君主之官也，神明出焉。 任治於物，故爲君主之官。清靜栖靈，故曰神明出焉。 肺者，相傅之官，治節出焉。 位高非君，故官爲相傅。主行榮衛，故治節由之。 肝者，將軍之官，謀慮出焉。 勇而能斷，故曰將軍。潛發未萌，故謀慮出焉。 膽者，中正之官，決斷出焉。 剛正果決，故官爲中正。直而不疑，故決斷出焉。

膻中者臣使之官喜樂出焉膻中者在胸中兩乳間爲氣之海然心主爲君以敷宣教令膻中主氣以氣布陰陽氣和志適則喜樂由生分布陰陽故官爲臣使也

脾胃者倉廩之官五味出焉包容五穀是爲倉廩之官營養四傍故云五味出焉

大腸者傳道之官變化出焉傳道謂傳不潔之道變化謂變化物之形故云傳道之官變化出焉

小腸者受盛之官化物出焉承奉胃司受盛糟粕受已復化傳入大腸故云受盛之官化物出焉

腎者作強之官伎巧出焉強於作用故曰作強造化形容故云伎巧在女則當其伎巧在男則正曰作強

三焦者決瀆之官水道出焉引導陰陽開通閉塞故官司決瀆水道出焉

膀胱者州都之官津液藏焉氣化則能出矣位當孤府故謂都官居下內空故藏津液若得氣海之氣施化則溲便注泄氣海之氣不及則閟隱不通故曰氣化則能出矣靈樞經曰腎上連肺故將兩藏膀胱是孤府則此之謂也

凡此十二官者不得相失也失則災害至故不得相失新校正云詳此乃十一官脾胃二藏共一官故也

故主明則下安以此養生則壽歿世不殆以

爲天下則大昌主謂君主心之官也大主賢明則刑賞一刑賞一則吏奉法吏奉法則民不獲罪於枉濫矣故主明則天下安也夫心内明則銓善惡銓善惡則察安危察安危則身不夭傷於非道矣故以此養生則壽没世不至於危殆矣然施之於養生没世不殆施之於君主天下獲安以其爲天下主則國祚昌盛矣主不明則十二官危使道閉塞而不通形乃大傷以此養生則殃以爲天下者其宗大危戒之戒之使道謂神氣行使之道也夫心不明則邪正一邪正一則損益不分損益不分則動之凶咎陷身於羸瘠矣故形乃大傷以此養生則殃也夫主不明則委於左右委於左右則權勢妄行權勢妄行則吏不得奉法吏不得奉法則人民失所而皆受枉曲矣且人惟邦本本固邦寧本不獲安國將何有宗廟之立安可不至於傾危乎故曰戒之戒之者言深慎也至道在微變化無窮孰知其原孰誰也言至道之用也小之則微妙而細無不入大之則廣遠而變化無窮然其淵原誰所知察窘乎哉消者瞿瞿新校正云按太素作肖者濯濯孰知其要閔閔之當孰者爲良窘要也瞿瞿勤勤也人身之要者道也然以消息異同求諸物理而欲以此知變化之原本者雖瞿瞿勤勤以求明悟然其要妙誰得知乎既未得知轉成深遠閔閔玄妙復不知誰者爲善知要

妙哉玄妙深遠固不以理求而可得近取諸身則十二官粗可探尋而爲治身之道爾閔閔深遠也卢善也　新校正云詳此四句與氣交變大論文重彼消字作肖恍惚之數生於毫氂恍惚者謂似有似無也忽亦數也似無似有而毫氂之數生其中老子曰恍恍惚惚其中有物此之謂也筭書曰似有似無爲忽毫氂之數起於度量千之萬之可以益大推之大之其形乃制毫氂雖小積而不已命數乘之則起至於尺度斗量之繩準千之萬之亦可增益而至載之大數推引其大則應通人形之制度也黃帝曰善哉余聞精光之道大聖之業而宣明大道非齋戒擇吉日不敢受也深敬故也韓康伯曰洗心曰齋防患曰戒黃帝乃擇吉日良兆而藏靈蘭之室以傳保焉秘之至也

六節藏象論篇第九新校正云按全元起注本在第三卷

黃帝問曰余聞天以六六之節以成一歲人以九九制會新校正云詳下文云地以九九制會計人亦有三百六十五節以爲天地

久矣不知其所謂也六六之節謂天竟於六甲之日以成一歲之節限九九制會謂九周於九野之數以制人形之會通也言人之三百六十五節以應天之六六之節久矣若復以九九為紀法則兩歲太半乃曰一周不知其法真原安謂也　新校正云詳王注云兩歲太半乃曰一周按九九制會當太兩歲四分歲之一乃曰一周也歧伯對曰昭乎哉問也請遂言之夫六六之節九九制會者所以正天之度氣之數也六六之節天之度也九九制會氣之數也所謂氣數者生成之氣也周天之分凡三百六十五度四分度之一以十二節氣均之則歲有三百六十日而終兼之小月日又不足其數矣是以六十四氣而常置閏焉何者以其積差分故也天地之生育本阯於陰陽人神之運為始終於九氣然九之為用豈不大哉律書曰黃鍾之律管長九寸冬至之日氣應灰飛由此則萬物之生咸因於九氣矣古之九寸即今之七寸三分大小不同以其先秬黍之制而有異也新校正云按別本三分作二分天度者所以制日月之行也氣數者所以紀化生之用也制謂準度紀謂綱紀準日月之行度者所以明日月之行遲速也紀化生之為用者所以彰氣至而斯應也氣應无差則生成之理不替遲速以度而大小之月生焉故曰異長短月移寒暑收藏生長無失時宜也天為陽地為陰日

爲陽月爲陰行有分紀周有道理日行一度月行十三度而有奇焉故大小月三百六十五日而成歲積氣餘而盈閏矣日行遲故晝夜行天之一度而三百六十五日一周天而猶有度之奇分矣月行速故晝夜行天之十三度餘而二十九日一周天也言有奇者謂十三度外復行十九分度之七故云月行十三度而有奇也禮義及漢律曆志云二十八宿及諸星皆從東而循天西行日月及五星皆從西而循天東行今太史說去並循天而東行從東而西轉也諸曆家說月一日至四日月行最疾日夜行十四度餘自五日至八日行次疾日夜行十三度餘自九日至十九日其行遲日夜行十二度餘二十日至二十三日行又小疾日夜行十三度餘二十四日至晦日行又大疾日夜行十四度餘今太史說月行之率不如此矣月行有十五日前疾有十五日後遲者有十五日前遲有十五日後疾者大率一月四分之而皆有遲疾遲速之度固無常準矣雖爾終以二十七日月行一周天凡行三百六十一度二十九日日行二十九度月行三百八十七度少七度而不及日也至三十日日復遷計率至十三分日之八月方及日矣此大盡之月也大率其計率至十三分日之半者亦大盡法也其計率至十三分日之五之六而及日者小盡之月也故去大小月三百六十五日而成歲也正言之者三百六十五日四分日之一乃一歲法以奇不成日故舉大以言之若通以六小爲法則歲止有三百五十四日歲少十

（一日餘矣取月所少之辰加歲外餘之日故從閏後三十二日而盈閏焉尚書曰朞三百有六旬有六日以閏月定四時成歲則其義也積餘盈閏者盖以月之大小不盡天度故也）立端於始表正於中推餘於終而天度畢矣（端首也始初也表彰示也正斗建也中月半也推退位也言立首氣於初節之皆示斗建於月半之辰退餘閏於相望之後是以閏之前則氣不及月閏之後則月不及氣故常月之制建初立中閏月之紀無初無中縱曆有之皆他節氣也故曆無云某候閏某月節閏某月中也推終之義斷可知乎故曰立端於始表正於中推餘於終也由斯推日成閏故能令天度畢焉）帝曰余已聞天度矣願聞氣數何以合之岐伯曰天以六六爲節地以九九制會（新校正云詳篇首云人以九九制會）天有十日日六竟而周甲甲六復而終歲三百六十日法也（十日謂甲乙丙丁戊己庚辛壬癸之日也十者天地之至數也易繫辭曰天九地十則其義也六十日而周甲子之數甲子六周而復始則終一歲之日是三百六十日之歲法非天度之數也此蓋十二月各三十日者若除小月其日又差也）夫自古通天者生之本本於陰陽其氣九州九竅皆通乎天氣（通天

謂元氣即天眞也然形假地生命惟天賦故奉生之氣通繫於天禀於陰陽而爲根本也寶命全形論曰人生於地懸命於天天地合氣命之曰人四氣調神大論曰陰陽四時者萬物之終始也死生之本也又曰逆其根則伐其本壞其眞矣此其義也九州謂兾兖青徐楊荆豫梁雍也然地列九州人施九竅精神往復氣與參同故曰九州九竅也靈樞經曰地有九州人有九竅則其義也先言其氣者謂天眞之氣常繫屬於中也天氣不絶眞靈内屬行藏動静悉與天通故曰皆通乎大氣也

故其生五其氣三

形之所存假五行而運用徵其本始從三氣以生成故云其生五其氣三也氣之三者亦副三元故下文曰新校正云詳夫自古通天者至此與生氣通天論同注頗異當兩觀之

三而成天三而成地三而成人

非唯人獨由三氣以生天地之道亦如是矣故易乾坤諸卦皆必三矣

三而三之合則爲九九分爲九野九野爲九藏

九野者應九藏而爲義也爾雅曰邑外爲郊郊外爲甸甸外爲牧牧外爲林林外爲坰坰外爲野則此之謂也 新校正云按今爾雅云邑外謂之郊郊外謂之牧牧外謂之野野外謂之林林外謂之坰與王氏所引有異

故形藏四神藏五合爲九藏以應之也

形藏四者一頭角二耳目三口齒四胷中也形分爲藏故以名焉神藏五者一肝二心三脾四肺五腎也神藏於内故以名焉所謂神藏者肝藏魂心藏神脾藏意肺藏魄腎藏志也故此二別爾 新校正

云詳此乃宣明五氣篇文與生氣通天注重又與三部九候論注重所以名神藏形藏之説具三部九候論注 帝曰余已聞六六九九之會也夫子言積氣盈閏願聞何謂氣請夫子發蒙解惑焉 請宣揚旨要啓所未聞解疑惑者之心開蒙昧者之耳令其曉達咸使深明 岐伯曰此上帝所秘先師傳之也 上帝謂上古帝君也先師岐伯祖之師僦貸季上古之理色脉者也移精變氣論曰上古使僦貸季理色脉而通神明八素經序云天師對黃帝曰我於僦貸季理色脉已三世矣言可知乎 新校正云詳素一作索或以八爲太按今太素無此文

帝曰請遂聞之 遂盡也 岐伯曰五日謂之候三候謂之氣六氣謂之時四時謂之歲而各從其主治焉 日行天之五度則五日也三候正十五日也六氣凡九十日正三月也設其多之矣故十八候爲六氣六氣謂之時也四時凡三百六十日故曰四時謂之歲也各從主治謂一歲之日各歸從五行之一氣而爲之主以王也故下文曰 五運相襲而皆治之終朞之日周而復始時立氣布如環無端候亦同法故曰不知年

之所加氣之盛衰虛實之所起不可以爲工矣五運謂五行之氣應天之運而主化者也襲謂承襲如嫡之承襲也言五行之氣父子相承主統一周之日常如是無已周而復始也時謂立春之前當至時也氣謂當王之脉氣也春前氣至脉氣亦至故曰時立氣布也候謂日行五度之候也言一候之日亦五氣相生而直之差則病矣移精變氣論曰上古使僦貸季理色脉而通神明合之金木水火土四時八風六合不離其常此之謂也工謂工於脩養者也言必明於此乃可橫行天下矣　新校正云詳王注時立氣布謂立春前當至時當王之脉氣也按此正謂歲立四時時布六氣如環之無端故又曰候亦同法帝曰五運之始如環無端其太過不及何如歧伯曰五氣更立各有所勝盛虛之變此其常也言盛虛之變見此乃天之常道爾帝曰平氣何如歧伯曰無過者也不愆常候則無過也帝曰太過不及奈何歧伯曰在經有也言玉機眞藏論篇已具言五氣平和太過不及之旨也　新校正云詳王注言玉機眞藏論已具按本篇言脉之太過不及即不論運氣之太過不及與平氣當云氣交變大論五常政大論篇已具言也帝曰何謂所勝歧伯曰春勝長

夏長夏勝冬冬勝夏夏勝秋秋勝春所謂得五行時之勝各以氣命其藏春應木木勝土長夏應土土勝水冬應水水勝火夏應火火勝金秋應金金勝木常如是矣四時之中加之長夏之故謂得五行時之勝也所謂長夏者六月也土生於火長在夏中既長而王故云長夏也以氣命藏者春之木內合肝長夏土內合脾冬之水內合腎夏之火內合心秋之金內合肺故曰各以氣命其藏也命名也帝曰何以知其勝岐伯曰求其至也皆歸始春始春謂立春之日也春為四時之長故候氣皆歸於立春前之日也未至而至此謂太過則薄所不勝而乘所勝也命曰氣淫不分邪僻內生工不能禁此上十字文義不倫應古之錯簡次後五治下乃其義也今朱書之至而不至此謂不及則所勝妄行而所生受病所不勝薄之也命曰氣迫所謂求其至者氣至之時也凡氣之至皆謂在立春前十五日乃候之初也未至而至謂所直之氣未應至而先期至也先期而至是氣有餘故曰太過至而不至謂所直之氣應至不至而後期至後期而至是氣不足故曰不及太

過則薄所不勝而乘所勝不及則所勝妄行而所生受病所不勝薄之者凡五
行之氣我剋者爲所勝剋我者爲所不勝生我者爲所生假令肝木有餘是肺
金不足金不制木故木太過木氣既餘則反薄肺金而乘於脾土矣故曰太過
則薄所不勝而乘所勝也此皆五藏之氣內相淫併爲疾故命曰氣淫也餘太
過例同之又如肝木氣少不能制土土氣無畏而遂妄行木被土凌故云所勝
妄行而所生受病也肝木之氣不平肺金之氣自薄故曰所不勝薄之然木氣
不平土金交薄相迫爲疾故曰氣迫也餘不及例皆同 謹候其時氣可與期失時反候五
治不分邪僻內生工不能禁也 時謂氣至時也候其年則始於立春之日候其氣則始於四氣定期候其日則隨於候日故曰謹候其時氣可與期也反謂反背也五治謂五行所治主統一歲之氣也然不分五治謬引八邪天真氣運尚未該通人病之由安能精達故曰工不能禁也 帝曰有不襲乎 言五行之氣有不相承襲者乎 歧伯曰蒼天之氣
不得無常也氣之不襲是謂非常非常則變矣 變謂變易天常也 帝曰非常而變柰何歧伯曰變至則病所勝則微所
不勝則甚因而重感於邪則死矣故非其時則微當

其時則甚也言蒼天布氣尚不越於五行人在氣中豈不應於天道也人之氣亂不順天常故有病死之徵矣左傳曰違天不祥此之類也假令木直之年有火氣至後二歲病矣土氣至後三歲病矣金氣至後四歲病矣水氣至後五歲病矣真氣不足復重感邪真氣內微故重感於邪則死也假令非主直年而氣相干者宜為微病不必內傷於神藏故非其時則微而且持也若當所直之歲則易中邪氣故當其直時則病疾甚也諸氣當其王者皆必受邪故曰非其時則微當其時則甚也通評虛實論曰非其時則生當其時則死當謂正直之年也帝曰善余聞氣合而有形因變以正名天地之運陰陽之化其於萬物孰少孰多可得聞乎新校正云詳從前岐伯曰昭乎哉問也至此全元起注本及太素並無疑王氏之所補也岐伯曰悉哉問也天至廣不可度地至大不可量大神靈問請陳其方言天地廣大不可度量而得之造化玄微豈可以人心而徧悉大神靈問贊聖深明舉大說凡粗言綱紀故曰請陳其方草生五色五色之變不可勝視草生五味五味之美不可勝極言物生之眾稟化各殊目視口味尚無能盡之況於人心乃能包括耶嗜欲不同各有

所通言色味之衆雖不可徧盡所由然人所嗜所欲則自隨已心之所愛耳故曰嗜欲不同各有所通天食人以五氣地食人以五味天以五氣食人者臊氣湊肝焦氣湊心香氣湊脾腥氣湊肺腐氣湊腎也地以五味食人者酸味入肝苦味入心甘味入脾辛味入肺鹹味入腎也清陽化氣而上爲天濁陰成味而下爲地故天食人以氣地食人以味也陰陽應象大論曰清陽爲天濁陰爲地又曰陽爲氣陰爲味五氣入鼻藏於心肺上使五色脩明音聲能彰五味入口藏於腸胃味有所藏以養五氣氣和而生津液相成神乃自生心榮面色肺主音聲故氣藏於心肺上使五色脩潔分明音聲彰著氣爲水母故味藏於腸胃內養五氣五氣和化津液方生津液與氣相副化成神氣乃能生而宣化也帝曰藏象何如象謂所見於外可閱者也岐伯曰心者生之本神之變也其華在面其充在血脈爲陽中之太陽通於夏氣心者君主之官神明出焉然君主者萬物繫之以興亡故曰心者生之本神之變也火氣炎上故華在面也心養血其主脈故充在血脈也心王於夏氣合太陽以太陽居夏火之中故曰陽中之太陽通於夏氣也金匱真言論曰平旦至

日中天之陽陽中之陽也　新校正云詳神之變全元起本并太素作神之處　肺者氣之本魄之處也其
華在毛其充在皮為陽中之太陰通於秋氣　肺藏氣其神魄其養
皮毛故曰肺者氣之本魄之處華在毛充在皮也肺藏為太陰之氣主王於秋晝日為陽氣所行位非陰處以太陰居於陽分故曰陽中之太陰通於秋氣也
金匱真言論曰日中至黃昏天之陽陽中之陰也　新校正云按太陰甲乙經并太素作少陰當作少陰肺在十二經雖為太陰然在陽分之中當為少陰也
腎者主蟄封藏之本精之處也其華在髮其充在骨
為陰中之少陰通於冬氣　地戶封閉蟄蟲深藏腎又主水受五藏六府之精而藏之故曰腎者主蟄封藏
之本精之處也腦者髓之海腎主骨髓髮者腦之所養故華在髮充在骨也以盛陰居冬陰之分故曰陰中之少陰通於冬氣也金匱真言論曰合夜至雞鳴
天之陰陰中之陰也　新校正云按全元起本并甲乙經太素少陰作太陰當作太陰腎在十二經雖為少陰然在陰分之中當為太陰　肝者罷
極之本魂之居也其華在爪其充在筋以生血氣其
味酸其色蒼　新校正云詳此六字當去按太素心其味苦其色赤肺其味辛其色白腎其味鹹其色黑今惟肝脾二藏載其味其

色據陰陽應象大論已著色味詳矣此不當出之今更不添心肺腎三藏之色味只去肝脾二藏之色味可矣其注中所引陰陽應象大論文四十一字亦當去之

此爲陽中之少陽通於春氣

夫人之運動者皆筋力之所爲也肝主筋其神魂故曰肝者罷極之本魂之居也爪者筋之餘筋者肝之養故華在爪充在筋也東方爲發生之始故以生血氣也陰陽應象大論曰東方生風風生木木生酸肝合木故其味酸也又曰神在藏爲肝在色爲蒼故其色蒼也以少陽居於陽位而王於春故曰陽中之少陽通於春氣也金匱眞言論曰平旦至日中天之陽陽中之陽也新校正云按全元起本幷甲乙經太素作陰中之少陽當作陰中之少陽詳王氏引金匱眞言論云平旦至日中天之陽陽中之陽也以爲證則王意以爲陽中之少陽也再詳上文心藏爲陽中之太陽王氏以引平旦至日中之說爲證今肝藏又引爲證反不引雞鳴至平旦天之陰陰中之陽爲證則王注之失可見當從全元起本及甲乙經太素作陰中之少陽爲得

脾胃大腸小腸三焦膀胱者倉廩之本營之居也名曰器能化糟粕轉味而入出者也

皆可受盛轉運不息故爲倉廩之本名曰器也營起於中焦中焦爲脾胃之位故云營之居也然水穀滋味入於脾胃脾胃糟粕轉化其味出於三焦膀胱故曰轉味而入出者也

其華在脣四白其充在肌其味甘其色黃

新校正云詳此

六字當去并注中引陰陽大象大論文四十字亦當去已解在前條此至陰之類通於土氣口爲脾官脾主肌肉故曰華在唇四白充在肌也四白謂脣四際之白色肉也陰陽應象大論曰中央生濕濕生土土生甘脾合土故其味甘也又曰在藏爲脾在色爲黃故其色黃也脾藏土氣土合至陰故曰此至陰之類通於土氣也金匱真言論曰陰中之至陰脾也凡十一藏取決於膽也上從心藏下至於膽爲十一也然膽者中正剛斷無私偏故十一藏取決於膽也故人迎一盛病在少陽二盛病在太陽三盛病在陽明四盛已上爲格陽陽脉法也少陽膽脉也太陽膀胱脉也陽明胃脉也靈樞經曰一盛而躁在手少陽二盛而躁在手太陽三盛而躁在手陽明手少陽三焦脉手太陽小腸脉手陽明大腸脉一盛者謂人迎之脉大於寸口一倍也餘盛同法四倍已上陽盛之極故格拒而食不得入也正理論曰格則吐逆寸口一盛病在厥陰二盛病在少陰三盛病在太陰四盛已上爲關陰陰脉法也厥陰肝脉也少陰腎脉也太陰脾脉也靈樞經曰一盛而躁在手厥陰二盛而躁在手少陰三盛而躁在手太陰手厥陰心包脉也手少陰心脉也手太陰肺脉也盛法同陽四倍已上陰盛之極故關閉而溲不得通也正理論曰閉則不得溺人迎與寸口俱盛四倍

巳上爲關格關格之脉羸不能極於天地之精氣則死矣俱盛謂俱大於平常之脉四倍也物不可以久盛極則衰敗故不能極於天地之精氣則死矣靈樞經曰陰陽俱盛不得相營故曰關格關格者不得盡期而死矣此之謂也　新校正云詳羸當作盈脉盛四倍已上非羸也乃盛極也古文羸與盈通用

五藏生成篇第十　新校正云詳全元起本在第九卷按此篇云五藏生成篇而不云論者蓋此篇直記五藏生成之事而無問荅之辭故不云論後不言論者義皆倣此

心之合脉也火氣動躁脉類齊同心藏應火故合脉也其榮色也火炎上而色赤故榮美於面而赤色　新校正云詳王以赤色爲面榮美未通大抵發見於面之色皆心之榮也豈專爲赤哉其主腎也主謂主與腎相畏也火畏於水水與爲官故畏於腎

肺之合皮也金氣堅定皮象亦然肺藏應金故合皮也其榮毛也毛附皮革故外榮其主心也金畏於火火與爲官故主畏於心也

肝之合筋也木性曲直筋體亦然肝藏應木故合筋也其榮爪也爪者筋之餘故外榮也其主肺也木畏於金金與爲官故主畏於肺也

脾之合肉也土性柔厚肉體亦然脾藏應土故合肉也其

榮脣也口爲脾之官故榮於脣脣謂四際白色之處非赤色也其主肝也土畏於木木與爲官故主畏於肝也腎
之合骨也水性流濕精氣亦然骨通精髓故合骨也其榮髮也腦爲髓海腎氣主之故外榮髮也其主
脾也水畏於土土與爲官故主畏於脾也是故多食鹹則脈凝泣而變色心合脈其榮色
鹹益腎勝於心心不勝故脈凝泣而顏色變易也多食苦則皮槁而毛拔肺合皮其榮毛苦益心勝於肺肺不
勝故皮枯槁而毛拔去也多食辛則筋急而爪枯肝合筋其榮爪辛益肺勝於肝肝不勝故筋急而爪乾枯也
多食酸則肉胝䐢而脣揭脾合肉其榮脣酸益肝勝於脾脾不勝故肉胝䐢而脣皮揭舉也多
食甘則骨痛而髮落腎合骨其榮髮甘益脾勝於腎腎不勝故骨痛而髮墮落此五味之所
傷也五味入口輸於腸胃而內養五藏各有所養有所欲欲則互有所傷故下文曰故心欲苦合火故也肺欲辛
合金故也肝欲酸合木故也脾欲甘合土故也腎欲鹹合水故也此五味之所合
也各隨其欲而歸湊之五藏之氣新校正云按全元起本云此五味之合五藏之氣也連上文太素同故色見

青如草茲者死茲滋也言如草初生之青色也黃如枳實者死色青黃也黑如炲者死炲謂炲煤也赤如衃血者死衃血謂敗惡凝聚之血色赤黑也白如枯骨者死白而枯槁如乾骨之白也此五色之見死也藏敗故見死色也三部九候論曰五藏已敗其色必夭夭必死矣此之謂也青如翠羽者生赤如雞冠者生黃如蟹腹者生白如豕膏者生黑如烏羽者生此五色之見生也此謂光潤也色雖可愛若見朦朧尤善矣故下文曰生於心如以縞裹朱生於肺如以縞裹紅生於肝如以縞裹紺生於脾如以縞裹栝樓實生於腎如以縞裹紫是乃真見生色也縞白色紺薄青色此五藏所生之外榮也榮美色也色味當五藏白當肺辛赤當心苦青當肝酸黃當脾甘黑當腎鹹各當其所應而爲色味也故白當皮赤當脈青當筋

黃當肉，黑當骨。各歸其所養之藏氣也。諸脉者皆屬於目，脉者血之府。宣明五氣篇曰：久視傷血。由此明諸脉皆屬於目也。新校正云：按皇甫士安云九卷曰：心藏脉，脉舍神，神明通體，故云屬目。諸髓者皆屬於腦，腦為髓海，故諸髓屬之。諸筋者皆屬於節，筋氣之堅結者，皆絡於骨節之間也。宣明五氣篇曰：久行傷筋。由此明諸筋皆屬於節也。諸血者皆屬於心，血居脉內，屬於心也。八正神明論曰：血氣者，人之神。然神者，心之主，由此故諸血皆屬於心也。諸氣者皆屬於肺，肺藏主氣故也。此四支八谿之朝夕也。谿者，肉之小會名也。八谿謂肘膝腕也。如是氣血筋脉互有盛衰，故為朝夕矣。故人臥血歸於肝，肝藏血，心行之，人動則血運於諸經，人靜則血歸於肝藏。何者？肝主血海故也。肝受血而能視，言其用也。目為肝之官，故肝受血而能視。足受血而能步，氣行乃血流，故足受血而能行步也。掌受血而能握，以當把握之用。指受血而能攝，以當攝受之用也。血氣者，人之神，故所以受血者皆能運用。臥出而風吹之，血凝於膚者為痺，痺謂𤸷痺也。凝於脉者為泣，泣謂血行不利。凝於足者為厥，厥謂足逆冷也。此三

者血行而不得反其空故爲痹厥也 空者血流之道大經隧也 人有大
谷十二分 大經所會謂之大谷也十二分者謂十二經脈之部分 小谿三百五十四名少十
二俞 小絡所會謂之小谿也然以三百六十五小絡言之者除十二俞外則當三百五十三名經言三百五十四者傳寫行書誤以三爲四也 新校正云按別本及全元起本太素俞作關 此皆衞氣之所留止邪氣之所客也 衞氣滿塡以行邪氣不得居止衞氣虧缺留止則爲邪氣所客故言邪氣所客 鍼不緣而去之 緣謂夤緣行去之貌言邪氣所客衞氣留止鍼其谿谷則邪氣夤緣隨脈而行去也 診病之始五決爲紀 五決謂以五藏之脈爲決生死之綱紀也 欲知
其始先建其母 建謂立也母謂應時之王氣也先立應時王氣而後乃求邪正之氣也 所謂五決者五
脈也 謂五藏脈也 是以頭痛巔疾下虛上實過在足少陰巨陽
甚則入腎 足少陰腎脈巨陽膀胱脈膀胱之脈者起於目內眥上額交巔上其支別者從巔至耳上角其直行者從巔入絡腦還出別下項循肩髆內俠脊抵腰中入循膂絡腎屬膀胱然腎虛而不能引巨陽之氣故頭痛而爲上巔之疾也經病甚已則入於藏矣 徇蒙招尤

目冥耳聾下實上虛過在足少陽厥陰甚則入肝徇疾也蒙不明也言目暴疾而不明招謂掉也搖掉不定也尤甚也目疾不明首掉尤甚謂暴病也目冥耳聾謂漸病也足少陽膽脈厥陰肝脈也厥陰之脈從少腹上俠胃屬肝絡膽貫鬲布脅肋循喉嚨之後入頏顙上出額與督脈會於巔其支別者從目系下頰裏口少陽之脈起於目銳眥上抵頭角下耳後循頸入缺盆其支別者從耳後入耳中又支別者別目銳眥下顴加頰車下頸合缺盆以下胸中貫鬲絡肝屬膽今氣不足故為是病　新校正云按王注徇蒙言目暴疾而不明義未甚顯徇蒙者蓋謂目瞼瞤動疾數而蒙暗也又少陽之脈下顴甲乙經作下頰腹滿䐜脹支鬲胠脇下厥上冒過在足太陰陽明胠謂脇上也下厥上冒者謂氣從下逆上而冒於目也足太陰脾脈陽明胃脈也足太陰脈自股內前廉入腹屬脾絡胃上鬲足陽明脈起於鼻交於頞下循鼻外下絡頤頷從喉嚨入缺盆屬胃絡脾其直行者從缺盆下乳內廉下俠齊入氣街中其支別者起胃下口循腹裏至氣街中而合以下髀關故為是病欬嗽上氣厥在胸中過在手陽明太陰手陽明大腸脈太陰肺脈也手陽明脈自肩髃前廉上出於柱骨之會上下入缺盆絡肺下鬲屬大腸手太陰脈起於中焦下絡大腸還循胃口上鬲屬肺從肺系橫出腋下故為欬嗽上氣厥在胸中也　新校正云按甲乙經厥作病心煩頭痛病

在鬲中過在手巨陽少陰 手巨陽小腸脈少陰心脈也巨陽之脈從肩上入缺盆絡心循咽下鬲抵胃屬小腸其支別者從缺盆循頸上頰至目銳眥手少陰之脈起於心中出屬心系下鬲絡小腸故心煩頭痛病在鬲中也 新校正云按甲乙經云胸中痛支滿腰背相引而痛過在手少陰太陽也 夫脈之小大滑濇浮沈可以指別 夫脈小者細小大者滿大滑者往來流利濇者往來蹇難浮者浮於手下沈者按之乃得也如是雖衆狀不同然手巧心諦而指可分別也 五藏之象可以類推 象謂氣象也言五藏雖隱而不見然其氣象性用猶可以物類推之何者肝象木而曲直心象火而炎上脾象土而安靜肺象金而剛決腎象水而潤下夫如是皆大舉宗兆其中隨事變化象法傍通者可以同類而推之爾 五藏相音可以意識 音謂五音也夫肝音角心音徵脾音宮肺音商腎音羽此其常應也然其互相勝負聲見否臧則耳聰心敏者猶可以意識而知之 五色微診可以目察 色謂顏色也夫肝色青心色赤脾色黃肺色白腎色黑此其常色也然其氣象交互微見吉凶則目明智遠者可以占視而知之 能合脈色可以萬全 色青者其脈弦色赤者其脈鉤色黃者其脈代色白者其脈毛色黑者其脈堅此其常色脈也然其參校異同斷言成敗則審而不惑萬舉萬全色脈之病例如下說 赤脈之至也喘而堅診曰有

積氣在中時害於食名曰心痺喘謂脉至如卒喘狀也藏居高病則脉爲喘狀故心肺二藏而獨言之爾喘爲心氣不足堅則病氣有餘心脉起於心胷之中故積氣在中時害於食也積謂病氣積聚痺謂血脉氣不宣行也得之外疾思慮而心虚故邪從之思慮心虚故外邪因之而居止矣白脉之至也喘而浮上虚下實驚有積氣在胷中喘而虚名曰肺痺寒熱喘爲不足浮者肺虚肺不足是謂心虚上虚則下當滿實矣以其不足故善驚而氣積胷中矣然肺喘而浮是肺自不足喘而虚者是心氣上乘肺受熱而氣不得營故名肺痺而外爲寒熱也得之醉而使内也酒味苦燥内益於心醉甚入房故心氣上勝於肺矣青脉之至也長而左右彈有積氣在心下支胠名曰肝痺脉長而彈是爲弦緊緊爲寒氣中濕乃弦肝主胠脇近於心故氣積心下又支胠也正理論脉名例曰緊脉者如切繩狀言左右彈人手也得之寒濕與疝同法腰痛足清頭痛脉緊爲寒脉長爲濕疝之爲痛亦寒濕所生故言與疝同法也寒濕在下故腰痛也肝脉者起於足上行至頭出額與督脉會於巔故病則足冷而頭痛也清亦冷也黄脉之至也大

而虛有積氣在腹中有厥氣名曰厥疝勞入爲氣脉虛爲虛所氣又虛故脾氣積於腹中也若腎氣逆上則是厥氣不上則但虛而脾氣積也女子同法得之疾使四支汗出當風女子同法言同其候也風氣通於肝故汗出當風則脾氣積滿於腹中黑脉之至也上堅而大有積氣在小腹與陰名曰腎痹上謂寸口也腎主下焦故氣積聚於小腹與陰也得之沐浴清水而卧濕氣傷下自歸於腎況沐浴而卧得無病乎靈樞經曰身半以下濕之中也凡相五色之奇脉面黃目青面黃目赤面黃目白面黃目黑者皆不死也奇脉謂與色不相偶合也凡色見黃皆爲有胃氣故不死也　新校正云按甲乙經無之奇脉三字面青目赤面赤目白面青目黑面黑目白面赤目青皆死也無黃色而皆死者以無胃氣也五藏以胃氣爲本故無黃色皆曰死焉

五藏別論篇第十一新校正云按全元起本在第五卷

黄帝問曰余聞方士或以腦髓為藏或以腸胃為藏
或以為府敢問更相反皆自謂是不知其道願聞其
說方士謂明悟方術之士也言互為藏府之差異者經中猶有之矣靈蘭秘典論以腸胃為十二藏相使之次六節藏象論云十一藏取決於膽五藏生成篇云五藏之象可以類推五藏相音可以意識此則互相矛楯爾腦髓為藏應在別經
岐伯對曰腦髓骨脉膽女子胞此六者地氣之所生也皆藏於隂而象於
地故藏而不寫名曰奇恒之府腦髓骨脉雖名為府不正與神藏為表裏膽與肝合而不同六府之傳寫胞雖出納納則受納精氣出則化出形容形容之出謂化極而生然出納之用有殊於六府故言藏而不寫名曰奇恒之府也
夫胃大腸小腸三焦膀胱此五者天氣之所生也其氣象天
故寫而不藏此受五藏濁氣名曰傳化之府此不能
久留輸寫者也言水穀入已糟粕變化而泄出不能久久留住於中但當化已輸寫令去而已傳寫諸化故曰傳化之府也

魄門亦爲五藏使水穀不得久藏謂肛之門也內通於肺故曰魄門受已化物則爲五藏行使然水穀亦不得久藏於中所謂五藏者藏精氣而不寫也故滿而不能實精氣爲滿水穀爲實但藏精氣故滿而不能實　新校正云按全元起本及甲乙經太素精氣作精神六府者傳化物而不藏故實而不能滿也以不藏精氣但受水穀故也所以然者水穀入口則胃實而腸虛以未下也食下則腸實而胃虛水穀下也故曰實而不滿滿而不實也帝曰氣口何以獨爲五藏主氣口則寸口也亦謂脈口以寸口可候氣之盛衰故云氣口可以切脈之動靜故云脈口皆同取於手魚際之後同身寸之一寸是則寸口也岐伯曰胃者水穀之海六府之大源也人有四海水穀之海則其一也受水穀已榮養四傍以其當運化之源故爲六府之大源也五味入口藏於胃以養五藏氣氣口亦太陰也氣口在手魚際之後同身寸之一寸氣口之所候脈動者是手太陰脈氣所行故言氣口亦太陰也是以五藏六

府之氣味皆出於胃變見於氣口榮氣之道內穀爲實　新校正云詳此注出靈樞實作寶穀入於胃乃傳與肺精專者循肺氣行於氣口故云變見於氣口也　新校正云按全元起本出作入故五氣入鼻藏於心肺心肺有病而鼻爲之不利也凡治病必察其下適其脈觀其志意與其病也下謂目下所見可否也調適其脈之盈虛觀量志意之邪正及病深淺成敗之宜乃守法以治之也　新校正云按太素作必察其上下適其脈候觀其志意與其病能拘於鬼神者不可與言至德志意邪則好祈禱言至德則事必違故不可與言至德也惡於鍼石者不可與言至巧惡於鍼石則巧不得施故不可與言至巧病不許治者病必不治治之無功矣心不許人治之是其必死強爲治者功亦不成故曰治之無功矣

重廣補注黃帝內經素問卷第三

靈蘭秘典論 膻徒旱切 稟上久切 瘠音籍 瞿音劬 六節藏象論

僦即就切 溲所鳩切小便也 五藏生成論 胝䐃上丁尼切下巨殞切 炲音几芳杯苔血切 痹

音頏又音君 隧音遂 頏胡浪切 顙蘇朗切 系奚帝切 顴音權 胠去魚切 髃音虞 五藏別論

楯音巡 惡音污

重廣補注黃帝内經素問卷第四

啓玄子次注林億孫奇高保衡等奉敕校正孫兆重改誤

異法方宜論　移精變氣論

湯液醪醴論　玉板論要篇

診要經終論

異法方宜論篇第十二 新校正云按全元起本在第九卷

黃帝問曰醫之治病也一病而治各不同皆愈何也 不同謂鍼石灸焫毒藥導引按蹻也 岐伯對曰地勢使然也 謂法天地生長收藏及高下燥濕之勢 故東方之域天地之所始生也 法春氣也 魚鹽之地海濱傍水 魚鹽之地海之利也濵水際隨業近之 其民食魚而嗜鹹皆安其處美其食 豐其利故居安恣其

味故食美魚者使人熱中，鹽者勝血。魚發瘡則熱中之信，鹽發渴則勝血之徵。故其民皆黑色踈理，其病皆為癰瘍。血弱而熱，故喜為癰瘍。其治宜砭石。砭石謂以石為鍼也。山海經曰：高氏之山有石如玉，可以為鍼，則砭石也。新校正云：按氏一作伐。故砭石者，亦從東方來。東人今用之。

西方者，金玉之域，沙石之處，天地之所收引也。法秋氣也。引謂牽引，使收斂也。其民陵居而多風，水土剛強。居室如陵，故曰陵居。金氣肅殺，故水土剛強也。新校正云：詳大抵西方地高，民居高陵，故多風也，不必室如陵矣。其民不衣而褐薦，其民華食而脂肥。不衣絲綿，故曰不衣。褐謂毛布也。薦謂細草也。華謂鮮美，酥酪骨肉之類也。以食鮮美，故人體脂肥。故邪不能傷其形體，其病生於內。水土剛強，飲食脂肥，膚腠閉封，血氣充實，故邪不能傷也。內謂喜怒悲憂恐及飲食男女之過甚也。新校正云：詳悲一作思，當作思，已具陰陽應象大論注中。其治宜毒藥。能攻其病則謂之毒藥。以其血氣盛，肌肉堅，飲食華，水土強，故病宜毒藥方制御之。藥謂草木蟲魚鳥獸之類，皆能除病者也。故毒藥者，亦從西方來。西人方術今奉之。

北方者天

地所閉藏之域也其地高陵居風寒冰冽法冬氣也其民樂野處而乳食藏寒生滿病水寒冰冽故生病於藏寒也新校正云按甲乙經無滿字其治宜灸焫火艾燒灼謂之灸焫故灸焫者亦從北方來北人正行其法南方者天地所長養陽之所盛處也其地下水土弱霧露之所聚也法夏氣也地下則水流歸之水多故土弱而霧露聚其民嗜酸而食胕言其所食不芬香新校正云按全元起云食魚也故其民皆緻理而赤色其病攣痺酸味收斂故人皆肉理密緻陽盛之處故色赤濕氣內滿熱氣內薄故筋攣脉痺也其治宜微鍼微細小也細小之鍼調脉衰盛也故九鍼者亦從南方來南人盛崇之中央者其地平以濕天地所以生萬物也衆法土德之用故生物衆然東方海南方下西方北方高中央之地平以濕則地形斯異生病殊焉其民食雜而不勞四方輻輳而萬物交歸故人食紛雜而不勞也故其病多痿厥寒熱濕氣在下故多病痿弱氣逆及寒熱也陰陽應象大論曰地之

濕氣感則害皮肉筋脈居近於濕故爾 其治宜導引按蹻 導引謂搖筋骨動支節按謂抑按皮肉蹻謂捷舉手足 故導引按蹻者亦從中央出也 中人用為養神調氣之正道也 故聖人雜合以治各得其所宜 隨方而用各得其宜唯聖人法乃能然矣 故治所以異而病皆愈者得病之情知治之大體也 達性懷故然

移精變氣論篇第十三 新校正云按全元起本在第二卷

黃帝問曰余聞古之治病惟其移精變氣可祝由而已今世治病毒藥治其内鍼石治其外或愈或不愈何也 移謂移易變謂變改皆使邪不傷正精神復強而内守也生氣通天論曰聖人傳精神服天氣上古天真論曰精神内守病安從來 岐伯對曰往古人居禽獸之間動作以避寒陰居以避暑内無眷慕之累外無伸官之形 新校正云按全元起本伸作臾 此恬憺

之世邪不能深入也故毒藥不能治其內鍼石不能治其外故可移精祝由而已古者巢居穴處夕隱朝游禽獸之間斷可知矣然動躁陽盛故身熱足以禦寒涼氣生寒故陰居可以避暑矣夫志捐思想則內无眷慕之累心亡願欲故外无伸官之形靜保天真自无邪勝是以移精變氣无假毒藥祝說病由不勞鍼石而已　新校正本按全元起云祝由南方神當今之世不然情慕云爲遠於道也憂患緣其內苦形傷其外又失四時之從逆寒暑之宜賊風數至虛邪朝夕內至五藏骨髓外傷空竅肌膚所以小病必甚大病必死故祝由不能已也帝曰善余欲臨病人觀死生決嫌疑欲知其要如日月光可得聞乎岐伯曰色脈者上帝之所貴也先師之所傳也上帝謂上古之帝先師謂岐伯祖世之師僦貸季也上古使僦貸季理色脈而通神明合之金木

水火土四時八風六合不離其常先師以色白脉毛而合金應秋以色青脉弦而合木應春以色黑脉石而合水應冬以色赤脉洪而合火應夏以色黃脉代而合土應長夏及四季然以是色脉下合五行之休王上副四時之往來故六合之間八風鼓坼不離常候盡可與期何者以見其變化而知之也故下文曰變化相移以觀其妙以知其要欲知其要則色脉是矣言所以知四時五行之氣變化相移之要妙者何以色脉故也色以應日脉以應月常求其要則其要也言脉應月色應日者占候之期準也常求色脉之差忒是則平人之診要也夫色之變化以應四時之脉此上帝之所貴以合於神明也所以遠死而近生觀色脉之臧否曉死生之徵兆故能常遠於死而近於生也生道以長命曰聖王上帝聞道勤而行之生道以長惟聖王乃爾而常用也中古之治病至而治之湯液十日以去八風五痺之病八風謂八方之風五痺謂皮肉筋骨脉之痺也靈樞經曰風從東方來名曰嬰兒風其傷人也外在筋紐內舍於肝風從東南來者名曰弱風其傷人也外在於肌內舍於胃風從南方來名

曰大弱風其傷人也外在於脉內舍於心風從西南來名曰謀風其傷人也外在於肉內舍於脾風從西方來名曰剛風其傷人也外在於皮內舍於肺風從西北來名曰折風其傷人也外在於手太陽之脉內舍於小腸風從北方來名曰大剛風其傷人也外在於骨內舍於腎風從東北來名曰凶風其傷人也外在於掖脇內舍於大腸又痺論曰以春甲乙傷於風者為筋痺以夏丙丁傷於風者為脉痺以秋庚辛傷於風者為皮痺以冬壬癸傷於邪者為骨痺以至陰遇此者為肉痺是所謂八風五痺之病也　新校正云按此注引痺論今經中痺論不如此當云風論曰以春甲乙傷於風者為肝風以夏丙丁傷於風者為心風季夏戊己傷於邪者為脾風以秋庚辛中於邪者為肺風以冬壬癸中於邪者為腎風痺論曰風寒濕三氣雜至合而為痺以冬遇此者為骨痺以春遇此者為筋痺以夏遇此者為脉痺以至陰遇此者為肌痺以秋遇此者為皮痺

十日不已治以草蘇草荄之枝本末為助標本已得邪氣乃服

草蘇謂藥煎也草荄謂草根也枝謂莖也言以諸藥根苗合成其煎俾相佐助而以服之凡藥有用根者有用莖者有用枝者有用華實者有用根莖枝華實者湯液不去則盡用之故云本末為助也標本已得邪氣乃服者言工人與病主療相應則邪氣率服而隨時順也湯液醪醴論曰病為本工為標標本不得邪氣不服此之謂主療不相應也或謂取標本論末云鍼也　新校正云按全元起本又云得其標本邪氣乃散矣

暮世之治病也則不然治不本

四時不知日月不審逆從四時之氣各有所在不本其處而即妄攻是反古也四時刺逆從論曰春氣在經脉夏氣在孫絡長夏氣在肌肉秋氣在皮膚冬氣在骨髓工當各隨所在而辟伏其邪爾不知日月者謂日有寒溫明暗月有空滿虧盈也八正神明論曰凡刺之法必候日月星辰四時八正之氣氣定乃刺之是故天溫日明則人血淖液而衛氣浮故血易寫氣易行天寒日陰則人血凝泣而衛氣沉月始生則血氣始精衛氣始行月郭滿則血氣盛肌肉堅月郭空則肌肉減經絡虛衛氣去形獨居是以因天時而調血氣也是故天寒無刺天溫無凝月生無寫月滿無補月郭空無治是謂得時而調之因天之序盛虛之時移光定位正立而待之故曰月生而寫是謂藏虛月滿而補血氣盈溢絡有留血命曰重實月郭空而治是謂亂經陰陽相錯真邪不別沉以留止外虛內亂淫邪乃起此之謂也不審逆從者謂不審量其病可治與不可治故下文曰病形已成乃欲微鍼治其外湯液治其內言心意粗略不精審也粗工兇兇以爲可攻故病未已新病復起粗謂粗略也兇兇謂不料事宜之可否也何以言之假令飢人形氣羸劣食令極飽能不霍乎豈其與食而爲惡邪蓋爲失時復過節也非病逆鍼石湯液失時過節則其害反增矣　新校正云按别本霍一作害帝曰願聞要道岐伯曰治之要極無失色脉用之不惑

治之大則（或謂或亂則謂法則也言色脉之應昭然不欺但順用而不亂紀綱則治病審當之大法也）逆從到行標本不得亡神失國（逆從到行謂反順爲逆標本不得謂工病失宜也以反理到行所爲非順豈唯治人而神氣受害若使之輔佐君主亦令國祚不保康寧矣）去故就新乃得眞人（標本不得工病失宜則當去故逆理之人就新明悟之士乃得至眞精曉之人以全已也）帝曰余聞其要於夫子矣夫子言不離色脉此余之所知也岐伯曰治之極於一帝曰何謂一岐伯曰一者因得之（因問而得之也）帝曰奈何岐伯曰閉戶塞牖繫之病者數問其情以從其意（問其所欲而察是非也）得神者昌失神者亡帝曰善

湯液醪醴論篇第十四（新校正云按全元起本在第五卷）

黄帝問曰爲五穀湯液及醪醴奈何（液謂清液醪醴謂酒之屬也）岐伯對

必以稻米炊之稻薪稻米者完稻薪者堅堅謂資其堅勁完謂取其完全
完全則酒清冷堅勁則氣迅疾而効速也帝曰何以然言何以能完堅邪岐伯曰此得天地之
和高下之宜故能至完伐取得時故能至堅也夫稻者生於陰
水之精首戴天陽之氣二者和合然乃化成故云得天地之和而能至完秋氣勁切霜露凝結稻以冬採故云伐取得時而能至堅帝曰上古
聖人作湯液醪醴爲而不用何也岐伯曰自古聖人
之作湯液醪醴者以爲備耳言聖人愍念生靈先防萌漸陳其法制以備不虞耳夫上
古作湯液故爲而弗服也聖人不治已病治未病故但爲備用而不服也中古之世道
德稍衰邪氣時至服之萬全雖道德稍衰邪氣時至以心猶近道故服用萬全也帝曰
今之世不必已何也言不必如中古之世何也岐伯曰當今之世必齊
毒藥攻其中鑱石鍼艾治其外也言法殊於往古也帝曰形弊血

盡而功不立者何岐伯曰神不使也言神不能使鍼石之妙用也何者志意違背於師示故也帝曰何謂神不使岐伯曰鍼石道也精神不進志意不治故病不可愈動離於道耗散天真故爾　新校正云按全元起本云精神進志意定故病可愈太素云精神越志意散故病不可愈今精壞神去榮衛不可復收何者嗜欲無窮而憂患不止精氣弛壞榮泣衛除故神去之而病不愈也精神者生之源榮衛者氣之主氣主不輔生源復消神不內居病何能愈哉帝曰夫病之始生也極微極精必先入結於皮膚今良工皆稱曰病成名曰逆則鍼石不能治良藥不能及也今良工皆得其法守其數親戚兄弟遠近音聲日聞於耳五色日見於目而病不愈者亦何暇不早乎新校正云按別本暇一作謂岐伯曰

病爲本工爲標標本不得邪氣不服此之謂也言醫與病不相得也然工人或親戚兄弟該明情疑勿用工先備識不謂知方鍼艾之妙靡容藥石之攻匪預如是則道雖昭著萬舉萬全病不許治欲奚爲療五藏別論曰拘於鬼神者不可與言至德惡於鍼石者不可與言至巧病不許治者病必不治治之無功此皆謂工病不相得邪氣不賓服也豈惟鍼艾之有惡哉藥石亦有之矣　新校正云按移精變氣論曰標本已得邪氣乃服

帝曰其有不從毫毛而生五藏陽以竭也新校正云按全元起本及太素陽作傷義亦通津液充郭其魄獨居孤精於內氣耗於外形不可與衣相保此四極急而動中是氣拒於內而形施於外治之奈何不從毫毛言生於內也陰氣內盛陽氣竭絕不可得入於腹中故言五藏陽以竭也津液者水也充滿也郭皮也陰稸於中水氣脹滿上攻於肺肺氣孤危魄者肺神腎爲水害子不救母故云其魄獨居也夫陰精損削於內陽氣耗減於外則三焦閉溢水道不通水滿皮膚身體否腫故云形不可與衣相保也凡此之類皆四支脉數急而內鼓動於肺中也下動者謂氣急而欬也言如是者皆水氣格拒於腹膜之內浮腫施張於身形之外欲窮標本其可得乎四極言四末則四支也左傳曰風淫末疾靈樞經曰陽受氣

於四末新校正云詳形施於外施字疑誤歧伯曰平治於權衡去宛陳莝新校正云按太素莝作茎微動四極溫衣繆刺其處以復其形開鬼門潔淨府精以時服五陽已布疏滌五藏故精自生形自盛骨肉相保巨氣乃平。平治權衡謂察脈浮沈也脈浮為在表脈沈為在裏在裏者泄之在外者汗之故下次云開鬼門潔淨府也去宛陳莝謂去積久之水物猶如草莝之不可久留於身中也全本作草莝微動四極謂微動四支令陽氣漸以宣行故又曰溫衣也經脈滿則絡脈溢絡脈溢則繆刺之以調其絡脈使形容如舊而不腫故云繆刺其處以復其形也開鬼門是啓玄府遺氣也五陽是五藏之陽氣也潔淨府謂寫膀胱水去也脈和則五精之氣以時賓服於腎藏也然五藏之陽漸而宣布五藏之外氣穢復除也如是故精髓自生形肉自盛藏府既和則骨肉之氣更相保抱大經脈氣然乃平復爾帝曰善

玉版論要篇第十五

新校正云按全元起本在第二卷

黃帝問曰余聞揆度奇恒所指不同用之柰何歧伯

對曰揆度者度病之淺深也奇恒者言奇病也請言道之至數五色脉變揆度奇恒道在於一一謂色脉之應也知色脉之應則可以揆度奇恒矣 新校正云按全元起本請作謂神轉不回回則不轉乃失其機血氣者神氣也八正神明論曰血氣者人之神不可不謹養也夫血氣應順四時遞遷囚王循環五氣無相奪倫是則神轉不回也回謂却行也然血氣隨王不合却行却行則反常反常則回回而不轉也回而不轉乃失生氣之機矣何以明之夫木衰則火王火衰則土王土衰則金王金衰則水王水衰則木王終而復始循環此之謂神轉不回也若木衰水王水衰金王金衰土王土衰火王火衰木王此之謂回而不轉也然反天常動生之何有耶至數之要迫近以微言五色五脉變化之要道迫近於天常而又微妙著之玉版命曰合玉機玉機篇名也言以此回轉之要旨著之玉版合同於玉機論文也 新校正云詳道之至數至此與玉機眞藏論文相重注頗不同容色見上下左右各在其要容色者他氣也如肝木部內見赤黃白黑色皆謂他氣也餘藏率如此例所見皆在明堂上下左右要察候處故云各在其要 新校正云按全元起本容作客視色之法具甲乙經中其色見淺者湯液主治十日

已色淺則病輕故十日乃已其見深者必齊主治二十一日已色深則病甚故必終齊乃已其見大深者醪酒主治百日已病深甚故日多色夭面脫不治色見大深兼之夭惡面肉又脫不可治也百日盡已色不夭面不脫治之百日盡可已　新校正云詳色夭面脫雖不治然期當百日乃已盡也脈短氣絕死脈短已虛加之漸絕真氣將竭故必死病溫虛甚死甚虛而病溫溫氣內涸其精血故死色見上下左右各在其要上為逆下為從色見於下者病生之氣也故從色見於上者傷神之兆也故逆女子右為逆左為從男子左為逆右為從左為陽故男子右為從而左為逆右為陰故女子右為逆而左為從易重陽死重陰死女子色見於左男子色見於右是變易也男子色見於左是曰重陽女子色見於右是曰重陰氣極則反故皆死也陰陽反他　新校正云按陰陽應象大論云陰陽反作治在權衡相奪奇恒事也揆度事也權衡相奪謂陰陽二氣不得高下之宜是奇於恒常之事當揆度其氣隨宜而處療之搏脈痺躄寒熱之交脈擊搏於手而病瘴痺及攣躄者皆寒熱之氣交合所為非邪

氣虛實之所生也脉孤為消氣虛泄為奪血夫脉有表無裏有裏無表皆曰孤亡之氣也若有表有裏而氣不足者皆曰虛衰之氣也孤為逆虛為從孤無所依故曰逆虛衰可復故曰從行奇恒之法以太陰始凡揆度奇恒之法先以氣口太陰之脉定四時之正氣然後度量奇恒之氣也行所不勝曰逆逆則死木見金脉金見火脉火見水脉水見土脉土見木脉如是皆行所不勝也故曰逆賊勝不已故逆則死焉行所勝曰從從則活木見水火土脉火見金土木脉土見金水火脉金見土木水脉水見金火木脉如是者皆可勝之脉故曰從從則無所尅殺傷敗故從則活也八風四時之勝終而復始以不越於五行故雖相勝猶循環終而復始也逆行一過不復可數論要畢矣過謂遍也然逆行一過遍於五氣者不復可數為平和矣

診要經終論篇第十六新校正云按全元起本在第二卷

黃帝問曰診要何如岐伯對曰正月二月天氣始方地氣始發人氣在肝方正也言天地氣正發生其萬物也木治東方王七十二日猶當三月節後一十二日是木之

以月而取則正月人氣在肝三月四月天氣正方地氣定發人氣在脾天氣正方以陽氣明盛地氣定發爲萬物華而欲實也然季終土寄而王土又生於丙故人氣在脾五月六月天氣盛地氣高人氣在頭天陽赫盛地焰高升故言天氣盛地氣高火性炎上故人氣在頭也七月八月陰氣始殺人氣在肺七月三陰支生八月陰始肅殺故云陰氣始殺也然陰氣肅殺類合於金肺氣象金故人氣在肺也九月十月陰氣始冰地氣始閉人氣在心陰氣始凝地氣始閉隨陽而入故人氣在心十一月十二月冰復地氣合人氣在腎陽氣深復故氣在腎也夫氣之變也故發生於木長茂於土盛高而上肅殺於金避寒於火伏藏於水斯皆隨順陰陽氣之升沈也五藏生成論曰五藏之象可以類推此之謂氣類也故春刺散俞及與分理血出而止散俞謂間穴分理謂肌肉分理　新校正云按四時刺逆從論云春氣在經脉此散俞即經脉之俞也又水熱穴論云春取絡脉分肉甚者傳氣間者環也辨疾氣之間甚也傳謂相傳環謂循環也相傳則傳所不勝循環則周迴於五氣也　新校正云按太素環也作環已夏刺絡俞見血而止盡

氣閉環痛病必下盡氣謂出血而盡鍼下取所病脉盛邪之氣也邪氣盡已穴俞閉密則經脉循環而痛病之氣必下去矣以陽氣大盛故爲是法刺之　新校正云按四時刺逆從論云夏氣在孫絡此絡俞即孫絡之俞也又水熱穴論云夏取盛經分腠秋刺皮膚循理上下同法神變而止循理謂循肌肉之分理也上謂手脉下謂足脉神變謂脉氣變易與未刺時異也脉者神之用故爾言之　新校正云按四時刺逆從論云秋氣在皮膚又與此合又水熱穴論云取俞以寫陰邪取合以虛陽邪皇甫士安云是始秋之治變冬刺俞竅於分理甚者直下間者散下直下謂直爾下之散下謂散布下之　新校正云按四時刺逆從論云冬氣在骨髓此俞竅即骨髓之俞竅也又水熱穴論云冬取井滎皇甫士安云是末冬之治變也春夏秋冬各有所刺法其所在春刺夏分脉亂氣微入淫骨髓病不能愈令人不嗜食又且少氣心主脉故脉亂氣微水受氣於夏腎主骨故下淫於骨髓也心火微則胃土不足故不嗜食而少氣也　新校正云按四時刺逆從論云春刺絡脉血氣外溢令人少氣春刺秋分筋攣逆氣環爲欬嗽病不愈令人時驚又且哭木受氣於秋肝主筋故刺

秋分則筋攣也若氣逆環周則為欬嗽肝主驚故時驚肺主氣故氣逆又上哭也　新校正云按四時刺逆從論云春刺肌肉血氣環逆令人上氣也春刺冬分邪氣著藏令人脹病不愈又且欲言語冬主陽氣伏藏故邪氣著藏腎實則脹故刺冬分則令人脹也火受氣於冬心主言故欲言語也　新校正云按四時刺逆從論云春刺筋骨血氣內著令人腹脹夏刺春分病不愈令人解墮肝養筋肝氣不足故筋力解墮　新校正云按四時刺逆從論云夏刺經脈血氣乃竭令人解㑊夏刺秋分病不愈令人心中欲無言惕惕如人將捕之肝木為語傷秋分則肝木虛故恐如人將捕之肝不足故欲無言而復恐也　新校正云按四時刺逆從論云夏刺肌肉血氣內却令人善恐甲乙經作悶夏刺冬分病不愈令人少氣時欲怒夏傷於腎肝肺散之志內不足故令人少氣時欲怒也　新校正云按四時刺逆從論云夏刺筋骨血氣上逆令人善怒秋刺春分病不已令人惕然欲有所為起而忘之肝虛故也刺不當也　新校正云按四時刺逆從論云秋刺經脈血氣上逆令人善忘秋刺夏分病不已令人益嗜臥又且善夢心氣少則脾氣孤故令嗜臥心主夢神為之故令善夢　新校正云按四時刺逆從論云秋刺絡脈氣不外行令

人目不能動 秋刺冬分病不已令人洒洒時寒陰氣上爭故寒也洒洒寒貌 新校正云按四時刺逆從論云秋刺筋骨血氣內令人寒慄 冬刺春分病不已令人欲臥不能眠眠而有見肝氣少故令欲臥不能眠肝主目故眠而如見有物之形狀也 新校正云按四時刺逆從論云冬刺經脉血氣皆脫令人目不明 冬刺夏分病不愈氣上發為諸痹泄脉氣故也 新校正云按四時刺逆從論云冬刺絡脉血氣外泄留為大痹 冬刺秋分病不已令人善渴肺氣不足故發渴 新校正云按四時刺逆從論云冬刺肌肉陽氣竭絶令人善渴 凡刺胸腹者必避五藏心肺在鬲上腎肝在鬲下脾象土而居中故刺胸腹必避之五藏者所以藏精神魂魄意志損之則五神去神去則死至故不可不慎也 中心者環死氣行如環之一周則死也正謂周十二辰也 新校正云按刺禁論云一日死其動為噫四時刺逆從論同此經闕刺中肝死日刺禁論云中肝五日死其動為語四時刺逆從論同也 中脾者五日死土數五也 新校正云按刺禁論云中脾十日死其動為吞四時刺逆從論同 中腎者七日死水成數六水數畢當至七日而死一云十日死字之誤也 新校正云按刺禁論云中腎六日死其動為嚔四時刺逆從論云中腎六日死其動為嚔欠 中肺者五日死金生數四金數畢當至五日而死一云三日死亦字誤也 新校正云按刺禁

論云中肺三日死其動爲欬四時刺逆從論同三法四時刺逆從論云此三論皆岐伯之言而不同者傳之誤也中鬲者皆爲傷中其病雖愈不過一歲必死五藏之氣同主一年鬲傷則五藏之氣互相剋伐故不過一歲必死刺避五藏者知逆從也所謂從者鬲與脾腎之處不知者反之腎著於脊脾藏居中鬲連於脇際知者爲順不知者反傷其藏刺胷腹者必以布憿著之乃從單布上刺形定則不誤中於五藏也新校正云按別本憿一作懒又作撽刺之不愈復刺要以氣至爲効也鍼經曰刺之氣不至无問其數刺之氣至去之勿復鍼此之謂也刺鍼必肅肅謂靜肅所以候氣之存云刺腫搖鍼以出大膿血故經刺勿搖經氣不欲泄故此刺之道也帝曰願聞十二經脉之終奈何終謂盡也岐伯曰太陽之脉其終也戴眼反折瘈瘲其色白絕汗乃出出則死矣戴眼謂睛不轉而仰視也然足太陽脉起於目內眥上額交巔上從巔入絡腦還出別下項循肩髆內俠脊抵腰中其支別者下循足至小指外側手太陽脉起於手小指之

瑞循臂上肩入缺盆其支別者上頞至目內眥抵足太陽 新校正云按甲乙經作斜絡於顴 又其支別者從缺盆循頸上頞至目外眥 新校正云按甲乙經外作兑故戴眼反折瘈瘲色白絶汗乃出也絶汗謂汗暴出如珠而不流旋復乾也太陽極則汗出故出則死 少陽終者耳聾百節皆縱目睘絶系絶系一日半死其死也色先青白乃死矣 足少陽脉起於目鋭眥上抵頭角下耳後其支別者從耳後入耳中出走耳前手少陽脉其支別者從耳後亦入耳中出走耳前故終則耳聾目睘絶系也少陽主骨故氣終則百節縱緩色青白者金木相薄也故見之死矣睘謂直視如驚貌 陽明終者口目動作善驚妄言色黄其上下經盛不仁則終矣 足陽明脉起於鼻交頞中下循鼻外入上齒縫中還出俠口環脣下交承漿却循頤後下廉出大迎循頰車上耳前過客主人循髮際至額顱其支別者從大迎前下人迎循喉嚨入缺盆下鬲手陽明脉起於手循臂至肩上出於柱骨之會上下入缺盆絡肺其支別者從缺盆上頸貫頰下入齒中還出俠口交人中左之右右之左上俠鼻鼽抵足陽明 新校正云按甲乙經鼽作孔无抵足陽明四字故終則口目動作也口目動作謂目睒睒而鼓頷也胃病則惡人與火聞木音則惕然而驚又罵詈而不避親疎故善驚妄言也黄者土色上謂手脉下謂足脉也經盛謂面目頸頷足跗腕脛皆躁盛而動也不仁謂不知善惡如

是者皆氣竭之徵也故終矣

少陰終者面黑齒長而垢腹脹閉上下不通而終矣

手少陰氣絶則血不流足少陰氣絶則骨不耎骨硬則齗上宣故齒長而積垢汙血壞則皮色死故面色如漆而不赤也足少陰脈從腎上貫肝鬲入肺中手少陰脈起於心中出屬心系下鬲絡小腹故其終則腹脹閉上下不通也　新校正云詳王注云骨不耎骨硬按難經及甲乙經云骨不濡則肉弗能著當作骨不濡手少陰脈絡小腹甲乙經作脈絡小腸

太陰終者腹脹閉不得息善噫善嘔

足太陰脈行從股內前廉入腹屬脾絡胃上鬲手太陰脈起於中焦下絡大腸還循胃口上鬲屬肺故終則如是也靈樞經曰足太陰之脈動則病食則嘔腹脹善噫也

嘔則逆逆則面赤

嘔則氣逆故面赤　新校正云按靈樞經作善噫噫則嘔嘔則逆

不逆則上下不通不通則面黑皮毛焦而終矣

嘔則上通故但面赤不嘔則下已閉上復不通心氣外燔故皮毛焦而終矣何者足太陰脈支別者復從胃別上鬲注心中由是則皮毛焦乃心氣外燔而生也

厥陰終者中熱嗌乾善溺心煩甚則舌卷卵上縮而終矣

足厥陰絡循脛上睾結於莖其正經入毛中下過陰器上抵小腹俠胃上循喉嚨之後入頭顙手厥陰脈起於胷中出屬心包故終則中熱嗌乾善溺心煩矣

靈樞經曰肝者筋之合也筋者聚於陰器而脉絡於舌本故甚則舌卷卵上縮也又以厥陰之脉過陰器故爾　新校正云按甲乙經卑作罪過作環此十二經之所敗也手三陰三陽足三陰三陽則十二經也敗謂氣終盡而敗壞也　新校正云詳十二經又出靈樞經與素問

重廣補注黄帝内經素問卷第四

異法方宜論　蹻巨嬌切　砭普廉切　緻直利切　標必堯切　移精變氣論　荄古哀切草根也　湯液醪醴論醪音勞　莝音剉斬也　滌音迪　穢音畏　玉版論　度徒各切　躄必益切　診要經終論　儌古堯切　瘲音縱　瞏音瓊　睒音閃　跗音閉

重廣補注黃帝内經素問卷第五

啓玄子次注林億孫奇高保衡等奉 敕校正孫兆重改誤

脉要精微論　平人氣象論

脉要精微論篇第十七 新校正云按全元起本在第六卷

黃帝問曰診法何如岐伯對曰診法常以平旦陰氣未動陽氣未散飲食未進經脉未盛絡脉調匀氣血未亂故乃可診有過之脉 動謂動而降卑散謂散布而出也過謂異於常候也 新校正云按脉經及千金方有過之脉作過此非也王注陰氣未動謂動而降卑按金匱眞言論云平旦至日中天之陽陽中之陽也則平旦爲一日之中純陽之時陰氣未動耳何有降卑之義

切脉動靜而視精明察五色觀五藏有餘不足六府強弱形之盛衰以此參伍決死生之分 切謂以指切近於脉也精

明穴名也在明堂左右兩目内眥也以近於目故曰精明言以形氣盛衰脉之多少視精明之間氣色觀藏府不足有餘參其類伍以決死生之分

夫脉者血之府也府聚也言血之多少皆聚見於經脉之中也故刺志論曰脉實血實脉虛血虛此其常也反此者病由是故也

長則氣治短則氣病數則煩心大則病進夫脉長爲氣和故治短爲不足故病數急爲熱故煩心大爲邪盛故病進也長脉者往來長短脉者往來短數脉者往來急速大脉者往來滿大也

上盛則氣高新校正云按全元起本高作鬲

下盛則氣脹代則氣衰細則氣少新校正云按太素細作滑

濇則心痛上謂寸口下謂尺中盛謂盛滿代脉者動而中止不能自還細脉者動如莠蓬濇脉者往來時不利而蹇濇也

渾渾革至如涌泉病進而色獘綿綿其去如弦絕死渾渾言脉氣濁亂也華至者謂脉來弦而大實而長也如涌泉者言脉汩汩但出而不返也綿綿言微微似有而不甚應手也如弦絕者言脉卒斷如弦之絕去也若病候日進而色獘惡如此之脉皆必死也新校正云按甲乙經及脉經作渾渾華華至如涌泉病進而色獘獘綿綿其去如弦絕者死

夫精明五色者氣之華也五氣之精華者上見爲五色變化於精明之間也六節藏象論曰天食人以五氣五氣入鼻藏於心肺上使五色脩明此則明

（察五色也）赤欲如白裹朱，不欲如赭；白欲如鵝羽，不欲如鹽（新校正云：按甲乙經作白欲如白璧之澤，不欲如堊。太素兩出之）；青欲如蒼璧之澤，不欲如藍；黃欲如羅裹雄黃，不欲如黃土；黑欲如重漆色，不欲如地蒼（新校正云：按甲乙經作炭色）。五色精微象見矣，其壽不久也。（赭色、鹽色、藍色、黃土色、地蒼色見者，皆精微之敗象，故其壽不久）

夫精明者，所以視萬物，別白黑，審短長，以長為短，以白為黑，如是則精衰矣。（誠其誤也。夫如是者，皆精明衰乃誤也）

五藏者，中之守也。（身形之中，五神安守之所也。此則明觀五藏也。新校正云：按甲乙經及太素守作府）中盛藏滿，氣勝傷恐者，聲如從室中言，是中氣之濕也。（中，謂腹中。盛，謂氣盛。藏，謂肺藏。氣勝，謂勝於呼吸而喘息變易也。夫腹中氣盛，肺藏充滿，氣勝息變，善傷於恐，言聲不發，如在室中者，皆腹中有濕氣乃爾也）

言而微，終日乃復言者，此奪氣也。（若言音微細，聲斷不續，甚奪其氣，乃如是也）衣被不斂言語善惡不避親踈者此神明之亂也倉廩不藏者是門戶不要也倉廩謂脾胃門戶謂䰟門靈蘭秘典論曰脾胃者倉廩之官也五藏別論曰䰟門亦為五藏使水穀不得久藏也䰟門則肛門也要謂禁要水泉不止者是膀胱不藏也水泉謂前陰之流注也得守者生失守者死夫如是倉廩不藏氣勝傷恐衣被不斂水泉不止者皆神氣得居而守則生失其所守則死也夫何以知神氣之不守耶衣被不斂言語善惡不避親踈則亂之證也亂甚則不守於藏也夫五藏者身之強也藏安則神守神守則身強故曰身之強也頭者精明之府頭傾視深精神將奪矣背者胷中之府背曲肩隨府將壞矣腰者腎之府轉搖不能腎將憊矣膝者筋之府屈伸不能行則僂附新校正云按別本附一作俯太素作跗筋將憊矣骨者髓之府不能久立行則振掉骨將憊矣皆以所居所由而為之府也得強則生失強則死強謂中氣強固

要也）岐伯曰（新校正云詳此岐伯曰前无問）反四時者有餘爲精不足爲消應太過不足爲精應不足有餘爲消陰陽不相應病名曰關格（廣陳其脉應也夫反四時者諸不足皆爲血氣消損諸有餘皆爲邪氣勝精也陰陽之氣不相應合不得相營故曰關格也）帝曰脉其四時動奈何知病之所在奈何知病之所變奈何知病乍在内奈何知病乍在外奈何請問此五者可得聞乎（言欲順四時及陰陽相應之狀候也）岐伯曰（新校正云詳此對與問不甚相應脉四時動病之所在病之所變按文頗對病在内在外之説後文殊不相當）請言其與天運轉大也（指可見陰陽之運轉以明陰陽之不可見也）萬物之外六合之内天地之變陰陽之應彼春之暖爲夏之暑彼秋之忿爲冬之怒四變之動脉與之上下（六合謂四方上下也春暖爲夏暑言陽生而至盛秋忿而冬怒言陰少而之壯也忿一爲急言秋氣勁急也 新校正云按全元起注本

暖作緩以春應中規春脉耎弱輕虛而滑如規之象中外皆然故以春應中規夏應中矩夏脉洪大兼之滑數如矩之象可正平之故以夏應中矩秋應中衡秋脉浮毛輕濇而散如秤衡之象高下必平故以秋應中衡冬應中權冬脉如石兼沉而滑如秤權之象下遠於衡故以冬應中權也以秋中衡冬中權者言脉之高下異處如此兩此則隨陰陽之氣故有斯四應不同也是故冬至四十五日陽氣微上陰氣微下夏至四十五日陰氣微上陽氣微下陰陽有時與脉爲期期而相失知脉所分分之有期故知死時察陰陽升降之準則知經脉遞遷之象審氣候遞遷之失則知氣血分合之期分期不差故知人死之時節微妙在脉不可不察察之有紀從陰陽始推陰陽升降精微妙用皆在經脉之氣候是以不可不察故始以陰陽爲察候之綱紀始之有經從五行生生之有度四時爲宜言始所以知有經脉之察候司應者何哉蓋從五行衰王而爲準度也徵求太過不及之形診皆以應四時者爲生氣所宜也新校正云按太素宜作數補寫勿失與天地如一有者[illegible]

之不足者補之是則應天地之常道也然天地之道損有餘而補不足是法天地之道也寫補之宜工切審之其治氣亦然得一之情以知死生曉天地之道補寫不差既得一情亦可知生死之準的是故聲合五音色合五行脈合陰陽聲表宮商角徵羽故合五音色見青黃赤白黑故合五行脈彰寒暑之休王故合陰陽之氣也是知陰盛則夢涉大水恐懼陰爲水故夢涉水而恐懼也陰陽應象大論曰水爲陰陽盛則夢大火燔灼陽爲火故夢大火而燔灼也陰陽應象大論曰火爲陽陰陽俱盛則夢相殺毀傷亦類交爭之氣象也上盛則夢飛下盛則夢墮氣上則夢上故飛氣下則夢下故墮甚飽則夢予內有餘故甚飢則夢取內不足故肝氣盛則夢怒肝在志爲怒肺氣盛則夢哭肺聲哀故爲哭　新校正云詳是知陰盛則夢涉大水恐懼至此乃靈樞之文誤置於斯仍少心脾腎氣盛所夢今具甲乙經中短蟲多則夢聚衆身中短蟲多則夢聚衆長蟲多則夢相擊毀傷長蟲動則內不安內不安則神躁擾故夢是矣　新校正云詳此二句亦不當出此應他經脫簡文也是故持脈有道虛靜

爲保前明脉䏁此舉持脉所由也然持脉之道必虚其心靜其志乃保定盈虛而不失　新校正云按甲乙經保作寶　春日浮如魚之遊在波雖出猶未全浮　夏日在膚泛泛乎萬物有餘泛泛平貌陽氣大盛脉氣亦象萬物之有餘易取而洪大也　秋日下膚蟄蟲將去隨陽氣之漸降故曰下膚何以明陽氣之漸降蟄蟲將欲藏去也　冬日在骨蟄蟲周密君子居室在骨言脉深沉也蟄蟲周密言陽氣伏藏君子居室此人事也　故曰知內者按而紀之知內者謂知脉氣也故按而爲之綱紀　知外者終而始之知外者謂知色象故以五色終而復始　此六者持脉之大法見是六者然後可以知脉之遷變也　新校正云詳此前對帝問脉其四時動奈何之事　心脉搏堅而長當病舌卷不能言搏謂搏擊於手也諸脉搏堅而長者皆爲勞心而藏脉氣虛極也心手少陰脉從心系上俠咽喉故令舌卷短而不能言也　其耎而散者當消環自已諸脉耎散皆爲氣實血虛也消謂消散環謂環周言其經氣如環之周當其火王自消散也　新校正云按甲乙經環作渴　肺脉搏[illegible]長當病唾血肺虛極則絡逆絡逆則血泄故唾出也　其耎而散者

當病灌汗至今不復散發也汗出玄府津液奔湊寒水灌洗皮密汗藏因灌汗藏故言灌汗至今不復散發也灌謂灌洗盛暑多爲此也　新校正云詳下文諸藏各言色而心肺二藏不言色者疑闕文也肝脉搏堅而長色不青當病墜若搏因血在脅下令人喘逆諸脉見本經之氣而色不應者皆非病從内生是外病來勝也夫肝藏之脉端直以長故言曰色不青當病墜若搏也肝主兩脇故曰因血在脇下也肝厥陰脉布脇肋循喉嚨之後其支別者復從肝別貫鬲上注肺今血在脇下則血氣上熏於肺故令人喘逆也其耎而散色澤者當病溢飲溢飲者渴暴多飲而易入肌皮腸胃之外也面色浮澤是爲中濕血虛止濕水液不消故言當病溢飲也以水飲滿溢故滲溢易而入肌皮腸胃之外也　新校正云按甲乙經易作溢胃脉搏堅而長其色赤當病折髀胃虛色赤火氣牧之心象於火故色赤也胃陽明脉從氣衝下髀抵伏兔故病則髀如折也其耎而散者當病食痺痺痛也胃陽明脉其支別者從大迎前下人迎循喉嚨入缺盆下鬲屬胃絡脾故食則痛悶而氣不散也　新校正云詳謂痺爲痛義則未通脾脉搏堅而長其色黄當病少氣脾虛

則肺無所養肺主氣故少氣也其耎而散色不澤者當病足䯒腫若水狀
也色氣浮澤爲水之候色不潤澤故言若水狀也脾太陰脈自上內踝前廉上踹內循䯒骨後交出厥陰之前上循膝股內前廉入腹故病足䯒腫也腎
脈摶堅而長其色黃而赤者當病折腰色氣黃赤是心脾干腎腎受客陽故腰如折也
腰爲腎府故病發於中其耎而散者當病少血至令不復也腎主水以生化津液令腎
氣不化故當病少血至令不復也帝曰新校正云詳帝曰至以其勝治之愈全元起本在湯液篇診得心脈而急
此爲何病病形何如岐伯曰病名心疝少腹當有形
也心爲牡藏其氣應陽今脈反寒故爲疝也諸脈勁急者皆爲寒形謂病形也帝曰何以言之岐伯曰心
爲牡藏小腸爲之使故曰少腹當有形也少腹小腸也靈蘭秘典論曰小
腸者受盛之官以其受盛故形居于內也帝曰診得胃脈病形何如岐伯曰胃脈
實則脹虛則泄脈實者氣有餘故脹滿脈虛者氣不足故泄利、新校正云詳此前對帝問知病之所在帝曰病成而變何謂岐伯曰風成為寒熱生氣通天論曰因於露風乃生寒熱故風成為寒熱也癉成為消中癉謂濕熱也熱積於內故變為消中也消中之證善食而瘦新校正云詳王注以善食而瘦為消中按本經多食數溲為之消中善食而瘦乃是食㑊之證當云善食而溲數厥成為巔疾厥謂氣逆也氣逆上而不已則變為上巔之疾也久風為飧泄久風不變但在胃中則食不化而泄利也以肝氣內合而乘胃故為是病焉陰陽應象大論曰風氣通於肝故內應於肝也脈風成為癘經風論曰風寒客於脈而不去名曰癘風又曰癘者有榮氣熱胕其氣不清故使其鼻柱壞而色敗皮膚瘍潰然此則癘也夫如是者皆脈風成結變而為也病之變化不可勝數新校正云詳此前對帝問知病之所變奈何帝曰諸癰腫筋攣骨痛此皆安生安何也言何以生之岐伯曰此寒氣之腫八風之變也八風八方之風也然癰腫者傷東南西南風之變也筋攣骨痛者傷東風北風之變也靈樞經曰風從東方來名曰嬰兒風其傷人也外在筋紐風從東南來名曰弱風其傷人也外在於肌風從西南來名曰謀風其傷人也外在於肉風從北方來名曰大剛風其傷人也外在於骨由此四風之變而三病乃生故下問對是也帝曰治之奈何岐伯曰此四時

之病以其勝治之愈也勝謂勝剋也如金勝木木勝土土勝水水勝火火勝金此則相勝也帝曰有故病五藏發動因傷脈色各何以知其久暴至之病乎重以色氣明前五藏堅長之脈有自病故病及因傷候也岐伯曰悉乎哉問也徵其脈小色不奪者新病也氣乏而神猶強也徵其脈不奪其色奪者此久病也神持而邪凌其氣也徵其脈與五色俱奪者此久病也神與氣俱衰也徵其脈與五色俱不奪者新病也神與氣俱強也肝與腎脈並至其色蒼赤當病毀傷不見血已見血濕若中水也肝色蒼心色赤赤色見當脈供腎脈見當色黑今腎脈來反見心色故而因傷而血不見也若已見血則是濕氣及水在腹中也何者以心腎脈色中外之候不相應也尺內兩傍則季脅也尺內謂尺澤之內也兩傍各謂尺之外側也季脅近腎尺主之故尺內兩傍則季脅也尺外以候腎尺裏以候腹中尺外謂尺之外側尺裏謂尺之內側也次尺外下兩傍則季脅之分季脅

之上腎之分季脇之內則腹之分也附上左外以候肝內以候鬲肝主賁賁鬲也右外以候胃內以候脾脾居中故以內候之胃為市故以外候之上附上右外以候肺內以候胸中肺葉垂外故以外候之胸中主氣管故以內候之左外以候心內以候膻中心主鬲中也膻中則氣海也嗌也新校正云詳王氏以二中為嗌也疑誤前以候前後以候後上前謂左寸口下前謂胸之前膺及氣海也上後謂右寸口下後謂胸之後背及氣管也上竟上者胸喉中事也下竟下者少腹腰股膝脛足中事也上竟上至魚際也下竟下謂盡尺之脈動處也少腹胞氣海在膀胱腰股膝脛足中之氣動靜皆分其近遠及連接處所名目以候之知其善惡也麤大者陰不足陽有餘為熱中也麤大謂脈洪大也脈洪為熱故曰熱中來疾去徐上實下虛為厥巔疾來徐去疾上虛下實為惡風也亦脈狀也故中惡風者陽氣受也以上虛故陽氣受也有脈俱沈細數者少陰厥也尺中之有脈沈細數者是腎少陰氣逆也何者

尺脉不當見數有數故言厥也俱沈細數者言左右尺中也沈細數散者寒熱也陽陷於陰陰氣不足故寒熱也
正理論曰數爲陽浮而散者爲眴仆脉浮爲虛散爲不足氣虛而血不足故爲頭眩而仆倒也諸浮不躁
者皆在陽則爲熱其有躁者在手言大法也但浮不躁則病在足陽脉之中躁者病在手陽
脉之中也故又曰其有躁者在手也陽爲火氣故爲熱諸細而沈者皆在陰則爲骨痛其
有靜者在足細沈而躁則病生於手陰脉之中靜者病生於足陰脉之中也故又曰其有靜者在足也陰主骨故骨痛數動
一代者病在陽之脉也洩及便膿血代止也數動一代是陽氣之生病故言病在陽
之脉所以然者以洩利及膿血脉乃爾諸過者切之濇者陽氣有餘也滑者陰
氣有餘也陽有餘則血脉故脉濇陰有餘則氣多故脉滑也新校正云詳氣多恐誤當是血多也陽氣有餘爲
身熱无汗陰氣有餘爲多汗身寒血少氣多斯可知也陰陽有餘則
无汗而寒陽餘无汗陰餘身寒若陰陽有餘則當无汗而寒也推而外之内而不外有心

腹積也脉附臂筋取之不審推筋令遠使脉外行內而不出外者心腹中有積乃爾推而內之外而不內

身有熱也脉遠臂筋推之令近遠而不近是陽氣有餘故身有熱也推而上之上而不下腰

足清也推筋按之尋之而上脉上涌盛是陽氣有餘故腰足冷也　新校正云按甲乙經上而不下作下而不上推而下之

下而不上頭項痛也推筋按之尋之而下脉沉下掣是陽氣有餘故頭項痛也　新校正云按甲乙經下而不上作上而不下

按之至骨脉氣少者腰脊痛而身有痹也陰氣大過故爾

平人氣象論篇第十八新校正云按全元起本在第一卷

黃帝問曰平人何如平人謂氣候平調之人也岐伯對曰人一呼脉再

動一吸脉亦再動呼吸定息脉五動閏以太息命曰

平人平人者不病也經脉一周於身凡長十六丈二尺呼吸脉各再動定息脉又一動則五動也計二百七十定息

氣可環周然盡五十營以一萬三千五百定息則氣都行八百一十丈如是則應天常度脉氣无不及太過氣象平調故曰平人也常以不病

調病人醫不病故爲病人平息以調之爲法人一呼脉一動一吸脉一動曰少氣呼吸脉各一動準候減平人之半計二百七十定息氣凡行八丈一尺以一萬三千五百定息氣都行四百五丈少氣之理從此可知人一呼脉三動一吸脉三動而躁尺熱曰病溫尺不熱脉滑曰病風脉濇曰痺呼吸脉各三動準過平人之半計二百七十息氣凡行二十四丈三尺病生之兆白斯著矣夫尺者陰分位也寸者陽分位也然陰陽俱熱是則爲溫陽獨躁盛則風中陽也脉要精微論曰中惡風者陽氣受也滑爲陽盛故病爲風濇爲無血故爲痺也躁謂煩躁　新校正云按甲乙經无脉濇曰痺一句下文亦重人一呼脉四動以上曰死脉絶不至曰死乍踈乍數曰死呼吸脉各四動準候過平人之倍計二百七十息氣凡行三十二丈四尺況其以上耶脉法曰脉四至曰脫精五至曰死然四至以上亦近五至也故死矣然脉絶不至天眞之氣已无乍數乍踈胃穀之精亦敗故皆死之候是以下文曰　新校正云按別本數一作敗平人之常氣稟於胃胃者平人之常氣也常平之氣胃海致之靈樞經曰胃爲水穀之海也正理論曰穀入於胃脉道乃行

人无胃氣曰逆逆者死 逆謂反平人之候也 新校正云按甲乙經云人常稟氣於胃脈以胃氣爲本无胃氣曰逆逆者死 春胃微弦曰平 言微似弦不謂微而弦也鉤及耎弱毛石義並同 弦多胃少曰肝病 但弦无胃曰死 謂急而益勁如新張弓弦也 胃而有毛曰秋病 毛秋脈金氣也 毛甚曰今病 木受金邪故今病 藏真散於肝肝藏筋膜之氣也 象陽氣之散發故藏真散也藏氣法時論曰肝欲散急食辛以散之取其順氣 夏胃微鉤曰平鉤多胃少曰心病但鉤无胃曰死 謂前曲後居如操帶鉤也 胃而有石曰冬病 石冬脈水氣也 石甚曰今病 火被水侵故今病 藏真通於心心藏血脈之氣也 象陽氣之炎盛也藏氣法時論曰心欲耎急食鹹以耎之取其順氣 長夏胃微耎弱曰平弱多胃少曰脾病但代无胃曰死 謂動而中止不能自還也 耎弱有石曰冬病 石冬脈水氣也次其勝剋石當爲弦長夏土絕故云石也 弱甚曰今病 弱甚爲土氣不足故今病 新校正云按甲乙經耎弱作石 藏真濡於脾脾藏

肌肉之氣也以舍藏水穀故藏真濡也秋胃微毛曰平毛多胃少曰肺病但毛无胃曰死謂如物之浮如風吹毛也毛而有弦曰春病弦春脉木氣也次其乘剋弦當爲鈎金氣逼肝則脉弦來見故不鈎而反弦也弦甚曰今病木氣逆來乘金則今病藏真高於肺以行榮衛陰陽也肺處上焦故藏真高也靈樞經曰榮氣之道內穀爲實穀入胃胃氣傳與肺流溢於中而散於外精專者行於經隧以其自肺宣布故云以行榮衛陰陽也　新校正云按别本實一作具冬胃微石曰平石多胃少曰腎病但石无胃曰死謂如奪索辟辟如彈石也石而有鈎曰夏病鈎夏脉火兼土氣也次其乘剋鈎當云弱土王長夏不見正形故石而有鈎兼其土也鈎甚曰今病水受火土之邪故今病藏真下於腎腎藏骨髓之氣也腎居下焦故云藏真下也腎化骨髓故藏骨髓之氣也胃之大絡名曰虛里貫鬲絡肺出於左乳下其動應衣脉宗氣也宗尊也主也謂十二經脉之尊主也貫鬲絡肺出於左乳下者自鬲而出於乳下乃絡肺也盛喘數絶

者則病在中（絶謂暫斷絶也）結而橫者積矣絶不至曰死（指左乳下脈動狀也中謂腹中也）乳之下其動應衣宗氣泄也（泄謂發泄 新校正云按全元起本无此十一字甲乙經亦无詳上下文義多此十一字當去）欲知寸口太過與不及寸口之脈中手短者曰頭痛寸口脈中手長者曰足脛痛（短爲陽氣不及故病於頭長爲陰氣太過故病於足）寸口脈中手促上擊者曰肩背痛（陽盛於上故肩背痛）寸口脈沈而堅者曰病在中寸口脈浮而盛者曰病在外（沈堅爲陰故病在中浮盛爲陽故病在外也）寸口脈沈而弱曰寒熱及疝瘕少腹痛（沈爲寒弱爲熱故曰寒熱也又沈爲陰盛弱爲陽餘餘盛相薄正當寒熱不當爲疝瘕而少腹痛應古之錯簡爾 新校正云按甲乙經无此十五字況下文已有寸口脈沈而喘曰寒熱脈急者曰疝瘕少腹痛此文衍當去）寸口脈沈而橫曰脇下有積腹中有橫積痛（亦陰氣內結也）寸口脈沈而喘曰寒熱（喘爲陽吸沈爲陰爭爭吸相薄）

故寒熱也脉盛滑堅者曰病在外脉小實而堅者病在內盛滑為陽小實為陰陰病病在內陽病病在外也脉小弱以濇謂之久病小為氣虛濇為无血血氣虛弱故云久遠之病也脉滑浮而疾者謂之新病滑浮為陽足脉疾為氣全陽足氣全故去新淺之病也脉急者曰疝瘕少腹痛此覆前疝瘕少腹痛之脉也言沈弱不必為疝瘕沈急乃與診相應脉滑曰風脉濇曰痺滑為陽陽受病則為風濇為陰陰受病則為痺緩而滑曰熱中盛而緊曰脹緩謂縱緩之狀非動之遲緩也陽盛於中故脉滑緩寒氣否滿故脉盛緊也盛緊盛滿也脉從陰陽病易已脉逆陰陽病難已脉病相應謂之從脉病相反謂之逆脉得四時之順曰病无他脉反四時及不間藏曰難已春得秋脉夏得冬脉秋得夏脉冬得四季脉皆謂反四時氣不相應故難已也臂多青脉曰脫血血少脉空客寒因入共凝血汁故脉色青也尺脉緩濇謂之解㑊尺為陰部腹腎主之緩為熱中濇為无血熱而无血故解㑊並不可名之然寒不寒熱不熱弱不弱壯不壯㑊不可名謂之解㑊也脉要精微論曰尺外以候腎尺

裏以候腹中則腹腎主尺之義也安卧脉盛謂之脫血卧久傷氣氣傷則脉診應微今脉盛而不微則血去而氣无所主乃爾盛謂數急而大鼓也尺濇脉滑謂之多汗謂尺膚濇而尺脉滑也膚濇者榮血內涸脉滑為陽氣內餘血涸而陽氣尚餘多汗而脉乃如是也尺寒脉細謂之後泄尺主下焦診應腸腹故膚寒脉細泄利乃然脉法曰陰微即下言尺氣虛少脉尺麤常熱者謂之熱中謂下焦中也肝見庚辛死庚辛爲金伐肝木也心見壬癸死壬癸爲水滅心火也脾見甲乙死甲乙爲木剋脾土也肺見丙丁死丙丁爲火鑠肺金也腎見戊己死戊己爲土刑腎水也是謂眞藏見皆死此亦通明三部九候論中眞藏脉見者勝死也尺麤而藏見亦然頸脉動喘疾欬曰水水氣上溢則肺被熱熏陽氣上逆故頸脉盛鼓而欬喘也頸脉謂耳下及結喉傍人迎脉者也目裏微腫如卧蠶起之狀曰水評熱病論曰水者陰也目下亦陰也腹者至陰之所居也故水在腹中者必使目下腫也溺黃赤安卧者黃疸疸勞也腎勞胞熱故溺黃赤也正理論曰謂之勞癉以女勞得之也　新校正云詳王注以疸爲勞義非若謂女勞得疸則可若以疸爲勞非矣已食如飢者

胃疸是則胃熱也熱則消穀故食已如飢也面腫曰風加之面腫則胃風之診也何者胃陽明脉起於鼻交頞中下循鼻外故爾足脛腫曰水是謂下焦有水也腎少陰脉出於足心上循脛過陰股從腎上貫肝鬲故下焦有水足脛腫也目黃者曰黃疸陽怫於上熱積胸中陽氣上熾故目黃也靈樞經曰目黃者病在胸婦人手少陰新校正云按全元起本作足少陰脉動甚者妊子也手少陰脉謂掌後陷者中當小指動而應手者也靈樞經曰少陰無輸心不病乎岐伯曰其外經病而藏不病故獨取其經於掌後銳骨之端此之謂也動謂動脉也動脉者大如豆厥厥動搖也正理論曰脉陰陽相搏名曰動也又經脉別論曰陰搏陽別謂之有子新校正云按經脉別論中無此文

脉有逆從四時未有藏形春夏而脉瘦新校正云按玉機眞藏論瘦作沈濇秋冬而脉浮大命曰逆四時也春夏脉瘦謂沈細也秋冬浮大不應時也大法春夏當浮大而反沈細秋冬當沈細而反浮大故曰不應時也風新校正云按玉機眞藏論風作病熱而脉靜泄而脫血脉實新校正云按玉機眞藏論作泄而脉大脫血而脉實病在中脉虛病在外新校正云按玉機眞藏論作脉實堅病在外脉濇堅者新校正云按玉機眞藏論作脉不實堅者皆難治風熱當脉躁而

反謂泄而脫血當脉虛而反實邪氣在內當脉實而反虛病氣在外當脉虛滑而反堅濇故皆難治也命曰反四時也此皆反四時之氣乃如是矣　新校正云詳命曰反四時也此六字應古錯簡當去自前未有藏形春夏至此五十三字與後玉機真藏論文相重人以水穀爲本故人絕水穀則死脉無胃氣亦死所謂無胃氣者但得真藏脉不得胃氣也所謂脉不得胃氣者肝不弦腎不石也不弦不石皆謂不微似也太陽脉至洪大以長氣盛故能爾　新校正云按扁鵲陰陽脉法云太陽之脉洪大以長其來浮於筋上動搖九分三月四月甲子王呂廣云太陽王五月六月其氣大盛故其脉洪大而長也少陽脉至乍數乍踈乍短乍長以氣有陽未暢者也　新校正云按扁鵲陰陽法云少陽之脉乍小乍大乍長乍短動搖六分王十一月甲子夜半正月二月甲子王呂廣云少陽王正月二月其氣尚微故其脉來進退无常陽明脉至浮大而短穀氣滿盛故也　新校正云詳无三陰脉應古文闕也按難經云太陰之至緊大而長少陰之至緊細不微厥陰之至沈短以敦呂廣云陽明王三月四月其氣始萌未盛故其脉來浮大而短扁鵲陰陽脉法云少陰之脉緊細動搖六分王五月甲子日中七月八月王太陰之脉緊細以長乘於筋上

動揺九分九月十月甲子王厥陰之脉沈知以緊動揺三分十一月十二月甲子王夫平心脉來累累如連珠
如循琅玕曰心平言脉滿而盛微似珠形之中手琅玕珠之類也夏以胃氣爲本脉有胃氣
則曰累累而微似連珠也病心脉來喘喘連屬其中微曲曰心病曲謂中手而偃
曲也　新校正云詳越人云啄啄連屬其中微曲曰腎病與素問異死心脉來前曲後居如操帶鉤
曰心死居不動也操執持也鉤謂革帶之鉤平肺脉來厭厭聶聶如落榆莢曰
肺平浮薄而虛者也　新校正云詳越人云厭厭聶聶如循榆葉曰春平脉藹藹如車蓋　益大曰秋平脉與素問之説不同張仲景云秋脉藹
藹如車蓋者名曰陽結春脉聶聶如吹榆莢者名曰數恐越人之説誤也秋以胃氣爲本脉有胃氣則微似榆莢之輕虛也病肺
脉來不上不下如循雞羽曰肺病謂中央堅而兩傍虛死肺脉來如
物之浮如風吹毛曰肺死如物之浮瞥瞥然如風吹毛紛紛然也　新校正云詳越人云按之消索如風吹
吹毛曰死平肝脉來耎弱招招如揭長竿末梢曰肝平如竿末梢言

耎也春以胃氣爲本脉有胃氣乃長耎如竿之末梢矣病肝脉來盈實而滑如循長竿曰肝病長而不耎故若循竿死肝脉來急益勁如新張弓弦曰肝死勁謂勁強急之甚也平脾脉來和柔相離如雞踐地曰脾平言脉來動數相離緩急和而調長夏以胃氣爲本胃少則脉實數病脾脉來實而盈數如雞舉足曰脾病胃少故脉實急矣舉足謂如雞走之舉足也　新校正云詳越人以爲心病死脾脉來銳堅如烏之喙新校正云按千金方作如雞之喙如鳥之距如屋之漏如水之流曰脾死烏喙鳥距言銳堅也水流屋漏言其至也水流謂平至不鼓屋漏謂時動復住平腎脉來喘喘累累如鉤按之而堅曰腎平謂如心脉而鉤按之小堅爾　新校正云按越人云其來上大下兑濡滑如雀之喙曰平吕廣云上大者足太陽下兑者足少陰陰陽得所爲胃氣強故謂之平雀喙者本大而末兑也冬以胃氣爲本胃少則不按亦堅也病腎脉來如引葛按之益堅曰腎病形如引葛言不按且堅明

按之則尢甚也死腎脈來發如奪索辟辟如彈石曰腎死發如奪索猶蛇之走辟辟如彈石言促又堅也

重廣補注黄帝内經素問卷第五

脉要精微論 莠音誘 汩古沒切 癉都赧切 眴音荀又音舜 平人氣象論

疝音山 瘕音賈 㑊音亦 儜女耕切 喙虚畏切

重廣補注黃帝内經素問卷第六

啓玄子次注林億孫奇高保衡等奉敕校正孫兆重改誤

玉機真藏論　三部九候論

玉機真藏論篇第十九 新校正云按全元起本在第六卷

黃帝問曰春脉如弦何如而弦岐伯對曰春脉者肝也東方木也萬物之所以始生也故其氣來耎弱輕虛而滑端直以長故曰弦 言端直而長狀如弦也 新校正云按越人云春脉弦者東方木也萬物始生未有枝葉故其脉來濡弱而長四時經輕作寬 反此者病 反謂反常平之候 帝曰何如而反岐伯曰其氣來實而強此謂太過病在外其氣來不實而微此謂不及病在中 氣餘則病形於外氣少則病在於中也 新校正云按呂廣云實強者陽氣盛也少陽當微弱

今東方實强謂之太過陽處表故令病在外厥陰之氣養於筋其脉弦今更虛微故曰不及陰處中故令病在内帝曰春脉太過與不及其病皆何如岐伯曰太過則令人善忘忽忽眩冒而巔疾其不及則令人胷痛引背下則兩脇胠滿忽忽不爽也眩謂目眩視如轉也冒謂冒悶也胠謂腋下脇也忘當爲怒字之誤也靈樞經曰肝氣實則怒肝厥陰脉自足而上入毛中又上貫鬲布脇肋循喉嚨之後上入頏顙上出額與督脉會於巔故病如是　新校正云按氣交變大論云木太過甚則忽忽善怒眩冒巔疾則忘當作怒帝曰善夏脉如鉤何如而鉤岐伯曰夏脉者心也南方火也萬物之所以盛長也故其氣來盛去衰故曰鉤言其脉來盛去衰如鉤之曲也　新校正云按越人云夏脉鉤者南方火也萬物之所盛垂枝布葉皆下曲如鉤故其脉來疾去遲吕廣云陽盛故來疾陰虚故去遲脉從下上至寸口疾還尺中遲也反此者病帝曰何如而反岐伯曰其氣來盛去亦盛此謂太過病在外其脉來盛去盛是陽之盛也心氣有餘是爲太過其氣來不

盛去反盛此謂不及病在中新校正云詳越人肝心肺腎四藏脉俱以強實爲太過虛微爲不及與素問不同帝曰夏脉太過與不及其病皆何如岐伯曰太過則令人身熱而膚痛爲浸淫其不及則令人煩心上見欬唾下爲氣泄心少陰脉起於心中出屬心系下鬲絡小腸又從心系却上肺故心太過則身熱膚痛而浸淫流布於形分不及則心煩上見欬唾下爲氣泄帝曰善秋脉如浮何如而浮岐伯曰秋脉者肺也西方金也萬物之所以收成也故其氣來輕虛以浮來急去散故曰浮脉來輕虛故名浮也來急以陽未沈下去散以陰氣上外也新校正云按越人云秋脉毛者西方金也萬物之所終草木華葉皆秋而落其枝獨在若毫毛也故其脉來輕虛以浮故曰毛反此者病

帝曰何如而反岐伯曰其氣來毛而中央堅兩傍虛此謂太過病在外其氣來毛而微此謂不及病在中

帝曰秋脉太過與不及其病皆何如岐伯曰太過則令人逆氣而背痛慍慍然其不及則令人喘呼吸少氣而欬上氣見血下聞病音肺太陰脉起於中焦下絡大腸還循胃口上鬲屬肺從肺系橫出腋下復藏氣爲欬主喘息故氣盛則肩背痛氣逆不及則喘息變易呼吸少氣而欬上氣見血也下聞病音謂喘息則肺中有聲也帝曰善冬脉如營何如而營脉沈而深如營動也　新校正云詳深一作濡又作搏按本經下文云其氣來沈以搏則深字當爲搏又按甲乙經搏字爲濡當從甲乙經爲濡何以言之脉沈而濡濡古軟字乃冬脉之平調脉若沈而搏擊於手則冬脉之太過脉也故言當從甲乙經濡字岐伯曰冬脉者腎也北方水也萬物之所以合藏也故其氣來沈以搏故曰營言沈而搏擊於手也　新校正云按甲乙經搏當作濡義如前說又越人云冬脉石者北方水也萬物之所藏盛冬之時水凝如石故其脉來沈濡而滑故曰石也反此者病帝曰何如而反岐伯曰其氣來如彈石者此謂太過病在外其去如

數者此謂不及病在中帝曰冬脉太過與不及其病皆何如岐伯曰太過則令人解㑊新校正云按解㑊之義具第五卷注脊脉痛而少氣不欲言其不及則令人心懸如病飢䏚中清脊中痛少腹滿小便變腎少陰脉自股內後廉貫脊屬腎絡膀胱其直行者從腎上貫肝鬲入肺中循喉嚨俠舌本其支別者從肺出絡心注胷中故病如是也䏚者季脇之下俠脊兩傍空軟處也腎外當䏚故䏚中清冷也帝曰善帝曰四時之序逆從之變異也脉春弦夏鉤秋浮冬營爲逆順之變見異狀也然脾脉獨何主主謂主時月岐伯曰脾脉者土也孤藏以灌四傍者也納水穀化津液溉灌於肝心肺腎也以不正主四時故謂之孤藏帝曰然則脾善惡可得見之乎岐伯曰善者不可得見惡者可見不正主時寄王於四季故善不可見惡可見也帝曰惡者何如可見岐伯曰其來如水之流者此謂太過病

在外如鳥之喙者此謂不及病在中新校正云按平人氣象論云如鳥之喙又別本喙作喙帝曰夫子言脾爲孤藏中央土以灌四傍其太過與不及其病皆何如歧伯曰太過則令人四支不舉以主四支故病不舉其不及則令人九竅不通名曰重強脾之孤藏以灌四傍今病則五藏不和故九竅不通也八十一難經曰五藏不和則九竅不通重謂藏氣重疊強謂氣不和順帝瞿然而起再拜而稽首曰善吾得脈之大要天下至數五色脈變揆度奇恒道在於一瞿然忙貌也言以太過不及而一貫之揆度奇恒皆通也神轉不迴迴則不轉乃失其機五氣循環不愆時敘是爲神氣流轉不迴若却行衰王反天之常氣是則却迴而不轉由是却迴不轉乃失生氣之機矣至數之要迫近以微得至數之要道則應用切近以微妙也迫切也著之玉版藏之藏府每旦讀之名曰玉機著之玉版故以爲名言是玉版生氣之機新校正云詳至數至名曰玉機與

前玉版論要文相重彼注頗詳五藏受氣於其所生傳之於其所勝氣舍於其所生死於其所不勝病之且死必先傳行至其所不勝病乃死受氣所生者謂受病氣於已之所生者也傳所勝者謂傳於已之所剋者也氣舍所生者謂舍於生已者也死所不勝者謂死於剋已者之分位也所傳不順故必死焉此言氣之逆行也故死所爲逆者次如下說肝受氣於心傳之於脾氣舍於腎至肺而死心受氣於脾傳之於肺氣舍於肝至腎而死脾受氣於肺傳之於腎氣舍於心至肝而死肺受氣於腎傳之於肝氣舍於脾至心而死腎受氣於肝傳之於心氣舍於肺至脾而死此皆逆死也一日一夜五分之此所以占死生之早暮也肝死於肺位秋庚辛餘四倣此然朝主甲乙晝主丙丁四季上主戊己晡主庚辛夜主壬癸由此則死生之早

暮可知也　新校正云按甲乙經生作者字云占死者之早暮詳此經文專為言氣之逆行也故死即不言生之早暮王氏改者作生義不若甲乙經中素問本文

黄帝曰五藏相通移皆有次五藏有病則各傳其所勝以上文逆傳而死故言是逆傳所勝之次也　新校正云詳逆傳所勝之次逆當作順上文既言逆傳下文所言乃順傳之次也不治法三月若六月若三日若六日傳五藏而當死是順傳所勝之次三月者謂一藏氣之遷移六月者謂至其所勝之位三日者三陽之數以合日也六日者謂兼三陰以數之爾熱論曰傷寒一日巨陽受二日陽明受三日少陽受四日太陰受五日少陰受六日厥陰受則義也　新校正云詳上文是順傳所勝之次七字乃是次前注誤在此經文之下不惟无義兼校之全元起本素問及甲乙經並无此七字直去之慮未達者致疑今存于注

故曰別於陽者知病從來別於陰者知死生之期主辨三陰三陽之候則知中風邪氣之所不勝矣故下曰　新校正云詳舊此段注寫作經合改為注又按陰陽別論云別於陽者知病處也別於陰者知死生之期又云別於陽者知病忌時別於陰者知死生之期義同此

言知至其所困而死困謂至所不勝也上文曰死於其所不勝是故風者百病之長也

言先百病而有之　新校正云按生氣通天論云風者百病之始　今風寒客於人使人毫毛畢直

皮膚閉而為熱　客謂客止於人形也風擊皮膚寒勝腠理故毫毛畢直玄府閉密而熱生也　當是之時

可汗而發也　邪在皮毛故可汗泄也陰陽應象大論曰善治者治皮毛此之謂也　或痺不仁腫痛　病生而變

故如是也熱中血氣則痛痺不仁寒氣傷形故為腫痛陰陽應象大論云寒傷形熱傷氣氣傷痛形傷腫　當是之時可湯熨

及火灸刺而去之　皆謂釋散寒邪宣揚正氣　弗治病入舍於肺名曰肺

痺發欬上氣　邪入諸陰則病而為痺故入於肺名曰痺焉宣明五氣論曰邪入於陽則狂邪入於陰則痺肺在變動為欬故欬則氣上

故上氣也　弗治肺即傳而行之肝病名曰肝痺一名曰厥脇

痛出食　肺金伐木氣下入肝故曰弗治行之肝也肝氣通膽膽善為怒怒者氣逆故一名厥也肝厥陰脈從少腹屬肝絡膽上貫膈布脇肋循喉

嚨之後上入頏顙故脇痛而食入腹則出故曰出食　當是之時可按若刺耳弗治肝傳之

脾病名曰脾風發癉腹中熱煩心出黃　肝氣應風木勝脾土土受風氣故曰

脾風蓋為風氣通肝而為名也脾之為病善發黄癉故發癉也脾太陰脉入腹屬脾絡胃上鬲俠咽連舌本散舌下其支別者復從胃別上鬲注心中故腹中熱而煩心出黄色於便寫之所也

當此之時可按可藥可浴弗治脾傳之腎病名曰疝瘕少腹寃熱而痛出白一名曰蠱腎少陰脉自股內後廉貫脊屬腎絡膀胱故少腹寃熱而痛洩出白液也寃熱内結消鑠脂肉如蟲之食日内損則故一名曰蠱

當此之時可按可藥弗治腎傳之心病筋脉相引而急病名曰瘛腎不足則水不生水不生則筋燥急故相引也陰氣内弱陽氣外燔筋脉受熱而自跳掣故名曰瘛

當此之時可灸可藥弗治滿十日法當死至心而氣極則如是矣若復傳行當如下說

腎因傳之心心即復反傳而行之肺發寒熱法當三歲死因腎傳心心不受病即而復反傳與肺金肺已再傷故寒熱也三歲者肺至腎一歲腎至肝一歲肝至心一歲火又乘肺故云三歲死

此病之次也謂傳勝之次第

然其卒發者不必治於傳不必依傳之次故不必以傳治之

或其傳化有不

以次不以次入者憂恐悲喜怒令不得以其次故令人有大病矣憂恐悲喜怒發無常分觸遇則發故令病氣亦不次而生因而喜大虛則腎氣乘矣喜則心氣移於肺心氣不守故腎氣乘矣宣明五氣篇曰精氣并於心則喜怒則肝氣乘矣怒則氣逆故肝氣乘脾悲則肺氣乘矣悲則肺氣移於肝肝氣受邪故肺氣乘矣宣明五氣篇曰精氣并於肺則悲恐則脾氣乘矣恐則腎氣移於心腎氣不守故脾氣乘矣宣明五氣篇曰精氣并於腎則恐憂則心氣乘矣憂則肝氣移於脾肝氣不守故心氣乘矣宣明五氣篇曰精氣并於肝則憂此其道也此其不次之常道故病有五五二十五變及其傳化五藏相并而各五之五而乘之則二十五變也然其變化以勝相傳傳而不次變化多端新校正云按陰陽別論云凡陽有五五五二十五陽義與此通傳乘之名也言傳者何相乘之異名爾大骨枯槀大肉陷下胸中氣滿喘息不便其氣動形期六月死真藏脉見乃予之期日皮膚乾著骨間肉陷謂大骨枯槀大肉陷下也諸附骨際及空窳處亦同其類也胸中氣

滿喘息不便是肺死主也肺司治節氣息由之其氣動形爲无氣相接故聳舉肩背以遠求報氣矣夫如是皆形藏已敗神藏亦傷見是證者期後一百八十日內死矣候見真藏之脉乃與死日之期爾真藏脉診下經備矣此肺之藏也

大骨枯槁大肉陷下胸中氣滿喘息不便內痛引肩項期一月死真藏見乃予之期日火精外出陽氣上燔金受火災故內痛肩項如是者期後三十日內死此心之藏也

大骨枯槁大肉陷下胸中氣滿喘息不便內痛引肩項身熱脫肉破䐃真藏見十月之內死陰氣微弱陽氣內燔故身熱也䐃者肉之標脾主肉故肉如脫盡䐃如破敗也見斯證者期後三百日內死䐃謂肘膝後肉如塊者也此脾之藏也

大骨枯槁大肉陷下肩髓內消動作益衰真藏來見期一歲死見其真藏乃予之期日肩髓內消謂缺盆深也衰於動作謂交接漸微以餘藏尚全故期後三百六十五日內死此腎之藏也　新校正云按全元起本及甲乙經真藏未見作來見來當作未字之誤也

大骨枯槁大肉陷下胸中氣滿腹內痛心中不

便肩項身熱破䐃脫肉目匡陷眞藏見目不見人立死其見人者至其所不勝之時則死木生其火肝氣通心脉抵少腹上布脇肋循喉嚨之後上入頏顙故腹痛心中不便肩項身熱破䐃脫肉也肝主目故目匡陷及不見人立死也不勝之時謂於庚辛之月此肝之藏也急虛身中卒至五藏絕閉脉道不通氣不往來譬於墮溺不可爲期言五藏相移傳其不勝則可待眞藏脉見乃與之死日之期卒急虛邪中於身內則五藏絕閉脉道不通氣不往來譬於墮墜沒溺不可與爲死日之期也其脉絕不來若人一息五六至其形肉不脫眞藏雖不見猶死也是則急虛卒至之脉　新校正云按人一息脉五六至何得爲死必息字誤息當作呼乃是眞肝脉至中外急如循刀刃責責然如按琴瑟弦色青白不澤毛折乃死眞心脉至堅而搏如循薏苡子累累然色赤黑不澤毛折乃死眞肺脉至大而虛如以

毛羽中人膚色白赤不澤毛折乃死眞腎脉至搏而
絕如指彈石辟辟然色黑黃不澤毛折乃死眞脾脉
至弱而乍數乍踈色黃青不澤毛折乃死諸眞藏脉
見者皆死不治也新校正云按楊上善云无餘物和雜故名眞也五藏之氣皆胃氣和之不得獨用如至剛不得獨用獨用則折和柔用之即固也五藏之氣和於胃氣即得長生若眞獨見必死欲知五藏眞見爲死和胃爲生者於寸口診即可知見者如弦是肝脉也微弦爲平和微弦謂二分胃氣一分弦氣俱動爲微弦三分並是弦而无胃氣爲見眞藏餘四藏準此
黃帝曰見眞藏曰死何
也岐伯曰五藏者皆稟氣於胃胃者五藏之本也胃爲水穀之海故五藏稟焉
藏氣者不能自致於手太陰必因於胃氣乃至
於手太陰也平人之常稟氣於胃胃氣者平人之常氣故藏氣因胃乃能至於手太陰也　新校正云詳平人之常至下平人之常氣本平人氣象論文王氏引注此經按甲乙經云人常稟氣於胃脉以胃氣爲本與此小異然甲乙之義爲得
故五藏各以其

時自爲而至於手太陰也（自爲其狀至於手太陰也）故邪氣勝者精氣衰也故病甚者胃氣不能與之俱至於手太陰故眞藏之氣獨見獨見者病勝藏也故曰死（是所謂脉無胃氣也平人氣象論曰人無胃氣曰逆逆者死）帝曰善（新校正云詳自黃帝問至此一段全元起本在第四卷太陰陽明表裏篇中王冰移於此處必言此者欲明王氏之功於素問多矣）黃帝曰凡治病察其形氣色澤脉之盛衰病之新故乃治之無後其時（欲必先時而取之）形氣相得謂之可治（氣盛形盛氣虛形虛是相得也）色澤以浮謂之易已（氣色浮潤血氣相營故易已）脉從四時謂之可治（脉春弦夏鈎秋浮冬營謂順四時從順也）脉弱以滑是有胃氣命曰易治取之以時（候可取之時而取之則萬舉萬全當以四時血氣所在而爲療爾新校正云詳取之以時甲乙經作治之趣之無後其時與王氏之義兩通）形氣相失謂之難治（形盛氣虛氣盛形虛皆相失也）色夭不澤謂之難

巳夭謂不明而惡不澤謂枯燥也脉實以堅謂之益甚脉實以堅是邪氣盛故益甚也脉逆四時
爲不可治以氣逆故疾上四句是謂四難所以下文曰必察四難而明告之此四粗之所易
語工之所難爲所謂逆四時者春得肺脉夏得腎脉秋得心脉
冬得脾脉其至皆懸絶沈濇者命曰逆四時春得肺脉秋未見也
夏得腎脉冬未見也秋得心脉夏未見也冬得脾脉春未見也懸絶謂如懸物之絶去也未有藏形於春夏而脉
沈濇新校正云按平人氣象論云而脉瘦義與此同秋冬而脉浮大名曰逆四時也
未有謂未有藏脉之形狀也病熱脉靜泄而脉大脫血而脉實病在中
脉實堅病在外脉不實堅者皆難治皆難治者以其與證不相應也新校正云按
平人氣象論云病在中脉虛病在外脉濇堅與此相反此經誤彼論爲得自未有藏形春夏至此與平人氣象論相重注義備於彼黄帝曰余
聞虛實以決死生願聞其情岐伯曰五實死五虛死

五實謂五藏之實，五虛謂五藏之虛 帝曰：願聞五實五虛。岐伯曰：脈盛，皮熱，腹脹，前後不通，悶瞀，此謂五實。實謂邪氣盛實。然脈盛，心也；皮熱，肺也；腹脹，脾也；前後不通，腎也；悶瞀，肝也。脈細，皮寒，氣少，泄利前後，飲食不入，此謂五虛。虛謂真氣不足也。然脈細，心也；皮寒，肺也；氣少，肝也；泄利前後，腎也；飲食不入，脾也。帝曰：其時有生者何也？岐伯曰：漿粥入胃，泄注止，則虛者活；身汗得後利，則實者活。此其候也。全注：飲粥得入於胃，胃氣和調，其利漸止，胃氣得實，虛者得活。言實者得汗外通，後得便利，自然調平。

三部九候論篇第二十 新校正云：按全元起本在第一卷，篇名《決死生》。

黄帝問曰：余聞九鍼於夫子，衆多博大，不可勝數。余願聞要道，以屬子孫，傳之後世，著之骨髓，藏之肝肺，歃血而受，不敢妄泄。歃血，飲血也。令合天道，新校正云：按全元起本云"令合天地"。必有終始上應天光星辰歷紀下副四時五行貴賤更互冬陰夏陽以人應之奈何願聞其方（天光謂日月星也歷紀謂日月行歷於天二十八宿三百六十五度之分紀也言以人形血氣榮衛周流合時候之遷移應日月之行道然斗極旋運黃赤道差冬時日依黃道近南故陰多夏時日依黃道近北故陽盛也夫四時五行之氣以王者爲貴相者爲賤也）岐伯對曰妙乎哉問也此天地之至數（道貫精微故云妙問至數謂至極之數也）帝曰願聞天地之至數合於人形血氣通決死生爲之奈何岐伯曰天地之至數始於一終於九焉（九奇數也故天地之數斯爲極矣）一者天二者地三者人因而三之三三者九以應九野（爾雅曰邑外爲郊郊外爲甸甸外爲牧牧外爲林林外爲坰坰外爲野言其遠也　新校正云詳王引爾雅爲證與今爾雅或不同已具前六節藏象論注下）故人有三部部有三候以決死生以處百病以調虛實而除邪疾（所謂三部者言身之上中下部非謂寸關

尺也三部之內經隧由之故察候存亡悉因於是鍼之補寫邪疾可除也帝曰何謂三部岐伯曰有下部有中部有上部部各有三候三候者有天有地有人也必指而導之乃以為真言必當諮受於師也徵四失論曰受師不卒妄作雜術謬言為道更名自功妄用砭石後遺身咎此其誡也禮曰疑事無質質成也上部天兩額之動脈在額兩傍動應於手足少陽脈氣所行也上部地兩頰之動脈在鼻孔下兩傍近於巨髎之分動應於手足陽明脈氣之所行上部人耳前之動脈在耳前陷者中動應於手手少陽脈氣之所行也中部天手太陰也謂肺脈也在掌後寸口中是謂經渠動應於手中部地手陽明也謂大腸脈也在手大指次指岐骨間合谷之分動應於手也中部人手少陰也謂心脈也在掌後銳骨之端神門之分動應於手也靈樞經持鍼縱捨論問曰少陰無輸心不病乎對曰其外經病而藏不病故獨取其經於掌後銳骨之端正謂此也下部天足厥陰也謂肝脈也在毛際外羊矢下一寸半陷中五里之分卧而取之動應於手也女子取太衝在足大指本節後二寸陷中是下部地足少陰也謂腎脈也在足內踝後跟骨上陷中大谿

之分動䐢手下部人足太陰也謂脾脉也在魚腹上趨筋間直五里下箕門之分寬鞏足單衣沈取乃得之而動應於手
也候胃氣者當取足跗之上衝陽之分穴中脉動乃應手也 新校正云詳自上部天至此一段舊在當篇之末義不相接此正論三部九候宜處於斯今依
皇甫謐甲乙經編次例自篇末移置此也故下部之天以候肝足厥陰脉行其中也地以候腎足少
陰脉行其中也人以候脾胃之氣足太陰脉行其中也脾藏與胃以膜相連故以候脾兼候胃也帝曰中
部之候奈何岐伯曰亦有天亦有地亦有人天以候
肺手太陰脉當其處也地以候胸中之氣手陽明脉當其處也經云腸胃同候故以候胸中也人以候
心手少陰脉當其處也帝曰上部以何候之岐伯曰亦有天亦有地
亦有人天以候頭角之氣位在頭角之分故以候頭角之氣也地以候口齒之
氣位近口齒故以候之人以候耳目之氣以位當耳前脉抵於目外眥故以候之三部者各有
天各有地各有人三而成天新校正云詳三而成天至天合為九藏與六節藏象論文重注義具彼篇

三而成地三而成人三而三之合則爲九九分爲九野九野爲九藏以是故應天地之至數故神藏五形藏四合爲九藏所謂神藏者肝藏魂心藏神脾藏意肺藏魄腎藏志也以其皆神氣居之故云神藏五也所謂形藏者皆如器外張虛而不屈合藏於物故云形藏也所謂形藏四者一頭角二耳目三口齒四胷中也　新校正云詳注說神藏宣明五氣篇文又與生氣通天論注六節藏象論注重五藏已敗其色必夭夭必死矣天謂死色異常之候也色者神之旗藏者神之舍故神去則藏敗藏敗則色見異常之候死也

帝曰以候奈何岐伯曰必先度其形之肥瘦以調其氣之虛實實則寫之虛則補之度謂量也實寫虛補此所謂順天之道也老子曰天之道損有餘補不足也必先去其血脉而後調之無問其病以平爲期血脉滿堅謂邪留止故先刺去血而後乃調之不當詢問病者盈虛要以脉氣平調爲之期準爾

帝曰決死生奈何度形肥瘦調氣盈虛不問病人以平爲準死生之證以決之也岐伯曰形盛脉細少氣不足以息

者危 形氣相反故生氣至危玉機真藏論曰形氣相得謂之可治今脈氣不足形盛有餘證不相扶故當危也危者言其近死猶有生者也刺志論曰氣實形實氣虛形虛此其常也反此者病今脈細少氣是為氣弱體雖盛是為形盛形盛氣弱故生氣傾危　新校正云按全元起注本及甲乙經脈經危作死 形瘦脈大胷中多氣者死 是則形氣不足脈氣有餘也故死形瘦脈大胷中氣多形藏已傷故去死也九如是類皆形氣不相得也 形氣相得者生參伍不調者病 參謂參校伍謂類伍參校類伍而有不調謂不率其常則病也 三部九候皆相失者死 失謂氣候不相類也相失之候診凡有七七診之狀如下文云 上下左右之脈相應如參舂者病甚上下左右相失不可數者死 三部九候上下左右九十八診也如參舂者謂大數而鼓如參舂杵之上下也脈要精微論曰大則病進故病甚也不可數者謂一息十至已上也脈法曰人一呼而脈再至一吸脈亦再至曰平三至曰離經四至曰脫精五至曰死六至曰命盡今相失而不可數者是過十至之外也至五尚死況至十者乎 中部之候雖獨調與衆藏相失者死中部之候相減者死 中部左右九六診也上部下部已不相應中部獨調固非其久減於上下是亦氣衰故皆死也減謂偏少也臣

億等詳舊無中部之候相減者死八字按全元起注本及甲乙經添之且注有解減之說而經闕其文此脫在王注之後也目内陷者死言太陽也太陽之脉起於目内眥目内陷者太陽絶也故死所以言太陽者太陽主諸陽之氣故獨言之帝曰何以知病之所在岐伯曰察九候獨小者病獨大者病獨疾者病獨遲者病獨熱者病獨寒者病獨陷下者病相失之候診凡有七者此之謂也然脉見七診謂參伍不調隨其獨異以言其病爾以左手足上上去踝五寸按之庶右手足當踝而彈之手足皆取之然手踝之上手太陰脉足踝之上足太陰脉足太陰脉主肉應於下部手太陰脉主氣應於中部是以下文云脫肉身不去者死中部乍疎乍數者死臣億等按甲乙經及全元起注本並云以左手足上去踝五寸而按之右手當踝而彈之全元起注云内踝之上陰交之出通於膀胱係於腎腎為命門是以取之以明吉凶今文少一而字多一庶字及足字王注以手足皆取為解殊為穿鑿當從全元起注舊本及甲乙經為正其應過五寸以上蠕蠕然者不病氣和故也其應疾中手渾渾然者病中手徐徐然者病渾渾亂也徐徐緩也其應上不

能至五寸彈之不應者死氣絶故不應也是以脫肉身不去者死穀氣外衰則肉如脫盡天真内竭故身不能行真穀並衰故死之至矣去猶行去也中部乍踈乍數者死乍踈乍數氣之喪亂也故死其脉代而鉤者病在絡脉鉤爲夏脉又夏氣在絡故病在絡脉也絡脉受邪則經脉滯否故代止也九候之相應也上下若一不得相失上下若一言遲速小大等也一候後則病二候後則病甚三候後則病危所謂後者應不俱也俱猶同也一也察其府藏以知死生之期夫病入府則愈入藏則死故死生期準察以知之矣必先知經脉然後知病脉經脉四時五藏之脉真藏脉見者勝死所謂真藏脉者真肝脉至中外急如循刀刃責責然如按琴瑟絃真心脉至堅而搏如循薏苡子累累然真脾脉至弱而乍數乍踈真肺脉至大而虛如毛羽中人膚真腎脉至搏而絶如指彈石辟辟然凡此五者皆謂得真藏脉而無胃氣也平人氣象論曰胃者平人之常氣也人無胃氣曰逆逆者死此之謂也勝死者謂勝剋於己之時則死也平人氣象論曰肝見庚辛死心見壬癸死脾見甲乙死肺見丙丁死腎見戊己死是謂勝死也足太陽氣絶

者其足不可屈伸死必戴眼足太陽脉起於目內眥上額交巔上從巔入絡腦還出別下項循肩髆內俠脊抵腰中其支者復從肩髆別下貫臀過髀樞下合膕中貫腨循踵至足外側太陽氣絶死如是矣　新校正云按診要經終論載三陽三陰脉終之證此獨犯足太陽氣絶一證餘應闕文也又注貫臀甲乙經作貫胂王氏注厥論刺瘧論各作貫胂又注刺腰論作貫臀詳甲乙經注臀當作胂　帝曰冬陰夏陽奈何言死時也　岐伯曰九候之脉皆沈細懸絶者爲陰主冬故以夜半死盛躁喘數者爲陽主夏故以日中死位無常居物極則反也乾坤之義陰極則龍戰于野陽極則亢龍有悔是以陰陽極脉死於夜半日中也　是故寒熱病者以平旦死亦物極則變也平曉木王木氣爲風故木王之時寒熱病死生氣通天論曰因於露風乃生寒熱由此則寒熱之病風薄所爲也　熱中及熱病者以日中死陽之極也　病風者以日夕死卯酉衝也　病水者以夜半死水王故也　其脉乍踈乍數乍遲乍疾者日乘四季死辰戌丑未土寄王之脾氣內絶故日乘四季而死也　形肉已脫九候雖調猶

死（亦謂形氣不相得也證前脫肉身不去者九候雖平調亦死也）七診雖見九候皆從者不死（但九候順四時之令雖七診互見亦生矣從謂順從也）所言不死者風氣之病及經月之病似七診之病而非也故言不死（風病之脉診大而數月經之病脉小以微雖候與七診之狀略同而死生之證乃異故不死也）若有七診之病其脉候亦敗者死矣（言雖七診見九候從者不死若病同七診之狀而脉應敗亂縱九候皆順猶不得生也）必發噦噫（胃精內竭神不守心故死之時發斯噦噫宣明五氣篇曰心為噫胃為噦也）必審問其所始病與今之所方病（方正也言必當原其始而要其終也）而後各切循其脉視其經絡浮沈以上下逆從循之其脉疾者不病（氣強盛故）其脉遲者病（氣不足故）脉不往來者死（精神去也）皮膚著者死（骨乾枯也）帝曰其可治者奈何岐伯曰經病者治其經（求有過者）孫絡病者治其孫絡血（有血留止刺而去之 新校正云按甲乙經云絡病者治其絡

血无二孫字

血病身有痛者治其經絡靈樞經曰經脈爲裏支而橫者爲絡絡之別者爲孫絡由是孫絡則經之別支而橫也新校正云按甲乙經无血病二字其病者在奇邪奇邪之脈則繆刺之奇謂奇繆不偶之氣而與經脈繆處也由是故繆刺之繆刺者刺絡脈左取右右取左也留瘦不移節而刺之病氣淹留形容減瘦證不移易則消息節級養而刺之此又重明前經无問其病以平爲期者也上實下虛切而從之索其結絡脈刺出其血以見通之結謂血結於絡中也血去則經隧通矣前經云先去血脈而後調之明其結絡乃先去也新校正云詳經文以見通之甲乙經作以通其氣瞳子高者太陽不足戴眼者太陽已絕此決死生之要不可不察也此復明前太陽氣欲絕及已絕之候也手指及手外踝上五指留鍼錯簡文也

重廣補注黃帝內經素問卷第六

玉機真藏論　漑古代切　癒音愈　䐃渠殞切　瞀莫候切　三部九候論

歃所甲切飲竝也　坰古營切　蠕而兗切

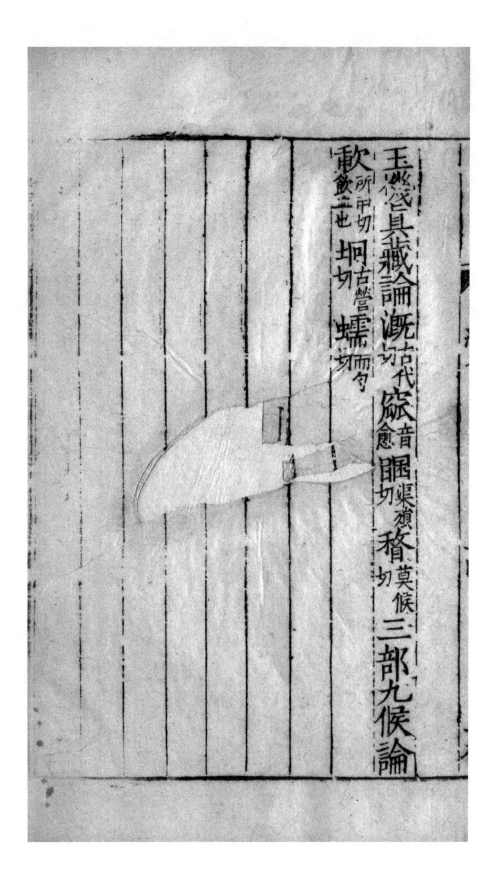

重廣補注黄帝内經素問卷第七

啓玄子次注林億孫奇高保衡等奉敕校正孫兆重改誤

經脉別論　藏氣法時論
宣明五氣篇　血氣形志篇

經脉別論篇第二十一

新校正云按全元起本在第四卷中

黄帝問曰人之居處動静勇怯脉亦爲之變乎岐伯對曰凡人之驚恐恚勞動静皆爲變也變謂變易常候是以夜行則喘出於腎腎王於夜氣合幽冥故夜行則喘息内從腎出也淫氣病肺夜行腎勞因而喘息氣淫不次則病肺也有所墮恐喘出於肝恐生於肝墮損筋血因而奔喘故出於肝也淫氣害脾肝木妄淫害脾土也有所驚恐喘出於肺驚則心無所倚神無所歸氣亂胸中故喘出於肺也淫

氣傷心（雖則神越故氣淫反傷心矣）度水跌仆喘出於腎與骨（濕氣通腎骨腎主之故度水跌仆喘出腎骨矣跌謂足跌仆謂身倒也）當是之時勇者氣行則已怯者則着而爲病也（氣有強弱神有壯懦故殊狀也）故曰診病之道觀人勇怯骨肉皮膚能知其情以爲診法也（通達性懷得其情狀乃爲深識診契物宜也）故飲食飽甚汗出於胃（飽甚胃滿故汗出於胃也）驚而奪精汗出於心（驚奪心精神氣浮越陽內薄之故汗出於心也）持重遠行汗出於腎（骨勞氣越腎復過疲故持重遠行汗出於腎也）疾走恐懼汗出於肝（暴役於筋肝氣罷極故疾走恐懼汗出於肝也）搖體勞苦汗出於脾（搖體勞苦謂動作施力非疾走遠行也然動作用力則穀精四布脾化水穀故汗出於脾也）故春秋冬夏四時陰陽生病起於過用此爲常也（不適其性而強云爲過即病此其常理五藏受氣蓋有常分用而過耗是以生故下文曰）食氣入胃散精於肝淫氣於筋（肝養筋故胃散穀精之氣）

入於肝則浸淫滋養於筋絡矣食氣入胃濁氣歸心淫精於脈濁氣穀氣也心居胃上故[illegible]氣歸心淫溢精微入於脈也何者心主脈故脈氣流經經氣歸於肺肺朝百脈輸精於皮毛言脈氣流運乃為大經經氣歸宗上朝於肺肺為華蓋位復居高治節由之故受百脈之朝會也平人氣象論曰藏真高於肺以行榮衛陰陽由此故肺朝百脈然乃布化精氣輸於皮毛矣毛脈合精行氣於府府謂氣之所聚處也是謂氣海在兩乳間名曰膻中也府精神明留於四藏氣歸於權衡膻中之布氣者分為三隧其下者走於氣街上者走於息道宗氣留於海積於胸中命曰氣海也如是分化乃四藏安定三焦平均中外上下各得其所也權衡以平氣口成寸以決死生三世脈法皆以三寸為寸關尺之分故中外高下氣緒均平則氣口之脈而成寸也夫氣口者脈之大要會也百脈盡朝故以其分決死生也飲入於胃遊溢精氣上輸於脾水飲流下至於中焦水化精微上為雲霧雲霧散變乃注於脾靈樞經曰上焦如霧中焦如漚此之謂也脾氣散精上歸於肺通調水道下輸膀胱水土合化上滋肺金金氣通腎故調水道轉注下焦膀胱禀化乃為溲矣靈樞經曰下焦如瀆此之謂也

水精四布五經並行合於四時五藏陰陽揆度以為常也從是水精布經氣行筋骨成血氣順配合四時寒暑證符五藏陰陽揆度盈虛用為常道度量也以用也　新校正云按一本云陰陽動靜

太陽藏獨至厥喘虛氣逆是陰不足陽有餘也陰謂腎陽謂膀胱也故下文曰　表裏當俱寫取之下俞陽獨至謂陽氣盛至也陽獨至為陽有餘陰不足則陽邪入故表裏俱寫取足六俞也下俞足俞也　新校正云詳六當為穴字之誤也按府有六俞藏止五俞今藏府俱寫不當言六俞六俞則不能兼藏言穴俞則藏府兼舉

陽明藏獨至是陽氣重并也當寫陽補陰取之下俞陽氣重并故寫陽補陰

少陽藏獨至是厥氣也蹻前卒大取之下俞蹻謂陽蹻脈在足外踝下足少陽脈行抵絕骨之端下出外踝之前循足跗然蹻前卒大則少陽之氣盛也故取足俞少陽也

少陽獨至者一陽之過也一陽少陽也過謂太過也以其太過故蹻前卒大焉

太陰藏搏者用心省真見太陰之脈伏鼓則當用心省察之若是真藏之脈不當治也

五脈氣少胃氣不

平三陰也三陰太陰脾之脉也五藏脉少胃氣不調是亦太陰之過也宜治其下俞補陽寫陰以陰氣太過故一陽獨嘯少陽厥也嘯謂耳中鳴如嘯聲也膽及三焦脉皆入耳故氣逆上則耳中鳴新校正云詳此上明三陽此言三陰今此再言少陽而不及少陰者疑此一陽乃二陰之誤也又按全元起本此爲少陰厥顯知此即二陰也陽并於上四脉爭張氣歸於腎心脾肝肺四脉爭張陽并於上者是腎氣不足故氣歸於腎也宜治其經絡寫陽補陰陰氣足則陽氣不復并於上矣一陰至厥陰之治也真虛痟心厥氣留薄發爲白汗調食和藥治在下俞或一作二誤也厥陰一陰也上言二陰至則當少陰治下言厥陰治則當一陰至也然三墳之經俗久淪墜人少披習字多傳寫誤帝曰太陽藏何象岐伯曰象三陽而浮也帝曰少陽藏何象岐伯曰象一陽也一陽藏者滑而不實也帝曰陽明藏何象岐伯曰象大浮也新校正云按太素及全元起本云象心之太浮也太陰藏搏

言伏鼓也二陰摶至腎沉不浮也明前獨至之脉狀也　新校正云詳前脫二陰此無一陰闕文可知

藏氣法時論篇第二十二

新校正云按全元起本在第一卷又於第六卷脉要篇末重出

黄帝問曰合人形以法四時五行而治何如而從何如而逆得失之意願聞其事歧伯對曰五行者金木水火土也更貴更賤以知死生以決成敗而定五藏之氣間甚之時死生之期也帝曰願卒聞之歧伯曰肝主春以應木也足厥陰少陽主治厥陰肝脉少陽膽脉肝與膽合故治同其日甲乙甲乙為木東方干也肝苦急急食甘以緩之甘性和緩　新校正云按全元起云肝苦急是其氣有餘心主夏以應火也手少陰太陽主治少陰心脉太陽小腸脉心與小腸合故治同其日丙丁丙丁為火南方干也心苦緩急食酸以收之酸性收歛　新校正云按全元起本云心苦緩是心氣虛脾主

長夏長夏謂六月也夏爲土母土長于中以長而治故云長夏新校正云按全元起云脾王四季六月是火王之處蓋以脾主中央六月是十二月之中一年之半故脾主六月也足太陰陽明主治太陰脾脉陽明胃脉脾與胃合故治同其日戊己戊己爲土中央干也脾苦濕急食苦以燥之苦性乾燥肺主秋以應金也手太陰陽明主治太陰肺脉陽明大腸脉肺與大腸合故治同其日庚辛庚辛爲金西方干也肺苦氣上逆急食苦以泄之苦性宣泄故肺用之新校正云按全元起云肺氣上逆是其氣有餘腎主冬以應水也足少陰太陽主治少陰腎脉太陽膀胱脉腎與膀胱合故治同其日壬癸壬癸爲水北方干也腎苦燥急食辛以潤之開腠理致津液通氣也辛性津潤也然腠理開津液達則肺氣下流腎與肺通故云通氣也病在肝愈於夏子制其鬼也餘愈同夏不愈甚於秋子休鬼復王也餘甚同秋不死持於冬子休而母養故氣執持於父母之鄉也餘持同起於春自得其位故復起餘起同禁當風以風氣通於肝故禁而勿犯肝病者愈在丙丁丙丁應夏丙丁

不愈加於庚辛 庚辛應秋 庚辛不死持於壬癸 壬癸應冬 起於甲乙 應春木也 肝病者平旦慧下晡甚夜半靜 木王之時故爽慧也金王之時故加甚也水王之時故靜退也餘慧甚同其靜小異 肝欲散急食辛以散之 以藏氣常散故以辛發散也陰陽應象大論曰辛甘發散爲陽也平人氣象論曰藏眞散於肝言其常發散也 用辛補之酸寫之 辛味散故補酸味收故寫新校正云按全元起本云用酸補之辛寫之自爲一義 病在心愈在長夏長夏不愈甚於冬冬不死持於春起於夏 如肝例也 禁溫食熱衣 熱則心躁故禁止之 心病者愈在戊己 戊己應長夏也 戊己不愈加於壬癸 壬癸應冬 壬癸不死持於甲乙 甲乙應春 起於丙丁 應夏火也 心病者日中慧夜半甚平旦靜 亦休王之義也 心欲耎急食鹹以耎之 以藏氣好耎故以言柔耎也平人氣象論曰藏眞通於心言其常欲柔耎也 用鹹補之甘寫之 鹹補取其柔耎甘寫取其舒緩 病在脾愈在

秋，秋不愈，甚於春，春不死，持於夏，起於長夏。禁溫食飽食、濕地濡衣。（溫濕及飽並傷脾氣，故禁止之。）脾病者，愈在庚辛，（應秋氣也。）庚辛不愈，加於甲乙，（應春氣也。）甲乙不死，持於丙丁，（應夏氣也。）起於戊己。（應長夏也。）脾病者，日昳慧，日出甚，（新校正云：按《甲乙經》日出作平旦。雖日出與平旦時等，按前文言木王之時，皆云平旦而不云日出，蓋日出於冬夏之期有早晚，不若平旦之爲得也。）下晡靜。（土王則爽慧，木剋則增甚，金扶則靜退，亦休王之義也。一本或云日中持者，謬也。凡五藏之病，皆以勝相加，至其所不勝而甚，至於所生而持，自得其位而起，由是故皆有間甚之時，死生之期也。）脾欲緩，急食甘以緩之，（甘性和緩，順其緩也。）用苦瀉之，甘補之。（苦瀉取其堅燥，甘補取其安緩。）病在肺，愈在冬，冬不愈，甚於夏，夏不死，持於長夏，起於秋，（例如肝也。）禁寒飲食、寒衣。（肺惡寒氣，故衣食禁之。《靈樞經》曰：形寒寒飲則傷肺。飲尚傷肺，其食甚焉。肺不獨惡寒，亦畏熱也。）肺病者，愈在壬癸，（應冬水也。）壬癸不愈，加於丙丁（應夏火也）丙丁不死，持於戊已（長夏土也），起於庚辛（應秋金也）。肺病者，下晡慧，日中甚，夜半靜（金王則慧，水王則靜，火王則甚）。肺欲收，急食酸以收之（以酸性收斂故也），用酸補之，辛寫之（酸收斂故補，辛發散故寫）。病在腎，愈在春，春不愈，甚於長夏，長夏不死，持於秋，起於冬（例如肝也）。禁犯焠㶼熱食溫炙衣（腎性惡燥，故此禁之。新校正云：按别本焠作焠）。腎病者，愈在甲乙（應春木也），甲乙不愈，甚於戊已（長夏土也），戊已不死，持於庚辛（應秋金也），起於壬癸（應冬水也）。腎病者，夜半慧，四季甚，下晡靜（水王則慧，土王則甚，金王則靜）。腎欲堅，急食苦以堅之（以苦性堅燥也），用苦補之，鹹寫之（苦補取其堅也，鹹寫取其耎也。耎濕土制也，故用寫之）。夫邪氣之客於身也，以勝相加（邪者不正之目，風寒暑濕飢飽勞逸皆是邪也，非唯鬼毒疫癘也），至其所生而愈（謂至已所生也），至其所不勝而甚謂至剋已之氣也至於所生而持謂至生已之氣也自得其位而起居所王處謂自得其位也必先定五藏之脉乃可言間甚之時死生之期也五藏之脉者謂肝弦心鉤肺浮腎營脾代知是則可言死生間甚矣三部九候論曰必先知經脉然後知病脉此之謂也肝病者兩脇下痛引少腹令人善怒肝厥陰脉自足而上環陰器抵少腹又上貫肝鬲布脇肋故兩脇下痛引少腹也其氣實則善怒靈樞經曰肝氣實則怒虛則目䀮䀮無所見耳無所聞善恐如人將捕之肝厥陰脉自脇肋循喉嚨入頏顙連目系膽少陽脉其支者從耳後入耳中出走耳前至目銳眥後故病如是也恐謂恐懼魂不安也取其經厥陰與少陽經謂經脉也非其絡病故取其經也取厥陰以治肝氣取少陽以調氣逆也故下文曰氣逆則頭痛耳聾不聰頰腫肝厥陰脉自目系上出額與督脉會於巔故頭痛膽少陽脉支別者從耳中出走耳前又支別者加頰車又厥陰之脉支別者從目系下頰裏故耳聾不聰頰腫也是以上文兼取少陽也取血者脉中血滿獨異於常乃氣逆之診隨其左右有則刺之心病者胷中痛脇支滿脇

下痛膺背肩甲間痛兩臂内痛心少陰脉支別者循胷出脇入手心主厥陰之脉起於胷中其
支別者亦循胷出脇下掖三寸上抵掖下下循臑内行太陰少陰之間入肘中
下循臂行兩筋之間又心少陰之脉直行者復從心系却上肺上出掖下下循
臑内後廉行太陰心主之後下肘内循臂内後廉抵掌後鋭骨
之端又小腸太陽之脉自臂臑上繞肩甲交肩上故病如是虚則胷腹
大脇下與腰相引而痛手心主厥陰之脉從胷中出屬心包下鬲歴絡三焦其支別者循胷出脇心少陰之脉自
心系下鬲絡小腸故病如是也取其經少陰太陽舌下血者少陰之脉從心系上俠咽喉故取舌本下
及經脉血也其變病刺郄中血者其或嘔變則刺少陰之郄血滿者也手少陰之郄在掌後脉中去腕半寸當小
指之後脾病者身重善肌肉痿足不收行善瘈脚下痛脾象
土而主肉故身重肉痿也痿謂萎無力也脾太陰之脉起於足大指之端循指
内側上内踝前廉上腨内腎少陰之脉起於足小指之下斜趣足心上腨内出
膕内廉故病則足不收行善瘈脚下痛也故下取少陰新校正云按甲乙經
作善飢肌肉痿千金方云善飢足痿不收氣交變大論云肌肉萎足痿不收行
善瘈虚則腹滿腸鳴飧泄食不化脾太陰脉從股内前廉入腹屬脾絡胃故病如是靈樞經曰中

氣不足則腹爲之善滿腸爲之善鳴取其經太陰陽明少陰血者少陰腎脉也以前病行善瘛脚下痛故取之而出血血滿者出之肺病者喘欬逆氣肩背痛新校正云按千金方作肩息背痛汗出尻陰股膝新校正云按甲乙經脉經作膝攣髀腨胻足皆痛肺藏氣而主喘息在變動爲欬故病則喘欬逆氣也背爲胸中之府肩接近之故肩背痛也肺養皮毛邪盛則心液外泄故汗出也腎少陰之脉從足下上循腨內出膕內廉上股內後廉貫脊屬腎絡膀胱今肺病則腎脉受邪故尻陰股膝髀腨胻足皆痛故下取少陰也虛則少氣不能報息耳聾嗌乾氣虛少故不足以報入息也肺太陰之絡會於耳中故聾也腎少陰之脉從腎上貫肝鬲入肺中循喉嚨俠舌本今肺虛則腎氣不足以上潤於嗌故嗌乾也是以下文兼取少陰也取其經太陰足太陽之外厥陰內血者足太陽之外厥陰內者正謂腨內側內踝後之直上則少陰脉也視左右足脉少陰部分有血滿異於常者即而取之腎病者腹大脛腫新校正云按甲乙經云脛腫痛喘欬身重寢汗出憎風腎少陰脉起於足而上循腨復從橫骨中俠齊循腹裏上行而入肺故腹大脛腫而喘欬也腎病則骨不能用故身重也腎邪攻肺心氣內微心液爲汗故寢汗出

也脛既腫矣汗復津泄陰凝玄府陽爍上焦内熱外寒故憎風也憎風謂深惡之也上虛則胷中痛大腹小腹痛清厥意不樂腎少陰脉從肺出絡心注胷中然腎氣既虛心無所制心氣熏肺故痛聚胷中也足太陽脉從項下行而至足腎虛則太陽之氣不能盛行於足故足冷而氣逆也清謂氣清冷厥謂氣逆也以清冷氣逆故大腹小腹痛志不足則神躁擾故不樂也 新校正云按甲乙經大腹小腹作大腸小腸取其經少陰太陽血者凡刺之道虛則補之實則寫之不盛不虛以經取之是謂得道經絡有血刺而去之是謂守法猶當揣形定氣先去血脉而後乃平有餘不足焉三部九候論曰必先度其形之肥瘦以調其氣之虛實實則寫之虛則補之必先去其血脉而後調之此之謂也肝色青宜食甘粳米牛肉棗葵皆甘肝性喜急故食甘物而取其寬緩也 新校正云詳肝色青至篇末全元起本在第六卷王氏移於此心色赤宜食酸小豆新校正云按甲乙經太素小豆作麻犬肉李韭皆酸心性喜緩故食酸物而取其收斂也肺色白宜食苦麥羊肉杏薤皆苦肺喜氣逆故食苦物而取其宣泄也脾色黃宜食鹹大豆豕肉栗藿皆鹹究斯宜食乃調利關機之義也腎爲胃關脾與胃合故假鹹柔耎以利其關關利而胃氣乃行胃行而脾

氣方化故應脾宜味與衆不同也　新校正云按上文曰肝苦急急食甘以緩之心苦緩急食酸以收之脾苦濕急食苦以燥之肺苦氣上逆急食苦以泄之腎苦燥急食辛以潤之此肝心肺腎食宜皆與前文合獨脾食鹹宜不用苦故王氏特注其義

腎色黑宜食辛黃黍雞肉桃葱皆辛腎性喜燥故食辛物而取其津潤也

辛散酸收甘緩苦堅鹹耎皆自然之氣也然辛味苦味匪唯堅散而已辛亦能潤能散苦亦能燥能泄故上文曰脾苦濕急食苦以燥之肺苦氣上逆急食苦以泄之則其謂苦之燥泄也又曰腎苦燥急食辛以潤之則其謂辛之濡潤也

毒藥攻邪藥謂金玉土石草木菜果蟲魚鳥獸之類皆可以祛邪養正者也然辟邪安正惟毒乃能以其能然故通謂之毒藥也　新校正云按本草云下藥為佐使主治病以應地多毒不可久服欲除寒熱邪氣破積聚愈疾者本下經故云毒藥攻邪

五穀為養謂粳米小豆麥大豆黃黍也

五果為助謂桃李杏栗棗也

五畜為益謂牛羊豕犬雞也

五菜為充謂葵藿薤葱韭也　新校正云按五常政大論曰大毒治病十去其六常毒治病十去其七小毒治病十去其八無毒治病十去其九穀肉果菜食養盡之無使過之傷其正也

氣味合而服之以補精益氣氣為陽化味曰陰施氣味合和則補益精氣矣陰陽應象大論曰陽為氣陰為味味歸形形歸氣氣歸精精歸化精食氣形食味又

曰形不足者溫之以氣精不足者補之以味　由是則補精益氣其義可知　新校正云按孫思邈云精以食氣氣養精以榮色形以食味味養形以生力精順五氣以爲靈也若食氣相惡則傷精也形受味以成也若食味不調則損形也是以聖人先用食禁以存性後制藥以防命氣味溫補以存精形此之謂氣味合而服之以補精益氣也

此五者有辛酸甘苦鹹各有所利或散或收或緩或急或堅或耎四時五藏病隨五味所宜也用五味而調五藏配肝以甘心以酸脾以鹹肺以苦腎以辛者各隨其宜欲緩欲收欲耎欲泄欲散欲堅而爲用非以相生相養而爲義也

宣明五氣篇第二十三

新校正云按全元起本在第一卷

五味所入酸入肝肝合木而味酸也辛入肺肺合金而味辛也苦入心心合火而味苦也鹹入腎腎合水而味鹹也甘入脾脾合土而味甘也　新校正云按太素又云淡入胃是謂五入新校正云按至眞要大論云夫五味入胃各歸所喜故酸先入肝苦先入心甘先入脾辛先入肺鹹先入腎

五氣所病心爲噫象火炎上煙隨焰出心不受穢故噫出之肺爲欬象金堅勁扣之有聲邪擊於肺故爲欬也肝爲語象木

枝條而形支別語宣委曲故出於肝脾爲吞象土包容物歸於內翕如皆受故爲吞也腎爲欠爲嚏象水下流上生雲霧氣鬱於胃故欠生焉太陽之氣和利而滿於心出於鼻則生嚏也胃爲氣逆爲噦爲恐以爲水穀之海腎與爲關關閉不利則氣逆而上行也以包容水穀性喜受寒寒穀相薄故爲噦也寒盛則噦起熱盛則恐生何者胃熱則腎氣微弱故爲恐也下文曰精氣并於腎則恐也大腸小腸爲泄下焦溢爲水大腸爲傳道之府小腸爲受盛之府受盛之氣既虛傳道之司不禁故爲泄利也下焦爲分注之所氣窒不寫則溢而爲水膀胱不利爲癃不約爲遺溺膀胱爲津液之府水注由之然足三焦脉實約下焦而不通則不得小便足三焦脉虛不約下焦則遺溺也靈樞經曰足三焦者太陽之別也並太陽之正入絡膀胱約下焦實則閉癃虛則遺溺膽爲怒中正決斷無私無偏其性剛決故爲怒也六節藏象論曰凡十一藏取決於膽也是謂五病

五精所并精氣并於心則喜精氣謂火之精氣也肺虛而心精并之則爲喜靈樞經曰喜樂无極則傷魄魄爲肺神明心火并於肺金也并於肺則悲肝虛而肺氣并之則爲悲靈樞經曰悲哀動中則傷魂魂爲肝神明肺金并於肝木也并於肝則憂脾虛而肝氣并之則爲憂靈樞經曰愁憂不解則傷意意爲脾神明肝木并於脾土也

并於脾則畏一經云飢也腎虛而脾氣并之則爲畏畏謂畏懼也靈樞經曰恐懼而不解則傷精精爲腎神明脾土并於腎水也并於腎則恐心虛而腎氣并之則爲恐靈樞經曰怵惕思慮則傷神神爲心主明腎水并於心火也怵惕懼也此皆正氣不足而勝氣并之乃爲是矣故下文曰是謂五并虛而相并者也

五藏所惡心惡熱熱則脉潰濁肺惡寒寒則氣留滯肝惡風風則筋燥急脾惡濕濕則肉痿腫腎惡燥燥則精竭涸　新校正云按楊上善云若余則云肺惡燥今此肺惡寒腎惡燥者燥在於秋寒之始也寒在於冬燥之終也肺在於秋以肺惡寒之甚故言其終腎在於冬腎惡不甚故言其始也是謂五惡

五藏化液心爲汗泄於皮腠也肺爲涕潤於鼻竅也肝爲淚注於眼目也脾爲涎溢於脣口也腎爲唾生於牙齒也是謂五液

五味所禁辛走氣氣病無多食辛病謂力少不自勝也鹹走血血病無多食鹹苦走骨骨病無多食苦新校正云按皇甫士安云鹹先走腎此云走血者

者腎合三焦血脉雖屬肝心而爲中焦之道故鹹入而走血也苦走心此云走骨者水火相濟骨氣通於心也甘走肉肉病無
多食甘酸走筋筋病無多食酸是皆爲行其氣速故不欲多食多食則病甚故病者無多食也
是謂五禁無令多食新校正云按太素五禁云肝病禁辛心病禁鹹脾病禁酸肺病禁苦腎病禁甘名此爲五裁楊上善云口嗜而欲食之不可多也必自裁之命曰五裁

五病所發陰病發於骨陽病發於血陰病發於肉骨肉陰靜故陽氣從之血脉陽動故陰氣乘之陽病發於冬陰病發於夏夏陽氣盛故陰病發於夏冬陰氣盛故陽病發於冬各隨其少也是謂五發

五邪所亂邪入於陽則狂邪入於陰則痺邪居於陽脉之中則四支熱盛故爲狂邪入於陰脉之內則六經凝泣而不通故爲痺搏陽則爲巔疾邪內搏於陽則脉流薄疾故爲上巔之疾搏陰則爲瘖邪內搏於陰則脉不流故令瘖不能言　新校正云按難經云重陽者狂重陰者癲巢元方云邪入於陰則爲癲脉經云陰附陽則狂陽附

陰則癲孫思邈云邪入於陽則爲狂邪入於陰則爲血痺邪入於陽傳則爲癲痙邪入於陰傳則爲痛瘖全元起云邪已入陰復傳於陽邪氣盛腑藏受邪使其氣不朝榮氣不復周身邪與正氣相擊發動爲癲疾邪已入陽陽今復傳於陰藏府受邪故不能言是勝正也諸家之論不同今具載之 陽入之陰則靜陰出之陽則怒隨所之而爲疾也之往也 新校正云按全元起云陽入陰則爲靜出則爲恐千金方云陽入於陰病靜陰出於陽病怒 是謂五亂

五邪所見春得秋脉夏得冬脉長夏得春脉秋得夏脉冬得長夏脉名曰陰出之陽病善怒不治是謂五邪皆同命死不治 新校正云按陰出之陽病善怒已見前條此再言之文義不倫必古文錯簡也

五藏所藏心藏神精氣之化成也靈樞經曰兩精相薄謂之神 肺藏魄精氣之匡佐也靈樞經曰並精而出入者謂之魄 肝藏魂神氣之輔弼也靈樞經曰隨神而往來者謂之魂 脾藏意記而不忘者也靈樞經曰心有所憶謂之意 腎藏志專意而不移者也靈樞經曰意之所存謂之志腎受五臟六腑之精元氣之本生成之根爲胃之關是以志能則命

通新校正云按楊上善云腎有二枚左為腎藏志右為命門藏精也是謂五藏所藏

五藏所主心主脈壅遏榮氣應息而動也肺主皮包裹筋肉間拒諸邪也肝主筋束絡機關隨神而運也脾主肉覆藏筋骨通行衛氣也腎主骨張筋化髓幹以立身也是謂五主

五勞所傷久視傷血勞於心也久臥傷氣勞於肺也久坐傷肉勞於脾也久立傷骨勞於腎也久行傷筋勞於肝也是謂五勞所傷

五脈應象肝脈弦耎虛而滑端直以長也心脈鉤如鉤之偃來盛去衰也脾脈代耎而弱也肺脈毛輕浮而虛如毛羽也腎脈石沉堅而搏如石之投也是謂五藏之脈

血氣形志篇第二十四新校正云按全元起本此篇并在前篇王氏分出為別篇

夫人之常數太陽常多血少氣少陽常少血多氣陽

明常多氣多血少陰常少血多氣厥陰常多血少氣太陰常多氣少血此天之常數血氣多少此天之常數故用鍼之道常寫其多也　新校正云按甲乙經十二經水篇云陽明多血多氣刺深六分留十呼太陽多血多氣刺深五分留七呼少陽少血多氣刺深四分留五呼太陰多血少氣刺深三分留四呼少陰少血多氣刺深二分留三呼厥陰多血少氣刺深一分留二呼太陽太陰血氣多少與素問不同又陰陽二十五人形性血氣不同篇與素問同蓋皇甫疑而兩存之也足太陽與少陰爲表裏少陽與厥陰爲表裏陽明與太陰爲表裏是爲足陰陽也手太陽與少陰爲表裏少陽與心主爲表裏陽明與太陰爲表裏是爲手之陰陽也今知手足陰陽所苦凡治病必先去其血乃去其所苦伺之所欲然後寫有餘補不足先去其血謂見血脉盛滿獨異於常者乃去之不謂常刺則先去其血也欲知背俞先度其兩乳間中

折之更以他草度去半已即以兩隅相拄也乃舉以度其背令其一隅居上齊脊大椎兩隅在下當其下隅者肺之俞也度謂度量也言以草量其乳間四分去一使斜與橫等折為三隅以上隅齊脊大椎則兩隅下當肺俞也復下一度心之俞也謂以上隅齊脊三椎也復下一度左角肝之俞也右角脾之俞也復下一度腎之俞也是謂五藏之俞灸刺之度也靈樞經及中誥咸云肺俞在三椎之傍心俞在五椎之傍肝俞在九椎之傍脾俞在十一椎之傍腎俞在十四椎之傍尋此經草量之法則合度之人其初度兩隅之下約當肺俞再度兩隅之下約當心俞三度兩隅之下約當七椎七椎之傍乃鬲俞之位此經云左角肝之俞右角脾之俞殊與中誥等經不同又四度則兩隅之下約當九椎九椎之傍乃肝俞也經云腎俞未究其源形樂志苦病生於脉治之以灸刺形謂身形志謂心志細而言之則七神殊守通而論之則約形志以為中外爾然形樂謂不甚勞役志苦謂結慮深思不甚勞役則筋骨平調結慮深思則榮衛乖否氣血不順故病生於脉焉夫盛寫虛補是灸刺之道猶當去其血絡而

後調之故上文曰凡治病必先去其血乃去其所苦伺之所欲然後寫有餘補不足則其義也形樂志樂病生於肉

治之以鍼石志樂謂悅懌忘憂也然筋骨不勞心神悅懌則肉理相比氣道滿塡衞氣怫結故病生於肉也夫衞氣留滿以鍼寫

之結聚膿血石而破之石謂石鍼則砭石也今亦以鈹鍼代之形苦志樂病生於筋治之以熨

引形苦謂修業就役也然修業以為就役而作一過其用則致勞傷勞用以傷故病生於筋熨謂藥熨引謂導引形苦志苦病

生於咽嗌治之以百藥修業就役結慮深思憂則肝氣并於脾肝與膽合嗌為之使故病生於嗌也宣明五氣

篇曰精氣并於肝則憂奇病論曰肝者中之將也取決於膽咽為之使也　新校正云按甲乙經咽嗌作困竭百藥作甘藥形數驚恐

經絡不通病生於不仁治之以按摩醪藥驚則脈氣并恐則神不收脈并

神游故經絡不通而為不仁之病矣夫按摩者所以開通閉塞導引陰陽醪藥者所以養正祛邪調中理氣故方之為用宜以此焉醪藥謂酒藥也不仁謂不

應其用則㿏痹矣是謂五形志也刺陽明出血氣刺太陽出血

惡氣刺少陽出氣惡血刺太陰出氣惡血刺少陰出

氣惡血刺厥陰出血惡氣也明前三陽三陰血氣多少之刺約也　新校正云按太素云刺陽明出血氣刺太陰出血氣楊上善注云陽明太陰雖爲表裏其血氣俱盛故並寫血氣如是則太陰與陽明等俱爲多血多氣前文太陰一云多血少氣二云多氣少血莫可的知詳太素血氣並寫之旨則二說俱未爲得自與陽明同爾又此刺陽則一節宜續前寫有餘補不足下不當隔在[illegible]度法五形志後

重廣補注黃帝内經素問卷第七

玉機真藏論　瀩古代切　瘉音愈　睏渠殞切　瞀莫候切

三部九候論　歃所甲切歃血也　坰古螢切　蠕而勻切

經脉別論　跌音赴　仆音赴　罷極上音疲　如漚下音甌

藏氣法時論　慧音惠　焠七內切　烄烏開切　䀮䀮音荒　臑人朱切

宣明五氣論　翕音吸　嚏音帝　窒陟栗切　凝泣澁　瘠讀作音

血氣形志論　相杜

知庚切　錑音欽

重廣補注黄帝内經素問卷第八

啓玄子次注林億孫奇高保衡等奉勑校正孫兆重改誤

寳命全形論　八正神明論
離合眞邪論　通評虚實論
太陰陽明論　陽明脉解

寳命全形論篇第二十五 新校正云按全元起本在第六卷名刺禁

黄帝問曰天覆地載萬物悉備莫貴於人人以天地之氣生四時之法成天以德流地以氣化德氣相合而乃生焉易曰天地絪緼萬物化醇此之謂也則假以温凉寒暑生長收藏四時運行而方成立君王衆庶盡欲全形貴賤雖殊然其寳命一矣故好生惡死者貴賤之常情也形之疾病莫知其情留淫日深著於骨髓心私慮之

新校正云按大素𣪠作患余欲鍼除其疾病爲之奈何虚邪之中人微先見于色不知于身有形无形故莫知其情狀也留而不去淫衍日深邪氣襲虚故著於骨髓帝矜不度故請行其鍼　新校正云按别本不度作不庶岐伯對曰夫塩之味鹹者其氣令器津泄鹹謂塩之味苦浸淫而潤物者也夫鹹爲苦而生鹹從水而有本也潤下而苦泄故能令器中水津液潤滲泄焉凡虚中而受物者皆謂之器其於體外則謂陰囊其於身中所同則謂膀胱矣然以病配於五藏則心氣伏於腎中而不去乃爲是矣何者腎象水而味鹹心合火而味苦苦流汗液鹹走胞囊火爲水持故陰囊之外津潤如汗而滲泄不止也凡鹹之爲氣天陰則潤在土則浮在人則囊濕而皮膚剥起絃絶者其音嘶敗陰囊津泄而脉絃絶者診當言音嘶嗄敗易舊聲爾何者肝氣傷也肝氣傷則金本缺金本缺則肺氣不全肺主音聲故言音嘶嗄木敷者其葉發敷布也言木氣散布外榮於所部者其病當發於肺葉之中也何者以木氣發散故也平人氣象論曰藏眞散於肝肝又合木也病深者其聲噦噦謂聲濁惡也肺藏惡血故如是人有此三者是謂壞府府謂胷也以肺處胷中故也壞謂損壞其府而取病也抱朴子云仲景開胷以納赤餅由此則胷可啓之而取病矣三者謂脉絃絶肺葉發聲濁噦毒藥無治短鍼無取此皆絶

皮傷[illegible]氣爭黑病內潰於肺中故毒藥無治外不在於經絡故短鍼無取是以絕皮傷肉乃可攻之以惡血久與肺氣交爭[illegible]見而色黑也　新校正云詳岐伯之對與黃帝所問不相當別按太素云夫鹽之味鹹者其氣令器津泄弦絕者其音嘶敗木陳者其葉落病深者其聲噦人有此三者是謂壞府毒藥無治短鍼無取此皆絕皮傷肉血氣爭黑三字與此經不同而注意大異楊上善注云言欲知病微者須知其候鹽之在於器中津液泄於外見津而知鹽之有鹹也聲嘶知琴瑟之弦將絕葉落者知陳木之已盡舉此三物衰壞之微以比聲噦識病深之候人有聲噦同三譬者是為府壞之候中府壞者病之深也其病既深故鍼藥不能取以其皮肉血氣各不相得故也再詳上善作此等注義方與黃帝上下問荅義相貫穿王氏解鹽鹹器津義雖淵微至於注弦絕音嘶木敷葉發殊不與帝問相協考之不若楊說之得多也　帝曰余念其痛心為之亂惑反甚其病不可更代百姓聞之以為殘賊為之柰何殘謂殘害賊謂損劫言恐涉於不仁致慊於黎庶也　岐伯曰夫人生於地懸命於天天地合氣命之曰人　形假物成故生於地命惟天賦故懸於天德氣同歸故謂之人也靈樞經曰天之在我者德地之在我者氣德流氣薄而生者也然德者道之用氣者生之母也　人能應四時者天地

爲之父母
人能應四時和氣而養生者天地恒畜養之故爲父母四時氣調神大論曰夫四時陰陽者萬物之根本也所以聖人春夏養陽秋冬養陰以從其根故與萬物沉浮於生長之門也
知萬物者謂之天子
知萬物之根本者天地常育養之故謂曰天之子
天有陰陽人有十二節
節謂節氣外所以應十二月内所以主十二經脈也
天有寒暑人有虛實
寒暑有盛衰之紀虛實表多少之殊故人以虛實應天寒暑也
能經天地陰陽之化者不失四時知十二節之理者聖智不能欺也
經常也言能常應順天地陰陽之道而脩養者則合四時生長之宜能知十二節氣之所遷至者雖聖智亦不欺侮而奉行之也
能存八動之變五勝更立能達虛實之數者獨出獨入呿吟至微秋毫在目
存謂心存達謂明達呿謂欠呿吟謂吟嘆秋毫在目言細必察也八動謂八節之風變動五勝謂五行之氣相勝立謂當其王時變謂氣至而變易知是三者則應效明著速猶影響皆神之獨出獨入亦非鬼靈能召遣也　新校正云按楊上善云呿謂露齒出氣
帝曰人生有形不離陰陽天地合氣別爲九野分爲

四時月有小大日有短長萬物並至不可勝量虛實
呿吟敢問其方請說用鍼之意岐伯曰木得金而伐火得水而
滅土得木而達金得火而缺水得土而絕萬物盡然
不可勝竭達通也言物類雖不可竭盡而數要之皆如五行之氣而有勝負之性分爾故鍼有懸布天
下者五黔首共餘食莫知之也言鍼之道有若高懸示人彰布於天下者五矣而百姓共知
餘食咸棄蔑之不務於本而崇乎末莫知真要深在其中所謂五者次如下句
新校正云按全元起本餘食作飽食注云人愚不解陰陽不知鍼之妙飽食終
日莫能知其妙益又太素作歙食楊上善注云黔首共服用此道然不能得其意一曰治神專精其心不妄動亂也所以云手如握虎神無
營於衆物蓋欲調治精神專其心也　新校正云按楊上善云存生之道知此
五者以爲攝養可得長生也魂神意魄志以爲神主故皆名神欲爲鍼者先須
治神故人無悲哀動中則魂不傷肝得無病秋無難也無怵惕思慮則神不傷
心得無病冬無難也無愁憂不解則意不傷脾得無病春無難也無喜樂不極
則魄不傷肺得無病夏無難也無盛怒者則志不傷腎得無病季夏無
難也是以五過不起於心則神清性明五神各安其藏則壽延遐筭也二曰

知養身知養己身之法亦如養人之道矣陰陽應象大論曰用鍼者以我知彼用之不殆此之謂也　新校正云按太素身作形楊上善云飲食男女節之以限風寒暑濕攝之以時有異單豹外凋之害即內養形也實慈恕以愛人和塵勞而不迹有殊張毅高門之傷即外養形也內外之養周備則不求生而久生無期壽而長壽此則鍼布養形之極也玄元皇帝曰太上養神其次養形詳王氏之注專治神養身於用鍼之際其說甚狹不若上善之說爲優若必以此五者解爲用鍼之際則下文知毒藥爲真王氏亦不專用鍼爲解也三曰知毒藥爲真毒藥攻邪順宜而用正真之道其在茲乎四曰制砭石小大古者以砭石爲鍼故不舉九鍼但言砭石爾當制其大小者隨病所宜而用之　新校正云按全元起云砭石者是古外治之法有三名一鍼石二砭石三鑱石其實一也古來未能鑄鐵故用石爲鍼故名之鍼石言工必砥礪鋒利制其小大之形與病相當黃帝造九鍼以代鑱石上古之治者各隨方所宜東方之人多癰腫聚結故砭石生於東方五曰知府藏血氣之診諸陽爲府諸陰爲藏故血氣形志篇曰太陽多血少氣少陽少血多氣陽明多氣多血少陰少血多氣厥陰多血少氣太陰多氣少血是以刺陽明出血氣刺太陽出血惡氣刺少陽出氣惡血刺太陰出氣惡血刺少陰出氣惡血刺厥陰出血惡氣也精知多少則補寫萬全五法俱立各有所先事宜則應者先用今末世之刺也虛者實之滿

者泄之此皆衆工所共知也若夫法天則地隨應而動和之者若響隨之者若影道無鬼神獨來獨往（隨應而動言其効也若影若響言其近也夫如影之隨形響之應聲豈復有鬼神之召遣耶蓋由隨應而動之自得爾）帝曰願聞其道岐伯曰凡刺之眞必先治神（專其精神寂無動亂刺之眞要其在斯焉）五藏已定九候已備後乃存鍼（先定五藏之脉備循九候之診而有太過不及者然後乃存意於用鍼之法）衆脉不見衆凶弗聞外內相得無以形先（衆脉謂七診之脉衆凶謂五藏相乘外內相得言形氣相得也無以形先言不以已形之衰盛寒温料病人之形氣使同於已也故下文曰）可玩往來乃施於人（玩謂玩弄言精熟也標本病傳論曰謹熟陰陽無與衆謀此其類也　新校正云按此文出陰陽別論此云標本病傳論者誤也）人有虛實五虛勿近五實勿遠至其當發間不容瞚（人之虛實非其遠近而有之蓋由血氣一時之盈縮爾然其未發則如雲垂而視之可久至其發也則如電滅而指所不及遲速之殊有如此矣　新校正云按甲

乙經瞚作暄全元起本及太素作眴手動若務鍼耀而勻手動用鍼心如專務於一事也鍼經曰一其形聽其動靜而知邪正此之謂也鍼耀而勻謂鍼形光淨而上下勻平靜意視義觀適之變是謂冥冥莫知其形冥冥言血氣變化之不可見也故靜意視息以義斟酌觀所調適經脈之變易爾雖且鍼下用意精微而測量之猶不知變易形容誰爲其象也　新校正云按八正神明論云觀其冥冥者言形氣榮衛之不形於外而工獨知之以日之寒溫月之虛盛四時氣之浮沈參伍相合而調之工常先見之然而不形於外故曰觀於冥冥焉見其烏烏見其稷稷從見其飛不知其誰烏烏嘆其氣至稷稷嗟其已應言所鍼得失如從空中見飛鳥之往來豈復知其所使之元主耶是但見經脈盈虛而爲信亦不知其誰之所召遣爾伏如橫弩起如發機血氣之未應鍼則伏如橫弩之安靜其應鍼也則起如機發之迅疾帝曰何如而虛何如而實言血氣既伏如橫弩起如發機然其虛實豈留呼而可爲準定耶虛實之形何如而約之岐伯曰刺虛者須其實刺實者須其虛言要以氣至有效而爲約不必守息數而爲定法也經氣已至慎守勿失無變法而失經氣也深淺在志遠

近若一如臨深淵手如握虎神無營於衆物言精心專一也所鍼經脈雖深淺不同然其補寫皆如一俞之專意故手如握虎神不外營焉　新校正云按鍼解論云刺實須其虛者留鍼陰氣隆至乃去鍼也刺虛須其實者陽氣隆至鍼下熱乃去鍼也經氣已至愼守勿失者勿變更也深淺在志者知病之内外也遠近如一者深淺其候等也如臨深淵者不敢墮也手如握虎者欲其壯也神无營於衆物者靜志觀病人无左右視也

八正神明論篇第二十六　新校正云按全元起本在第二卷又與太素知官能篇大意同文勢小異

黃帝問曰用鍼之服必有法則焉今何法何則服事也法象也則準也約也岐伯對曰法天則地合以天光謂合日月星辰之行度帝曰願卒聞之岐伯曰凡刺之法必候日月星辰四時八正之氣氣定乃刺之候日月者謂候日之寒温月之空滿也星辰者謂先知二十八宿之分應水漏刻者也略而言之常以日加之於宿上則知人氣在太陽否日行一舍人氣在三陽與陰分矣細而言之從房至畢十四宿水下五十刻半日之度也從昴至心亦十四宿之下五十刻終日

之度也是故從房至畢者爲陽從昴至心者爲陰陽主晝陰主夜也凡日行一舍故水下三刻與七分刻之四也靈樞經曰水下一刻人氣在太陽水下二刻人氣在少陽水下三刻人氣在陽明水下四刻人氣在陰分水下不止氣行亦爾又曰日行一舍人氣行於身一周與十分身之八日行二舍人氣行於身三周與十分身之六日行三舍人氣行於身五周與十分身之四日行四舍人氣行於身七周與十分身之二日行五舍人氣行於身九周然日行二十八舍人氣亦行於身五十周與十分身之四由是故必候日月星辰也四時八正之氣者謂四時正氣八節之風來朝於太一者也謹候其氣之所在而刺之氣定乃刺之者謂八節之風氣靜定乃可以刺經脈調虛實也故曆忌云八節前後各五日不可刺灸凶是則謂氣未定故不可灸刺也　新校正云按八節風朝太一具天元玉冊中

是故天温日明則人血淖液而衛氣浮故血易寫氣易行天寒日陰則人血凝泣而衛氣沈泣謂如水中居雪也月始生則血氣始精衛氣始行月郭滿則血氣實肌肉堅月郭空則肌肉減經絡虛衛氣去形獨居是以因天時而調血氣也是以天寒無刺血凝泣而衛氣沈也天温

無疑〔血淳液而氣易行也〕月生無寫月滿無補月郭空無治是謂得時而調之〔謂得天時也〕因天之序盛虛之時移光定位正立而待之〔候日遷移定氣所在南面正立待氣至而調之也〕故日月生而寫是謂藏虛〔血氣弱也　新校正云按全元起本藏作減藏當作減〕月滿而補血氣揚溢絡有留血命曰重實〔絡一為經誤血氣盛也留一為流非也〕月郭空而治是謂亂經陰陽相錯眞邪不別沉以留止外虛內亂淫邪乃起〔氣失紀故淫邪起〕帝曰星辰八正何候歧伯曰星辰者所以制日月之行也〔制謂制度定星辰則可知日月行之制度矣略而言之周天二十八宿三十六分人氣行一周天凡一千八分周身十六丈二尺以應二十八宿合漏水百刻都行八百一十丈以分晝夜也故人十息氣行六尺日行二分二百七十息氣行十六丈二尺一周於身水下二刻日行二十分五百四十息氣行再周於身水下四刻日行四十分二千七百息氣行十周於身水下二十刻日行五宿二十分一萬三千五百息氣行五十周

於身水下百刻日行二十八宿也細而言之則常以一十周加之一分又十分分之六乃可分盡矣是故星辰所以制日月之行度也 新校正云詳周天二十八宿至日行二十八宿也本靈樞文今具甲乙經中 八正者所以候八風之虛邪以時至者也 八正謂八節之正氣也八風者東方嬰兒風南方大弱風西方剛風北方大剛風東北方凶風東南方弱風西南方謀風西北方折風也虛邪謂乘人之虛而爲病者也以時至謂天應太一移居以八節之前後風朝中宮而至者也 新校正云詳太一移居風朝中宮義具天元玉冊 四時者所以分春秋冬夏之氣所在以時調之也八正之虛邪而避之勿犯也 四時之氣所在者謂春氣在經脉夏氣在孫絡秋氣在皮膚冬氣在骨髓也然觸冒虛邪動傷真氣避而勿犯乃不病焉靈樞經曰聖人避邪如避矢石蓋以其能傷真氣也 以身之虛而逢天之虛兩虛相感其氣至骨入則傷五藏 以虛感虛同氣而相應也 工候救之弗能傷也 候知而止故弗能傷之救止也 故曰天忌不可不知也 人忌於天故云天忌犯之則病故不可不知也 帝曰善其法星辰者余聞之矣願聞法

往古者岐伯曰法往古者先知鍼經也驗於來今者先知日之寒溫月之虛盛以候氣之浮沈而調之於身觀其立有驗也（候氣不差故立有驗）觀其冥冥者言形氣榮衛之不形於外而工獨知之（明前篇靜意視義觀適之變是謂冥冥莫知其形也雖形氣榮衛不形見於外而工以心神明悟獨得知其衰盛焉善惡悉可明之　新校正云按前篇乃寶命全形論）以日之寒溫月之虛盛四時氣之浮沈參伍相合而調之工常先見之然而不形於外故曰觀於冥冥焉（工所以常先見者何哉以守法而神通明也）通於無窮者可以傳於後世也是故工之所以異也（法著故可傳後世後世不絶則應用通於无窮矣以獨見知故工所以異於人也）然而不形見於外故俱不能見也（工異於粗者以粗俱不能見也）視之無形嘗之無味故謂冥冥若神髣

髴（言形氣榮衛不形於外以不可見故視无形嘗无味伏如横弩起如發機窈窈冥冥莫知元主謂如神運髣髴焉若如也）虛邪者八正之虛邪氣也（八正之虛邪謂八節之虛邪也以從虛之鄉來襲虛而入爲病故謂之八正虛邪）正邪者身形若用力汗出腠理開逢虛風其中人也微故莫知其情莫見其形（正邪者不從虛之鄉來也以中人微故莫知其情意莫見其形狀）上工救其萌牙必先見三部九候之氣盡調不敗而救之故曰上工下工救其已成救其已敗救其已成者言不知三部九候之相失因病而敗之也（義備離合真邪論中）知其所在者知診三部九候之病脉處而治之故曰守其門戶焉莫知其情而見邪形也（三部九候爲候邪之門戶也守門戶故見邪形以中人微故莫知其情狀）帝曰余聞補寫未得其意歧伯曰寫必用方方也

者以氣方盛也以月方滿也以日方溫也以身方定也以息方吸而內鍼乃復候其方吸而轉鍼乃復候其方呼而徐引鍼故曰寫必用方其氣而行焉（方猶正也寫邪氣出則眞氣流行矣）補必用員員者行也行者移也（行謂宣不行之氣令必宣行移謂移未復之脉俾其平復）刺必中其榮復以吸排鍼也（鍼入至血謂之中榮）故員與方非鍼也（所言方員者非謂鍼形正謂行移之義也）故養神者必知形之肥瘦榮衛血氣之盛衰血氣者人之神不可不謹養（神安則壽延神去則形弊故不可不謹養也）帝曰妙乎哉論也合人形於陰陽四時虛實之應冥冥之期其非夫子孰能通之然夫子數言形與神何謂形何謂神願卒聞之（神謂神智通悟形謂形診可觀）岐伯

曰請言形形乎形目冥冥問其所病（新校正云按甲乙經作捫其所痛義亦通）索之於經慧然在前按之不得不知其情故曰形（外隱其無形故目冥冥而不見內藏其有象故以診而可索於經也慧然在前按之不得言三部九候之中卒然逢之不可爲之期準也離合眞邪論曰在陰與陽不可爲度從而察之三部九候卒然逢之早遏其路此其義也）帝曰何謂神岐伯曰請言神神乎神耳不聞目明心開而志先慧然獨悟口弗能言俱視獨見適若昏昭然獨明若風吹雲故曰神（耳不聞言神用之微密也目明心開而志先者言心之通如昏昧開卷目之見如氛翳闢明神雖內融志已先往矣慧然謂清爽也悟猶了達也慧然獨悟口弗能言者謂心中清爽而了達口不能宣吐以寫心也俱視獨見適若昏者歎見之異速也言與衆俱視我忽獨見適猶若昏昧爾既獨見了心眼昭然獨能明察若雲隨風卷日麗天明至哉神乎妙用如是不可得而言也）三部九候爲之原九鍼之論不必存也（以三部九候經脈爲之本原則可通神悟之妙用若以九鍼之論僉議則其旨惟博其知彌遠矣故曰三部九候爲之原九鍼之論不必存）

離合眞邪論篇第二十七

新校正云按全元起本在第一卷名經合第二卷重出名眞邪論

黃帝問曰余聞九鍼九篇夫子乃因而九之九九八十一篇余盡通其意矣經言氣之盛衰左右傾移以上調下以左調右有餘不足補寫於榮輸余知之矣此皆榮衞之傾移虛實之所生非邪氣從外入於經也余願聞邪氣之在經也其病人何如取之奈何歧伯對曰夫聖人之起度數必應於天地故天有宿度地有經水人有經脉宿謂二十八宿度謂天之三百六十五度也經水者謂海水瀆水渭水湖水沔水汝水江水淮水漯水河水漳水濟水也以其內合經脉故名之經水焉經脉者謂手足三陰三陽之脉所以言者以內外參合人氣應通故言之也　新校正云按甲乙經云足陽明外合於海水內屬於胃足太陽外合於瀆水內屬膀胱足少陽外合於渭水內屬於膽足太陰外合於湖水內屬於脾足厥陰外合於沔水內屬於肝足

少陰外合於汝水內屬於腎手陽明外合於江水內屬於大腸手太陽外合於淮水內屬於小腸手少陽外合於漯水內屬於三焦手太陰外合於河水內屬於肺手心主外合於漳水內屬於心包手少陰外合於濟水內屬於心天地溫和則經水安靜天寒地凍則經水凝泣天暑地熱則經水沸溢卒風暴起則經水波涌而隴起人經脈亦應之夫邪之入於脈也寒則血凝泣暑則氣淖澤虛邪因而入客亦如經水之得風也經之動脈其至也亦時隴起其行於脈中循循然循循然順動貌言隨順經脈之動息因循呼吸之往來但形狀或異耳循循一爲輴輴其至寸口中手也時大時小大則邪至小則平其行無常處大謂大常平之形診小者非細小之謂也以其比大則謂之小若無大以比則自是平常之經氣爾然邪氣者因其陰氣則入陰經因其陽氣則入陽脈故其行無常處也在陰與陽不可爲度以隨經脈之流運也從而察之三部九候卒然逢

之早遏其路逢謂逢遇遏謂遏絶三部之中九候之位卒然逢遇當按而止之即而寫之逕路既絶則大邪之氣無能爲也所謂寫者如下文云吸則内鍼無令氣忤靜以久留無令邪布吸則轉鍼以得氣爲故候呼引鍼呼盡乃去大氣皆出故命曰寫按經之旨先補眞氣乃寫其邪也何以言之下文補法呼盡内鍼靜以久留此段寫法吸則内鍼又靜以久留然呼盡則次其吸吸至則不兼呼内鍼之候既同久留之理復一則先補之義昭然可知鍼經云寫曰迎之迎之意必持而内之放而出之排陽出鍼疾氣得泄補曰隨之隨之意若忘之若行若悔如蚊虻止如留如還則補之必久留也所以先補者眞氣不足鍼乃寫之則經脉不滿邪氣無所排遣故先補眞氣令足後乃寫出其邪矣引謂引出去謂離穴候呼而引至其門呼盡而乃離穴戶則經氣審以平定邪氣無所勾留故大邪之氣隨鍼而出也呼謂氣出吸謂氣入轉謂轉動也大氣謂大邪之氣錯亂陰陽者也帝曰不足者補之奈何岐伯曰必先捫而循之切而散之推而按之彈而怒之抓而下之通而取之外引其門以閉其神捫循謂手摸切謂指按也捫而循之欲氣舒緩切而散之使經脉宣散推而按

之排蹙其皮也彈而怒之使脈氣䐜滿也抓而下之置鍼準也通而取之以常法也外引其門以閉其神則推而按之者也謂蹙按穴外之皮令當應鍼之處針已放去則不破之皮蓋其所刺之門門不開則神氣內守故云以閉其神也調經論曰外引其皮令當其門戶又曰推闔其門令神氣存此之謂也　新校正云按王引調經論文今詳非本論之文傍見甲乙經鍼道篇又曰已下乃當篇之文也　呼盡內鍼靜以久留以氣至爲故呼盡內鍼亦同吸也言必以氣至而爲去鍼之故不以息之多數而便去鍼也鍼經曰刺之而氣不至無問其數刺之氣至去之勿復鍼此之謂也無問息數以爲遲速之約要當以氣至而鍼去不當以鍼下氣未至而鍼出乃更爲也　如待所貴不知日暮諭人事於候氣也暮晚也　其氣以至適而自護適調適也護慎守也言氣已平調則當慎守勿令改變使疾更生也鍼經曰經氣已至慎守勿失此其義也所謂慎守當如下說　新校正云詳王引鍼經之言乃素問寶命全形論文兼見下鍼解論耳　候吸引鍼氣不得出各在其處推闔其門令神氣存大氣留止故命曰補正言也外門已閉神氣復存候吸引鍼大氣不泄補之爲義斷可知焉然此大氣謂大經之氣流行榮衞者　帝曰候氣奈何謂候可取之氣也　岐伯曰夫邪去絡

入於經也舍於血脉之中（繆刺論曰邪之客於形也必先舍於皮毛留而不去入舍於孫脉留而不去入舍於絡脉留而不去入舍於經脉故云去絡入於經也）其寒温未相得如涌波之起也時來時去故不常在（以周遊於十六丈二尺經脉之分故不常在所候之處）故曰方其來也必按而止之止而取之無逢其衝而寫之（衝謂應水刻數之平氣也靈樞經曰水下一刻人氣在太陽水下二刻人氣在少陽水下三刻人氣在陽明水下四刻人氣在陰分然氣在太陽則太陽獨盛氣在少陽則少陽獨盛夫見獨盛者便謂邪來以鍼寫之則反傷真氣故下文曰）真氣者經氣也經氣太虚故曰其來不可逢此之謂也（經氣應刻乃謂爲邪若寫之則深誤也故曰其來不可逢）故曰候邪不審大氣已過寫之則真氣脱脱則不復邪氣復至而病益蓄（不悟其邪反誅無罪則真氣泄脱邪氣復侵經氣大虚故病彌蓄積）故曰其往不可追此之謂也（已隨經脉之流去不可復追召使還）不可挂以髮者待邪之

至時而發鍼寫矣言輕微而有尚且知之况若涌波不知其至也若先若後者血
氣已盡其病不可下言不可取而取失時也　新校正云按全元起本作血氣已虛盡字當作虛字此字之誤也
故曰知其可取如發機不知其取如扣椎故曰知機
道者不可挂以髮不知機者扣之不發此之謂也機者
動之微言貴知其微也帝曰補寫柰何岐伯曰此攻邪也疾出以
去盛血而復其眞氣視有血者乃取之此邪新客溶溶未有定
處也推之則前引之則止逆而刺之溫血也言邪之新客未有定
居推鍼補之則隨補而前進若引鍼致之則隨引而留止也若不出盛血而反溫之則邪氣內勝反增其害故下文曰刺出其血其
病立已帝曰善然眞邪以合波隴不起候之柰何岐
伯曰審捫循三部九候之盛虛而調之盛者寫之虛者補之不盛不虛以經

取之則其法也察其左右上下相失及相減者審其病藏以期之氣之在陰則候其氣之在於陰分而刺之氣之在陽則候其氣之在於陽分而刺之是謂逢時靈樞經曰水下一刻人氣在太陽水下四刻人氣在陰分也積刻不已氣亦隨在周而復始故審其病藏以期其氣而刺之不知三部者陰陽不別天地不分地以候地天以候天人以候人調之中府以定三部故曰刺不知三部九候病脉之處雖有大過且至工不能禁也禁謂禁止也然候邪之處尚未能知豈復能禁止其邪氣耶誅罰無過命曰大惑反亂大經真不可復用實爲虛以邪爲真用鍼無義反爲氣賊奪人正氣以從爲逆榮衛散亂真氣已失邪獨内著絶人長命予人天殃不知三部九候故不能久長識非精辨學未該明且亂大經又爲氣賊動爲殘害安可久乎因不知合之

四時五行因加相勝釋邪攻正絶人長命（非惟昧三部九候之爲弊若不知四時五行之氣序亦足以殞絶其生靈也）邪之新客來也未有定處推之則前引之則止逢而寫之其病立巳（再言之者其法必然）

通評虚實論篇第二十八（新校正云按全元起本在第四卷）

黃帝問曰何謂虚實岐伯對曰邪氣盛則實精氣奪則虚（奪謂精氣減少如奪去也）帝曰虚實何如（言五藏虚實之大體也）岐伯曰氣虚者肺虚也氣逆者足寒也非其時則生當其時則死（非時謂年直之前後也當時謂正直之年也）餘藏皆如此（五藏同）帝曰何謂重實岐伯曰所謂重實者言大熱病氣熱脉滿是謂重實帝曰經絡俱實何如何以治之岐伯曰經絡皆實是

寸脉急而尺緩也皆當治之故曰滑則從濇則逆也脉急謂脉口也夫虛實者皆從其物類始故五藏骨肉滑利可以長久也物之生則滑利物之死則枯濇故濇爲逆滑爲從從謂順也帝曰絡氣不足經氣有餘何如歧伯曰絡氣不足經氣有餘者脉口熱而尺寒也秋冬爲逆春夏爲從治主病者春夏陽氣高故脉口熱尺中寒爲順也十二經十五絡各隨左右而有太過不足工當尋其至應以施鍼艾故云治主其病者也帝曰經虛絡滿何如歧伯曰經虛絡滿者尺熱滿脉口寒濇也此春夏死秋冬生也秋冬陽氣下故尺中熱脉口寒爲順也帝曰治此者奈何歧伯曰絡滿經虛灸陰刺陽經滿絡虛刺陰灸陽以陰分主絡陽分主經故爾帝曰何謂重虛此反問前重實也歧伯曰脉氣上虛尺虛是謂

重虛言尺寸脉俱虛　新校正云按甲乙經作脉虛氣虛尺虛是謂重虛此少一虛字多一上字王注言尺寸脉俱虛則不兼氣虛也詳前熱病氣熱脉滿爲重實此脉虛氣虛尺虛爲重虛是脉與氣俱實爲重實俱虛爲重虛不但尺寸俱虛爲重虛也帝曰何以治之岐伯曰所謂氣虛者言無常也尺虛者行步恇然寸虛則脉動無常尺虛則行步恇然不足　新校正云按楊上善云氣虛者膻中氣不定也王謂寸虛則脉動無常非也脉虛者不象陰也不象太陰之候也何以言之氣口者脉之要會手太陰之動也如此者滑則生濇則死也帝曰寒氣暴上脉滿而實何如言氣熱脉滿已謂重實滑則從濇則逆今氣寒脉滿亦可謂重實乎且於滑濇生死逆從何如岐伯曰實而滑則生實而逆則死逆謂濇也　新校正云詳王氏以逆爲濇大非古文簡略辭多互文上言滑而下言逆舉滑則從可知言逆則濇可見非謂逆爲濇也帝曰脉實滿手足寒頭熱何如岐伯曰春秋則生冬夏則死大略言之夏手足寒非病也是夏行冬令夏得則冬死冬脉實滿頭熱亦非病也是冬行夏令冬得則夏死反冬夏以言之則皆不死春秋得之是病故生死皆在時之孟月也

脉浮而濇濇而身有熱者死新校正云按甲乙經移續於此舊在後帝曰形度骨度脉度筋度何以知其度也下對問義不相類王氏頗知其錯簡而不知皇甫士安嘗移附此也今去後條移從於此帝曰其形盡滿何如岐伯曰其形盡滿者脉急大堅尺濇而不應也形盡滿謂四形藏盡滿也新校正云按甲乙經太素濇作滿如是者故從則生逆則死帝曰何謂從則生逆則死岐伯曰所謂從者手足溫也所謂逆者手足寒也帝曰乳子而病熱脉懸小者何如懸謂如懸物之動也岐伯曰手足溫則生寒則死新校正云按太素无手字楊上善云足溫氣下故生足寒氣不下者逆而致死帝曰乳子中風熱喘鳴肩息者脉何如岐伯曰喘鳴肩息者脉實大也緩則生急則死緩謂如縱緩急謂如弦張之急非往來之緩急也正理傷寒論曰緩則中風故乳子中風脉緩則生急則死帝曰腸澼便血何如

岐伯曰身熱則死寒則生熱爲血敗故死寒爲榮氣在故生也帝曰腸澼下白沫何如岐伯曰脉沉則生脉浮則死陰病而見陽脉與證相反故死帝曰腸澼下膿血何如岐伯曰脉懸絶則死滑大則生帝曰腸澼之屬身不熱脉不懸絶何如岐伯曰滑大者曰生懸濇者曰死以藏期之肝見庚辛死心見壬癸死肺見丙丁死腎見戊巳死脾見甲乙死是謂以藏期之帝曰癲疾何如岐伯曰脉搏大滑久自巳脉小堅急死不治脉小堅急爲陰陽病而見陰脉故死不治　新校正云按巢元方云脉沉小急實死不治小牢急亦不可治帝曰癲疾之脉虚實何如岐伯曰虚則可治實則死以反證故帝曰消癉虚實何如岐伯曰脉實大病久可治脉懸小堅病久不可治久病血氣衰脉不當實大故不可治　新校正云詳經言實大病久可治注意以爲

不可治按甲乙經太素全元起本並云可治又按巢元方云脈數大者生細小浮者死又云沈小者生實牢大者死 帝曰形度骨度脈度筋度何以知其度也形度具三備經筋度脈度骨度並具在靈樞經中此問亦合在彼經篇首錯簡也一經以此問爲逆從論首非也 帝曰春亟治經絡夏亟治經俞秋亟治六府冬則閉塞閉塞者用藥而少鍼石也亟猶急也閉塞謂氣之門戶閉塞也 所謂少鍼石者非癰疽之謂也冬月雖氣門閉塞然癰疽氣烈内作大膿不急寫之則爛筋腐骨故雖冬月亦宜鍼石以開除之 癰疽不得頃時回所以癰疽之病冬月猶得用鍼石者何此病頃時回轉之間過而不寫則内爛筋骨穿通藏府 癰不知所按之不應手乍來乍已刺手太陰傍三痏與纓脈各二以覺似有癰疽之候不的知發在何處故按之不應手也乍來乍已言不定也痛於一處也手太陰傍足陽明脈謂胃部氣戶等六穴之分也纓脈亦足陽明脈也近纓之脈故曰纓脈纓謂冠帶也以有左右故云各二 掖癰大熱刺足少陽五刺而熱不止刺手心主三刺手太陰

經絡者大骨之會各三大骨會肩也謂肩貞穴在肩髃後骨解間陷者中暴癰筋緛

隨分而痛魄汗不盡胞氣不足治在經俞癰若暴發隨脉所過筋怒緛急肉分中痛汗液滲泄如不盡兼胞氣不足者悉可以本經脉穴俞補寫之　新校正云按此二條舊散在篇中今移使相從腹暴滿按

之不下取手太陽經絡者胃之募也太陽為手太陽也手太陽太陽經絡之所生故取中脘穴即胃之募也中誥曰中脘胃募也居蔽骨與齊中手太陽少陽足陽明脉所生故云經絡者胃募也　新校正云按甲乙經云取太陽經絡血者則已無胃之募也等字又楊上善注云足太陽其説各不同未知孰是少陰俞去脊椎三寸傍五用

負利鍼謂取足少陰俞外去脊椎二寸兩傍穴各五痏也少陰俞謂第十四椎下兩傍腎之俞也　新校正云按甲乙經云用負利鍼刺已如食頃又左已必視其經之過於陽者數刺之霍亂刺俞傍五霍亂者取少陰俞傍志室穴　新校正云按楊上善云刺主霍亂輸傍五取之足陽明及上傍三足陽明言胃俞也取胃俞兼取少陰俞外兩傍向上第三穴則胃倉穴也刺

癎驚脉五謂陽陵泉在膝上外陷者中也鍼手太陰各五刺經太陽五刺

手少陰經絡傍者一，足陽明一，上踝五寸刺三鍼。（經太陽謂足太陽也。手太陰五謂魚際穴，在手大指本節後內側散脈。經太陽五謂承山穴，在足腨腸下分肉間陷者中也。手少陰經絡傍者，謂支正穴，在腕後同身寸之五寸骨上廉肉分間，手太陽絡別走少陰者。足陽明一者，謂解谿穴，在足腕上陷者中也。上踝五寸，謂足少陽絡光明穴。按《內經明堂中誥圖經》，悉主霍亂，各具明文。新校正云：按別本注云悉不主霍亂，未詳所謂。又按《甲乙經》《太素》，刺癎驚脈五至此為刺驚癎，王注為刺霍亂者，王注非也。）

凡治消癉、仆擊、偏枯、痿厥、氣滿發逆，肥貴人則高梁之疾也。隔塞閉絕，上下不通，則暴憂之病也。暴厥而聾，偏塞閉不通，內氣暴薄也。不從內，外中風之病，故瘦留著也。蹠跛，寒風濕之病也。（消謂內消。癉謂伏熱。厥謂氣逆。高，膏也。梁，粱字也。蹠謂足也。夫肥者令人熱中，甘者令人中滿，故熱氣內薄，發為消渴、偏枯、氣滿逆也。逆者，謂違背常候，與平人異也。然愁憂者，氣閉塞而不行，故隔塞否隔，氣脈斷絕，而上下不通也。氣固於內，則大小便道偏不得通泄也。何者？藏府氣不化，禁固而不宣散，故爾也。外風中人，伏藏不去，則陽氣內受，為熱外燔，肌肉消爍，故留薄肉分，消瘦而皮膚著於筋骨也濕勝於足則筋不利寒勝於足則攣急風濕寒勝則衞氣結聚衞氣結聚則肉痛故足跛而不可履也黃帝曰黃疸暴痛癲疾厥狂久逆之所生也五藏不平六府閉塞之所生也頭痛耳鳴九竅不利腸胃之所生也足之三陽從頭走足然久厥逆而不下行則氣怫積於上焦故爲黃疸暴痛癲狂氣逆矣食飲失宜吐利過節故六府閉塞而令五藏之氣不和平也腸胃否塞則氣不順序氣不順序則上下中外互相勝負故頭痛耳鳴九竅不利也

太陰陽明論篇第二十九新校正云按全元起本在第四卷

黃帝問曰太陰陽明爲表裏脾胃脈也生病而異者何也脾胃藏府皆合於土病生而異故問不同岐伯對曰陰陽異位更虛更實更逆更從或從內或從外所從不同故病異名也脾藏爲陰胃府爲陽陽脈下行陰脈上行陽脈從外陰脈從內故言所從不同病異名也新校正云按楊上善云春夏陽明爲實太陰爲虛秋冬太陰爲實陽明

爲虛

帝曰願聞其異狀也岐伯曰陽者天氣也主外陰者地氣也主内是所謂陰陽異狀也故陽道實陰道虚是所爲更實更虚也故犯賊風虚邪者陽受之食飲不節起居不時者陰受之是所謂或從内或從外也陽受之則入六府陰受之則入五藏入六府則身熱不時卧上爲喘呼入五藏則䐜滿閉塞下爲飧泄久爲腸澼是所謂所從不同病異名也故喉主天氣咽主地氣故陽受風氣陰受濕氣同氣相求耳故陰氣從足上行至頭而下行循臂至指端陽氣從手上行至頭而下行至足是所謂更逆更從也靈樞經曰手之三陰從藏走手手之三陽從手走頭足之三陽從頭走足足之三陰從足走腹所行而異故更逆更從也

故曰陽病者上行極而下陰病者下行極而上此言其大凡爾然足少陰脉下行則不同諸陰之氣也故傷於風者上先受之傷於濕者下先受之陽氣炎上故受風陰氣潤下故受濕蓋同氣相合故耳帝曰脾病而四支不用何也岐伯曰四支皆稟氣於胃而不得至經必因於脾乃得稟也脾氣布化水谷精液四支乃可以稟受也經一作徑至今脾病不能為胃行其精液四支不得稟水穀氣日以衰脉道不利筋骨肌肉皆無氣以生故不用焉帝曰脾不主時何也肝主春心主夏肺主秋腎主冬四藏皆有正應而脾無正主也岐伯曰脾者土也治中央常以四時長四藏各十八日寄治不得獨主於時也脾藏者常著胃土之精也土者生萬物而法天

也故上下至頭足不得主時也治主也著謂常約著於胃也土氣於四時之中各於季終寄王十八日則五行之氣各王七十二日以終一歲之日矣外主四季則在人內應於手足也帝曰脾與胃以膜相連耳新校正云按太素作以膜相逆揚上善云脾陰胃陽脾內胃外其位各異故相逆也而能爲之行其津液何也岐伯曰足太陰者三陰也其脉貫胃屬脾絡嗌故太陰爲之行氣於三陰陽明者表也胃是脾之表也五藏六府之海也亦爲之行氣於三陽藏府各因其經而受氣於陽明故爲胃行其津液四支不得禀水穀氣日以益衰陰道不利筋骨肌肉無氣以生故不用焉又復明脾主四支之義也

陽明脉解篇第三十

新校正云按全元起本在第三卷

黄帝問曰足陽明之脉病惡人與火聞木音則惕然而驚鐘鼓不爲動聞木音而驚何也願聞其故（前篇言入六府則悶乃熱不時卧上爲喘呼然陽明者胃脉也今病不如前篇之言而反聞木音而驚故問其異也）岐伯對曰陽明者胃脉也胃者土也故聞木音而驚者土惡木也（陰陽書曰木剋土故土惡木也）帝曰善其惡火何也岐伯曰陽明主肉其脉（新校正云按甲乙經脉作肌）血氣盛邪客之則熱熱甚則惡火帝曰其惡人何也岐伯曰陽明厥則喘而惋惋則惡人（惋熱內鬱故惡人耳新校正云按脉解云欲獨閉戶牖而處何也陰陽相摶陽盡陰盛故獨閉戶牖而處）帝曰或喘而死者或喘而生者何也岐伯曰厥逆連藏則死連經則生（經謂經脉藏謂五神藏所以連藏則死者神去故也）帝曰善病甚則棄衣而走登高而歌或

至不食數日踰垣上屋所上之處皆非其素所能也病反能者何也素本也踰垣謂蓦墻也言其稍異於常岐伯曰四支者諸陽之本也陽盛則四支實實則能登高也陽受氣於四支故四支為諸陽之本也新校正云按脉解云陰陽爭而外并於陽帝曰其棄衣而走者何也棄不用也岐伯曰熱盛於身故棄衣欲走也帝曰其妄言罵詈不避親踈而歌者何也岐伯曰陽盛則使人妄言罵詈不避親踈而不欲食不欲食故妄走也足陽明胃脉下膈屬胃絡脾足太陰脾脉入腹屬脾絡胃上膈俠咽連舌本散舌下故病如是

重廣補注黄帝内經素問卷第八

寶命全形論 嚘於嫁切 呿吟上丘伽切 黔音鉗 稟蔑音滅 容[月寅]音宙

八正神明論 髣髴上音倣下音弗 離合真邪論 輴徐倫切 蚑

虻武庚切 捫音門 抓側交切 溶音容 通評虛實論 恇去王切 痏榮美

切 蟅之石切 太陰陽明論 閉塞蘇則切 陰陽脈解論 悗

烏貫切 踰

重廣補注黄帝内經素問卷第九

啓玄子次註林億孫奇高保衡等奉敕校正孫兆重改誤

熱論　刺熱篇
評熱病論　逆調論

熱論篇第三十一

新校正云按全元起本在第五卷

黄帝問曰今夫熱病者皆傷寒之類也或愈或死其死皆以六七日之閒其愈皆以十日以上者何也不知其解願聞其故寒者冬寒之氣也冬時嚴寒萬類深藏君子固密不傷於寒觸冒之者乃名傷寒其傷於四時之氣皆能爲病以傷寒爲毒者最乘殺厲之氣中而即病名曰傷寒不即病者寒毒藏於肌膚至夏至前變爲温病夏至後變爲熱病然其發起皆爲傷寒致之故曰熱病者皆爲傷寒之類也　新校正云按傷寒論云至春變爲温病至夏變爲暑病與王注異王注本素問爲說傷寒論本陰陽大論爲說故此不同　岐伯

對曰巨陽者諸陽之屬也巨大也太陽之氣經絡氣血榮衛於身故諸陽氣皆所宗屬其脉連於風府風府穴名也在項上入髮際同身寸之一寸宛宛中是故為諸陽主氣也足太陰脉浮氣之在頭中者凡五行故統主諸陽之氣人之傷於寒也則為病熱熱雖甚不死寒毒薄於肌膚陽氣不得散發而内怫結故傷寒者反為病熱其兩感於寒而病者必不免於死藏府相應而俱受寒謂之兩感帝曰願聞其狀謂非兩感者之形證岐伯曰傷寒一日巨陽受之三陽之氣太陽脉浮脉浮者外在於皮毛故傷寒一日太陽先受之故頭項痛腰脊強上文云其脉連於風府略言也細而言之者足太陽脉從巔入絡腦還出別下項循肩髆内俠脊抵腰中故頭項痛腰脊強新校正云按甲乙經及太素作頭項與腰脊皆痛二日陽明受之以陽感熱同氣相求故自太陽入陽明也陽明主肉其脉俠鼻絡於目故身熱目疼而鼻乾不得臥也身熱者以肉受邪胃中熱煩故不得臥餘隨脉絡之所生也三日少陽受之少陽主膽新校正云按全元起本膽作骨元起注云少陽者肝之表肝候筋筋會於骨是

少陽之氣所榮故言主於骨甲乙經太素等並作骨其脉循脇絡於耳故胷脇痛而耳聾三陽經絡皆受其病而未入於藏者故可汗而已以病在表故可汗也新校正云按全元起云藏作府元起注云傷寒之病始入於皮膚之腠理漸勝於諸陽而未入府故須汗發其寒熱而散之太素亦作府四日太陰受之陽極而陰受也太陰脉布胃中絡於嗌故腹滿而嗌乾五日少陰受之少陰脉貫腎絡於肺繫舌本故口燥舌乾而渴六日厥陰受之厥陰脉循陰器而絡於肝故煩滿而囊縮三陰三陽五藏六府皆受病榮衛不行五藏不通則死矣死猶澌也言精氣皆澌也是故其死皆病六七日間者以此也其不兩感於寒者七日巨陽病衰頭痛少愈邪氣漸退經氣漸和故少愈八日陽明病衰身熱少愈九日少陽病衰耳聾微聞十日太陰

病衰腹減如故則思飲食十一日少陰病衰渴止不滿舌乾已而嚏十二日厥陰病衰囊縱少腹微下大氣皆去病日已矣大氣謂大邪之氣也是故其愈皆病十日已上者以此也帝曰治之柰何岐伯曰治之各通其藏脉病日衰已矣其未滿三日者可汗而已其滿三日者可泄而已此言表裏之大體也正理傷寒論曰脉大浮數病爲在表可發其汗脉細沉數病在裏可下之主此則雖日過多但有表證而脉大浮數猶宜發汗日數雖少即有裏證而脉沉細數猶宜下之正應隨脉證以汗下之帝曰熱病已愈時有所遺者何也邪氣衰去不盡如遺之在人也岐伯曰諸遺者熱甚而強食之故有所遺也若此者皆病已衰而熱有所藏因其穀氣相薄兩熱相合故有所遺也帝曰善治遺柰何岐伯曰視其虛實調其逆從

可使必已矣審其虛實而補寫之則必已帝曰病熱當何禁之岐伯曰病熱少愈食肉則復多食則遺此其禁也是所謂戒食勞也熱雖少愈猶未盡除脾胃氣虛故未能消化肉堅食駐故熱復生復謂復舊病也帝曰其病兩感於寒者其脉應與其病形何如岐伯曰兩感於寒者病一日則巨陽與少陰俱病則頭痛口乾而煩滿新校正云按傷寒論云煩滿而渴二日則陽明與太陰俱病則腹滿身熱不欲食譫言譫言謂妄謬而不次也新校正云按陽上善云多言也三日則少陽與厥陰俱病則耳聾囊縮而厥水漿不入不知人六日死巨陽與少陰爲表裏陽明與太陰爲表裏少陽與厥陰爲表裏故兩感寒氣同受其邪帝曰五藏已傷六府不通榮衛不行如是之後三日乃死何也岐伯曰陽明者十二經脉之長也其血氣

盛故不知人三日其氣乃盡故死矣以上承氣海故三日氣盡乃死凡病傷寒而成温者先夏至日者爲病温後夏至日者爲病暑暑當與汗皆出勿止此以熱多小盛衰而爲義也陽熱未盛為寒所制故為病曰温陽熱大盛寒不能制故為病曰暑然暑病者當與汗之令愈勿反止之令其甚也 新校正云按凡病傷寒已下全元起本在奇病論中王氏移於此楊上善云冬傷於寒輕者夏至以前發爲温病冬傷於寒甚者夏至以後發爲暑病

刺熱篇第三十二新校正云按全元起本在第五卷

肝熱病者小便先黄腹痛多卧身熱肝之脉環陰器抵少腹而上故小便不通先黄腹痛多卧也寒薄生熱身故熱焉熱爭則狂言及驚脇滿痛手足躁不得安卧經絡雖已受熱而神藏猶未納邪邪正相薄故云爭也餘爭同之又肝之脉從少腹上俠胃貫鬲布脇肋循喉嚨之後絡舌本故狂言脇滿痛也肝性靜而主驚駭故病則驚手足躁擾卧不得安庚辛甚甲乙大汗氣逆則庚辛死肝上

木庚辛爲金金剋木故甚死於庚辛也甲乙爲木故大汗於甲乙刺足厥陰少陽厥陰肝脉少陽膽脉其逆則頭痛員員脉引衝頭也肝之脉自舌本循喉嚨之後上出額與督脉會於巔故頭痛員員然脉引衝於頭中也員員謂似急也心熱病者先不樂數日乃熱夫所以任治於物者謂心病氣入於經絡則神不安治故先不樂數日乃熱也熱爭則卒心痛煩悶善嘔頭痛面赤無汗心手少陰脉起於心中其支別者從心系上挾咽小腸之脉直行者循咽下鬲抵胃其支別者從缺盆循頸上頰至目外眥故卒心痛煩悶善嘔頭痛面赤也心在液爲汗今病熱故無汗以出新校正云按甲乙經外眥作兊眥王注厥論亦作兊眥外當作兊壬癸甚丙丁大汗氣逆則壬癸死心主火壬癸爲水水滅火故甚死於壬癸也丙丁爲火故大汗於丙丁氣逆之證經闕其文刺手少陰太陽少陰心脉太陽小腸脉脾熱病者先頭重頰痛煩心顏青欲嘔身熱胃之脉起於鼻交頞中下循鼻外入上齒中還出挾口環脣下交承漿却循頤後下廉出大迎循頰車上耳前過客主人循髮際至額顱故先頭重頰痛顏青也脾之脉支別者復從胃別上鬲注心中其直行者上鬲挾咽故煩心欲嘔而身熱也新校正云按甲乙經太素云脾熱病者先頭重顏痛無顏青二字也熱爭

則膂痛不可用俛仰腹滿泄兩頷痛胃之脉支別者起胃下口循腹裏下至氣街中而合以下髀氣街者腰之前故腰痛也脾之脉入腹屬脾絡胃又胃之脉自交承漿却循頤後下廉出大迎循頰車故腹滿泄而兩頷痛甲乙甚戊己大汗氣逆則甲乙死脾主土甲乙為木木伐土故甚死於甲乙也戊己為土故大汗於戊己氣逆之證經所未論刺足太陰陽明太陰脾脉陽明胃脉新校正云按甲乙經熱病下篇云病先頭重顔痛煩心身熱熱爭則腰痛不可用俛仰腹滿兩頷痛甚暴泄善飢而不欲食善噫熱中足清腹脹食不化善嘔泄有膿血苦嘔無所出先取三里後取太白章門

肺熱病者先淅然厥起毫毛惡風寒舌上黃身熱肺主皮膚外養於毛故熱中之則先淅然惡風寒起毫毛也肺之脉起於中焦下絡大腸還循胃口今肺熱入胃胃熱上升故舌上黃而身熱熱爭則喘欬痛走胷膺背不得大息頭痛不堪汗出而寒肺居鬲上氣主胷膺復在變動為欬又藏氣而主呼吸背復為胷中之府故喘欬痛走胷膺背不得大息也肺之絡脉上會耳中今熱氣上熏故頭痛不堪汗出而寒丙丁甚庚辛大汗氣逆則丙丁死肺主金丙丁為火火爍金故甚死於丙丁也庚辛為金故大汗於庚辛也氣逆之證經闕未書

刺手太陰陽明出血如大豆立已太陰肺脉陽明大腸脉當視其絡脉盛者乃刺而出之腎熱病者先腰痛骭痠苦渴數飲身熱膀胱之脉從肩髆内俠脊抵腰中又腰為腎之府故先腰痛也又腎之脉自循内踝之後上腨内出膕内廉又直行者從腎上貫肝鬲入肺中循喉嚨俠舌本故骭痠苦渴數飲身熱熱爭則項痛而強骭寒且痠足下熱不欲言膀胱之脉從腦出別下項又腎之脉起於小指之下斜趨足心出於然骨之下循内踝之後別入跟中以上骭内又其直行者從腎上貫肝鬲入肺中循喉嚨俠舌本故項痛而強骭寒且痠足下熱不欲言也新校正云按甲乙經然骨作然谷其逆則項痛員員澹澹然腎之筋循脊内俠膂上至項結于枕骨與膀胱之筋合膀胱之脉又並下于項故項痛員員然也澹澹為似欲不定也戊己甚壬癸大汗氣逆則戊己死腎主水戊己為土土刑水故甚死於戊己也壬癸為水故大汗於壬癸也刺足少陰太陽少陰腎脉太陽膀胱脉諸汗者至其所勝日汗出也氣王日為所勝王則勝邪故各當其王日汗肝熱病者左頰先赤肝氣合木木氣應春南面正理之則其左頰也心熱病者顏先赤心氣合火

火氣炎上指象明候故候於顔額也 脾熱病者鼻先赤 脾氣合土土王於中鼻處面中故占鼻也 肺熱病者右頰先赤 肺氣合金金氣應秋西面正理之則其右頰也 腎熱病者頤先赤 腎氣合水水惟潤下指象明候故候於頤也 病雖未發見赤色者刺之名曰治未病 聖人不治已病治未病不治已亂治未亂此之謂也 熱病從部所起者至期而已 期為大汗日也如肝甲乙心丙丁脾戊己肺庚辛腎壬癸是為期日也 其刺之反者三周而已 反謂反取其氣也如肝病刺脾脾病刺腎腎病刺心心病刺肺肺病刺肝者皆是反刺五藏之氣也三周謂三周於三陰三陽之脈狀也又太陽病而刺寫陽明陽明病而刺寫少陽少陽病而刺寫太陰太陰病而刺寫少陰少陰病而刺寫厥陰如此是為反取三陰三陽之脈氣也 重逆則死 先刺已反病氣流傳又反刺之是為重逆一逆刺之尚至三周乃已況其重逆而得生邪 諸當汗者至其所勝日汗大出也 王則勝邪故各當其王日汗 新校正云按此條文注二十四字與前文重複當從刪去甲乙經太素亦不重出 諸治熱病以飲之寒水乃刺之必寒衣之居止寒處身寒而止也 寒水在胃陽氣外盛故飲寒乃刺熱退則涼生

故身寒而止刺熱病先胷脇痛手足躁刺足少陽補足少陰此則舉正
取之例然足少陽木病而瀉足少陽之木氣補足太陰之土氣者恐木傳於土
也胷脇痛血虗主之血虗在足外踝下如前陷者中足少陽脈之所過也刺可
入同身寸之五分留七呼若灸者可灸三壯熱病手足〇新校正云詳足太陰全
躁經無所主治之自然補足太陰之脈當於井滎取之也〇元起本及太素作手太
陰楊上善云手太陰上屬肺從肺出腋下故胷脇痛又按靈樞經云熱病而胷
脇痛手足躁取之筋間以第四針索筋於肝不得於之於金金肺也以此決之
作手太陰者為是病甚者為五十九刺五十九刺者謂頭上五行行五者以越諸陽之熱逆也大杼膺俞缺盆背
俞此八者以瀉胷中之熱也氣衝三里巨虗上下廉此八者以瀉胃中之熱也
云門髃骨委中髓空此八者以瀉四支之熱也五藏俞傍五此十者以寫五藏
之熱也凡此五十九穴者皆熱之左右也故病甚則尔刺之然頭上五行者當
中行謂上星顖會前項百會後項次兩傍謂五處承光通天絡却玉枕又刺兩
傍謂臨泣目窻正營承靈腦空也上星在顱上直鼻中央入髮際同身寸之一寸陷
者中谷豆刺可入同身寸之四分〇新校正云按甲乙經四分作三分水熱穴
論注亦作三分詳此注下文云刺如上星法又云刺如顖会法既有二法則當
依甲乙經及水熱穴論注上星刺入三分顖会刺入四分顖会在上星後同身
寸之一寸陷者刺如上星法前頂在顖會後同身寸之一寸五分骨間陷者中
刺如顖会法百会在前頂後同身寸之一寸三分頂中央旋毛中陷容指督脉

足太陽脉之交会刺如上星法後頂在百会後後同身寸之一寸五分枕骨上刺如顱会法然是五者皆督脉氣之所發也上星留六呼若灸者並灸五壯次兩傍穴五処在上星兩傍同身寸之一寸五分承光在五処後同身寸之一寸通天在承光後同身寸之一寸五分絡却在通天後同身寸之一寸五分玉枕在絡却後同身寸之七分然是五者並足太陽脉氣所發刺可入同身寸之三分五処通天各留七呼絡却留五呼玉枕留三呼若灸者可灸三壯○新校正云按甲乙經承光不可灸玉枕刺入二分久次兩傍臨泣在頭直目上入髮際間身寸之五分足太陽少陽陽維三脉之會目窻正營遞相去同身寸之一寸承靈腦空遞相去同身寸之一寸五分然是五者並足少陽陽維二脉之會腦空一穴刺可入同身寸之四分餘並可刺入同身寸之三分臨泣留七呼若灸者可灸五壯大杼在項第一椎下兩傍相去各同身寸之一寸半陷者中督脉別絡足太陽手太陽三脉氣之會刺可入同身寸之三分留七呼若灸者可灸五壯○新校正云按甲乙經作七壯氣穴注作七壯刺瘧注熱穴注作五壯膺俞者膺中俞也正名中府在膺中行兩傍相去同身寸之六寸云門下一寸乳上三肋間動脉應手陷者中仰而取之手足太陰脉之会刺可入同身寸之三分留五呼若灸者可灸九壯缺盆在肩上横骨陷者中手陽明脉氣所發刺可入同身寸之三分留七呼若灸者可灸三壯背俞當是風門熱府在第二椎下兩傍各同身寸之一寸半督脉足太陽脉之會刺可入同身寸之五分留七呼若灸者可灸五壯驗今明堂中誥圖經不言背俞未詳果何處也○新校正云按王注水熱穴論以風門熱府為背俞又注氣穴論以大杼為背俞此注云亦未

詳三注不同蓋疑之也　氣街在腹臍下橫骨兩端鼠鼷上同身寸之一寸動
應手足陽明脉氣所發刺可入同身寸之三分留七呼若灸者可灸五壯三里
在膝下同身寸之三寸䯒外廉兩筋肉分間足陽明脉之所入也刺可入同身
寸之一寸留七呼若灸者可灸三壯巨虛上廉足陽明與大腸合在三里下同
身寸之三寸足陽明脉氣所發刺可入同身寸之八分若灸者可灸三壯巨虛
下廉足陽明與小腸合在上廉下同身寸之三寸足陽明脉氣所發刺可入同身寸
之三分若灸者可灸三壯雲門在巨骨下胷中行兩傍　新校正云按氣穴論
注胷中行兩傍作俠任脉傍橫去任脉又雖異穴之處所則同　相去同身寸
之六寸動脉應手中府當其下同身寸之一寸雲門手太陰脉氣所發舉臂取
之刺可入同身寸之七分若灸者可灸五壯驗今明堂中誥圖經不載髃骨穴
尋其穴以寫四支之熱恐是肩髃穴穴在肩端兩骨間手陽明蹻脉之會刺可入同身
寸之六分留六呼若灸者可灸三壯委中在足膝後屈處膕中央約文中動脉
新校正云詳委中穴與氣穴注骨空注刺瘧論注并此王氏四處注之彼三注
無足膝後屈處五字與此注異者非實有異蓋注有詳略爾　足太陽脉之所
入也刺可入同身寸之五分留七呼若灸者可灸三壯髓空者正名腰俞在脊
中第二十一椎節下間督脉氣所發刺可入同身寸之二分　新校正云按甲
乙經作二寸水熱穴論注亦作二寸氣府論注骨空論注作一分　留七呼若
灸者可灸三壯五藏俞傍五者謂魄戶神堂魂門意舍志室五穴也在俠脊兩
傍各相去同身寸之三寸並足太陽脉氣所發也魄戶在第三椎下兩傍正坐
取之刺可入同身寸之五分若灸者可灸五壯神堂在第五椎下兩傍刺可入

同身寸之三分若灸者可灸五壯魂門在第九椎下兩傍正坐取之刺可入同身寸之五分若灸者可灸三壯意舍在第十一椎下兩傍正坐取之刺可入同身寸之五分若灸者可灸三壯志室在第十四椎下兩傍正坐取之刺可入同身寸之五分若灸者可灸三壯是所謂此經之五十九刺法也若鍼經所指五十九刺則殊與此經不同雖俱治熱病之要穴然合用之理全向背猶當以病候形證所應經法即隨所證而刺之

熱病始手臂痛者刺手陽明太陰而汗出止手臂痛列缺主之列缺者手太陰之絡去腕上同身寸之一寸半別走陽明者也刺可入同身寸之三分留三呼若灸者可灸五壯欲出汗商陽主之商陽者手陽明脈之井在手大指次指內側去爪甲角如韭葉手陽明脈之所出也刺可入同身寸之一分留一呼若灸者可灸三壯

熱病始於頭首者刺項太陽而汗出止天柱主之天柱在俠項後髮際大筋外廉陷者中足太陽脈氣所發刺可入同身寸之二分留六呼若灸者可灸三壯

熱病始於足脛者刺足陽明而汗出止新校正云按此條素問本無太素亦無今按甲乙經添入

熱病先身重骨痛耳聾好瞑刺足少陰據經無正主穴當補寫井祭爾新校正云按靈樞經云熱病先身重骨痛耳聾而好瞑取之骨以第四鍼索骨於腎不得索之土土腎也

病甚為五十九刺法如古

熱病

先眩冒而熱胷脇滿刺足少陰少陽亦并榮也太陽之脉色榮顴骨熱病也榮飾也謂赤色見於顴骨如榮飾也顴骨謂目下當外眥也太陽合火故見色赤　新校正云按楊上善云赤色榮顴者骨熱病也與王氏之注不同　榮未交新校正云按甲乙經太素作榮未夭下文榮未交亦作夭曰今且得汗待時而已榮一爲營字之誤也曰者引古經法之端由也言色雖明盛但陰陽之氣不交錯者故法云今且得汗之而已待時者謂肝病待甲乙心病待丙丁脾病待戊己肺病待庚辛腎病待壬癸是謂待時而已所謂交者次如下句　與厥陰脉爭見者死期不過三日外見太陽之赤色内應厥陰之弦脉然太陽受病當傳入陽明今反厥陰之脉來見者是土敗而木賊之也故死然土氣已敗木復狂行木生數三故期不過三日　其熱病内連腎少陽之脉色也病或爲氣恐字誤也若赤色氣内連鼻兩傍者是少陽之脉色非厥陰色何者腎部近於鼻也新校正云詳或者欲改腎作鼻按甲乙經太素並作腎楊上善云太陽水也厥陰木也水以生木木盛水衰故太陽水色見時有木爭見者水死以其熱病内連於腎腎爲熱傷故死本並無少陽之脉色也六字乃王氏所添王注非當從上善之義　少陽之脉色榮頰前熱病也頰前即顴骨下近鼻兩傍也　新校正云按甲乙經太素前字

作筋揚上善云足少陽部在顴赤色榮之即知筋熱病也榮未交曰今且得汗待時而已與少陰脉爭見者死期不過三日少陽受病當傳入於太陰今反少陰脉來見亦土敗而木賊之也故死不過三日亦木之數然　新校正云詳或者欲改少陰作厥陰按甲乙經太素作少陰楊上善云少陽為木少陰為水少陽色見之時有少陰爭見者是毋勝子故木死王作此注亦非舊本及甲乙經太素並無期不過三日六字此是王氏成足此文也熱病氣穴三椎下間主胷中熱四椎下間主鬲中熱五椎下間主肝熱六椎下間主脾熱七椎下間主腎熱榮在骶也脊節之謂椎脊窮之謂骶言腎熱之氣外通尾骶也尋此文椎間所主神藏之熱又不正當其藏俞而云主療在理未詳項上三椎陷者中也此舉數脊椎大法也言三椎下間主胷中熱者何以數之言皆當以陷者中為氣發之所頰下逆顴為大瘕下牙車為腹滿顴後為脇痛頰上者鬲上也此所以候面部之色發明腹中之病診

評熱病論篇第三十三新校正云按全元起本在第五卷

黃帝問曰有病溫者汗出輒復熱而脈躁疾不爲汗衰狂言不能食病名爲何岐伯對曰病名陰陽交交者死也交謂交合陰陽之氣不分別也帝曰願聞其說岐伯曰人所以汗出者皆生於穀穀生於精言穀氣化爲精精氣勝乃爲汗今邪氣交爭於骨肉而得汗者是邪却而精勝也言初汗也精勝則當能食而不復熱復熱者邪氣也汗者精氣也今汗出而輒復熱者是邪勝也不能食者精無俾也無俾言無可使爲汗也穀不化則精不生精不化流故無可使病而留者其壽可立而傾也如是者若汗出疾速留著而不去則其人壽命立至傾危也　新校正云詳病而留者按王注病當作疾又按甲乙經作而熱留者且夫熱論曰汗出而脈尚躁盛者死熱論謂上古熱論也凡汗後脈當遲靜而反躁急以盛滿者是真氣竭而邪盛故知必死也今脈不與汗相

應此不勝其病也其死明矣脉不静而躁盛是不相應狂言者是失志失志者死志舍於精今精無可使是志無所居志不留居則失志也今見三死不見一生雖愈必死也汗出脉躁盛一死不勝其病二死狂言失志者三死也帝曰有病身熱汗出煩滿煩滿不爲汗解此爲何病岐伯曰汗出而身熱者風也汗出而煩滿不解者厥也病名曰風厥帝曰願卒聞之岐伯曰巨陽主氣故先受邪少陰與其爲表裏也得熱則上從之從之則厥也上從之謂少陰隨從於太陽而上也帝曰治之柰何岐伯曰表裏刺之飲之服湯謂寫太陽補少陰也飲之湯者謂止逆上之腎氣也帝曰勞風爲病何如岐伯曰勞風法在肺下從勞風生故曰勞風勞謂腎勞也腎脉者從腎上貫肝鬲入肺中故腎勞風生上居肺下也其爲病也使人強上冥視新校正云按楊上善云強上好

仰也冥視謂台眼視不明也唾出若涕惡風而振寒此為勞風
又千金方冥視作目眩
之病膀胱脉起於目内眥上頞交巔上入絡腦還出別下項循肩髆内俠脊
抵腎中入循膂絡腎今腎精不足外吸膀胱膀胱氣不能上營故使
人頭項強而視不明也肺被風薄勞氣上熏故令唾出若
鼻涕狀腎氣不足陽氣内攻勞熱相合故惡風而振寒帝曰治之柰
何岐伯曰以救俛仰俛止也俛仰謂屈伸也言止
屈伸故動作不使勞氣徹蔓巨陽引精者
三日中年者五日不精者七日新校正云按甲乙經作三日中
若五日千金方作矣之三日
及五日中不精明
者是也与此不同欬出青黄涕其狀如膿大如彈丸從口
中若鼻中出不出則傷肺傷肺則死也巨陽者膀胱之脉也
膀胱与腎為表裏
故巨陽引精也巨大也然太陽之脉吸引精氣上攻於肺者三日中年者五日
素不以精氣用事也七日當欬出稠涕其色青黄如膿狀平調欬者從咽而上
出於口暴卒欬者氣衝突於蓄門而出於鼻夫如是者皆腎氣勞竭肺氣内虛
陽氣奔迫之所為故不出則傷肺也肺傷則榮衛散解魄不内治故死○新校
正云按王氏云卒暴欬者氣衝突於蓄門而出於鼻按難經云衝門无蓄門之
名疑是賁門楊操云賁者鬲也胃氣之所出胃出穀氣以傳於肺肺在鬲上故

胃為賁門

帝曰有病腎風者面胕痝然壅害於言可刺不痝然腫起貌壅謂目下如臥蠶形也腎之脉從腎上貫肝鬲入肺中循喉嚨俠舌本故妨害於言語○痝莫江反岐伯曰虛不當刺不當刺而刺後五日其氣必至至謂病氣來至也然謂藏配一日而五日至腎夫腎已不足風內薄之謂腫為實以針大泄反傷藏氣真氣不足不可復故刺後五日其氣必至也帝曰其至何如岐伯曰至必少氣時熱時熱從胷背上至頭汗出手熱口乾苦渴小便黃目下腫腹中鳴身重難以行月事不來煩而不能食不能正偃正偃則欬病名曰風水論在刺法中帝曰願聞其說岐伯曰邪之所湊其氣必虛陰虛者陽必湊之故少氣時熱而汗出也小便黃者少腹中有熱也不能正偃者胃中不和也正偃則欬甚上迫肺也

諸有水氣者微腫先見於目下也帝曰何以言岐伯曰水者陰也目下亦陰也腹者至陰之所居故水在腹者必使目下腫也眞氣上逆故口苦舌乾臥不得正偃正偃則欬出清水也諸水病者故不得臥臥則驚驚則欬甚也腹中鳴者病本於胃也薄脾則煩不能食食不下者胃脘隔也身重難以行者胃脉在足也月事不來者胞脉閉也胞脉者屬心而絡於胞中今氣上迫肺心氣不得下通故月事不來也考上文所釋之義未解熱從胸背上至頭汗出手熱口乾苦渴之義應古論簡脫而此差謬之爾如是者何腎少陰之脉從腎上貫肝鬲入肺中循喉嚨俠舌本又膀胱太陽之脉從目內眥上顱交巔上其支者從巔至耳上角其直者從巔入絡腦還出別下項循肩髆內俠脊抵腰中入循膂今陰不足而陽有餘故熱從胸背上至頭而汗出口乾苦渴

也然心者陽藏也其脉行於臂手腎者陰藏也其脉循於胷足腎不足則心氣有餘故手熱矣又以心腎之脉俱是少陰脉也 帝曰善

逆調論篇第三十四 新校正云按全元起本在第四卷

黄帝問曰人身非常温也非常熱也為之熱而煩滿者何也 異於常候故曰非常 新校正云按甲乙經無為之熱三字 岐伯對曰陰氣少而陽氣勝故熱而煩滿也帝曰人身非衣寒也中非有寒氣也寒從中生者何 言不知誰為元主邪 岐伯曰是人多痺氣也陽氣少陰氣多故身寒如從水中出 言自由形氣陰陽之為是非衣寒而中有寒也 帝曰人有四支熱逢風寒如炙如火者何也 新校正云按全元起本無如火二字太素云如炙於火當從太素之文 岐伯曰是人者陰氣虛陽氣盛四支者陽也兩陽相得而陰氣虛少少水不能滅盛火而陽獨

治獨治者不能生長也獨勝而止耳水為陰火為陽今陽氣有餘陰氣不足故云少水不能滅盛火也治者王也勝者盛也故云獨勝而止逢風而如炙如火者是人當肉爍也爍言消也言久久此人當肉消削也新校正云詳如炙如火當從太素作如炙於火帝曰人有身寒湯火不能熱厚衣不能溫然不凍慄是為何病岐伯曰是人者素腎氣勝以水為事太陽氣衰腎脂枯不長一水不能勝兩火腎者水也而生於骨腎不生則髓不能滿故寒甚至骨也以水為事言盛欲也所以不能凍慄者肝一陽也心二陽也腎孤藏也一水不能勝二火故不能凍慄病名曰骨痺是人當攣節也腎不生則髓不滿髓不滿則筋乾縮故節攣拘帝曰人之肉苛者雖近衣絮猶尚苛也是謂何疾苛謂㾬重岐伯曰

榮氣虛衛氣實也榮氣虛則不仁衛氣虛則不用榮衛俱虛則不仁且不用肉如故也人身與志不相有曰死身用志不應志為身不親兩者似不相有也新校正云按甲乙經曰死作三十日死也帝曰人有逆氣不得卧而息有音者有不得卧而息無音者有起居如故而息有音者有得卧行而喘者有不能行而喘者有不得卧卧而喘者皆何藏使然願聞其故岐伯曰不得卧而息有音者是陽明之逆也足三陽者下行今逆而上行故息有音也陽明者胃脉也胃者六府之海水穀海也其氣亦下行陽明逆不得從其道故不得卧也下經曰胃不和則卧不安此之謂也下經上古經也

夫起居如故而息有音者此肺之絡脉逆也絡脉不得隨經上下故留經而不行絡脉之病人也微故起居如故而息有音也夫不得卧卧則喘者是水氣之客也夫水者循津液而流也腎者水藏主津液主卧與喘也帝曰善尋經所解之旨不得卧而息無音有得卧行而喘有不得卧不能行而喘此三義悉闕而未論亦古之脱簡也

重廣補注黄帝内經素問卷第九

熱論 譫之閻切多言也 怫音弗 刺熱論 頷胡感切 洒淅上先禮切下先曆切 痠音酸 骸音亥 跟音根 評熱病論 胕痝下莫江切 髆音傅 逆調論 苛胡歌切

內經大

三

重廣補注黃帝內經素問卷第十

啓玄子次注林億孫奇高保衡等奉敕校正孫兆重改誤

瘧論　刺瘧篇

氣厥論　欬論

瘧論篇第三十五新校正云按全元起本在第五卷

黃帝問曰夫痎瘧皆生於風其蓄作有時者何也痎猶老也亦瘦也　新校正云按甲乙經云夫瘧疾皆生於風其以日作以時發何也與此文異太素同今文楊上善云痎有云二日一發名痎瘧此經但夏傷于暑至秋爲病或云痎瘧或但云瘧不必以日發間日以定痎也但應四時其形有異以爲痎爾岐伯對曰瘧之始發也先起於毫毛伸欠乃作寒慄鼓頷慄謂戰慄鼓謂振動腰脊俱痛寒去則內外皆熱頭痛如破渴欲冷飲帝曰何氣

使然願聞其道岐伯曰陰陽上下交爭虛實更作陰陽相移也陽氣者下行極而上陰氣者自上行極而下故曰陰陽上下交爭也陽虛則外寒陰虛則內熱陽盛則外熱陰盛則內寒由此寒去熱生則虛實更作陰陽之氣相移易也陽并於陰則陰實而陽虛陽明虛則寒慄鼓頷也陽并於陰言陽氣入於陰分也陽明胃脉也胃之脉自交承漿却分行循頤後下廉出大迎其支別者從大迎前下人迎故氣不足則惡寒戰慄而頤頷振動也巨陽虛則腰背頭項痛巨陽者膀胱脉其脉從頭別下項循肩髆內俠脊抵腰中故氣不足則腰背頭項痛也三陽俱虛則陰氣勝陰氣勝則骨寒而痛寒生於內故中外皆寒陽盛則外熱陰虛則內熱外內皆熱則喘而渴故欲冷飲也熱傷氣故內外皆熱則喘而渴此皆得之夏傷於暑熱氣盛藏於皮膚之內腸胃之外此榮氣之所舍也腸胃之外榮氣所主故云榮氣所舍也舍猶居也此令人汗空踈新校正云按全元起本作汗出

（空踈甲乙經太素同）腠理開因得秋氣汗出遇風及得之以浴水氣舍於皮膚之内與衛氣并居衛氣者晝日行於陽夜行於陰此氣得陽而外出得陰而内薄内外相薄是以日作（作發作也）帝曰其間日而作者何也（間日謂隔日也）岐伯曰其氣之舍深内薄於陰陽氣獨發陰邪内著陰與陽爭不得出是以間日而作也（不與衛氣相逢會故隔日發也）帝曰善其作日晏與其日早者何氣使然（晏猶日暮也）岐伯曰邪氣客於風府循膂而下（風府穴名在項上入髮際同身寸之二寸大筋内宛宛中也膂謂脊兩傍）衛氣一日一夜大會於風府其明日日下一節故其作也晏此先客於脊背也每至於風府則腠理開腠理開則邪氣

入邪氣入則病作以此日作稍益晏也節謂脊骨之節然邪氣遠則逢會遲故發暮也其出於風府日下一節二十五日下至骶骨二十六日入於脊内注於伏膂之脉項已下至尾骶凡二十四節故日下一節二十五日下至骶骨二十六日入於脊内注於伏膂之脉也伏膂之脉者謂膂筋之間腎脉之伏行者也腎之脉循股内後廉貫脊屬腎其直行者從腎上貫肝鬲入肺中以其貫脊又不正應行完但循膂伏行故謂之伏膂脉○新校正云按全元起本二十五日作二十一日二十六日作二十一日甲乙經太素並同伏膂之脉甲乙經作大衝之脉巢元方作伏衝其氣上九日出於缺盆之中其氣日高故作日益早也以腎脉貫脊屬腎上入肺中肺者缺盆為之道其氣之行速故其氣上行九日出於缺盆之中其間日發者由邪内薄於五藏橫連募原也其道遠其氣深其行遲不能與衛氣俱行不得皆出故間日乃作也募原謂鬲募之原系○新校正云按全元起本募作膜太素巢元方並同舉痛論亦作膜原帝曰夫子言衛氣每

至於風府腠理乃發發則邪氣入入則病作今衛氣日下一節其氣之發也不當風府其日作者柰何岐伯曰新校正云按全元起本及甲乙經太素自此邪氣客於頭項至下則病作故八十八字並無此邪氣客於頭項循膂而下者也故虛實不同邪中異所則不得當其風府也故邪中於頭項者氣至頭項而病中於背者氣至背而病中於腰脊者氣至腰脊而病中於手足者氣至手足而病故下篇各以居邪之所而刺之衛氣之所在與邪氣相合則病作故風無常府衛氣之所發必開其腠理邪氣之所合則其府也虛實不同邪中異所衛邪相合病則發焉不必悉當風府而發作也　新校正云按甲乙經巢元方則其府也作其病作帝曰善夫風之與瘧也相似同類而風獨

常在瘧得有時而休者何也風瘧皆有盛衰故云相似同類岐伯曰風氣留其處故常在瘧氣隨經絡沈以內薄新校正云按甲乙經作次以內傳故衛氣應乃作留謂留止隨謂隨從帝曰瘧先寒而後熱者何也岐伯曰夏傷於大暑其汗大出腠理開發因遇夏氣淒滄之水寒新校正云按甲乙經太素水寒作小寒迫之藏於腠理皮膚之中秋傷於風則病成矣暑為陽氣中風者陽氣受邪故秋傷於風則病成矣夫寒者陰氣也風者陽氣也先傷於寒而後傷於風故先寒而後熱也病以時作名曰寒瘧露形力冒則風寒傷之帝曰先熱而後寒者何也岐伯曰此先傷於風而後傷於寒故先熱而後寒也亦以時作名曰溫瘧以其先熱故謂之溫其但熱而不寒者陰氣先絕陽氣

獨發則少氣煩寃手足熱而欲嘔名曰癉瘧癉熱也極熱爲之也

帝曰夫經言有餘者寫之不足者補之今熱爲有餘寒爲不足夫瘧者之寒湯火不能溫也及其熱冰水不能寒也此皆有餘不足之類當此之時良工不能止必須其自衰乃刺之其故何也願聞其說言何暇不早使其盛極而自止乎

岐伯曰經言無刺熇熇之熱新校正云按全元起本及太素熱作氣無刺渾渾之脉無刺漉漉之汗故爲其病逆未可治也熇熇盛熱也渾渾言無端緒也漉漉言汗大出也

夫瘧之始發也陽氣并於陰當是之時陽虛而陰盛外無氣故先寒慄也陰氣逆極則復出之陽陽與陰復并於外則陰虛而陽實故先熱而渴陰盛則胃

寒故先寒戰慄陽盛則胃熱故先熱欲飲也夫瘧氣者并於陽則陽勝并於陰則陰勝陰勝則寒陽勝則熱瘧者風寒之氣不常也病極則復復謂復舊也言其氣發至極還復如舊至新校正云按甲乙經作瘧者風寒之暴氣不常病極則復至全元起本及太素作瘧風寒氣也不常病極則復至至字連上句與王氏之意異病之發也如火之熱如風雨不可當也以其盛熾故不可當也故經言曰方其盛時必毀新校正云按太素云勿敢必毀因其衰也事必大昌此之謂也方正也正盛寫之或傷真氣故必毀病氣衰已補其經氣則邪氣弱退正氣安平故必大昌也夫瘧之未發也陰未并陽陽未并陰因而調之真氣得安邪氣乃亡所寫必中所補必當故真氣得安邪氣乃亡也故工不能治其已發為其氣逆也真氣浸息邪氣大行真不勝邪是為逆也帝曰善攻之柰何早晏何如岐伯曰瘧之且發也陰陽之且移也必從四

未始也陽已傷陰從之故先其時堅束其處令邪氣不得入陰氣不得出審候見之在孫絡盛堅而血者皆取之此真往而未得并者也言牢縛四支令氣各在其處則邪所居處必自見之既見之則刺出其血爾往猶去也　新校正云按甲乙經真往作其往太素作直往　帝曰瘧不發其應何如岐伯曰瘧氣者必更盛更虛當氣之所在也病在陽則熱而脉躁在陰則寒而脉靜陰靜陽躁故脉亦隨之　極則陰陽俱衰衛氣相離故病得休衛氣集則復病也相薄至極物極則反故極則陰陽俱衰　帝曰時有間二日或至數日發或渴或不渴其故何也岐伯曰其間日者邪氣與衛氣客於六府而有時相失不能相得故休數日乃作也氣不相會故數日不能發也　瘧者陰陽更勝

也或甚或不甚故或渴或不渴陽勝陰甚則渴陽勝陰不甚則不渴也勝謂強盛於彼之氣也帝曰論言夏傷於暑秋必病瘧新校正云按生氣通天論并陰陽應象大論二論俱云夏傷於暑秋必痎瘧今瘧不必應者何也言不必皆然岐伯曰此應四時者也其病異形者反四時也其以秋病者寒甚秋氣清涼陽氣下降熱藏肌肉故寒甚也以冬病者寒不甚冬氣嚴冽陽氣伏藏不與寒爭故寒不甚以春病者惡風春氣溫和陽氣外泄內腠開發故惡於風以夏病者多汗夏氣暑熱津液充盈外泄皮膚故多汗也帝曰夫病溫瘧與寒瘧而皆安舍舍於何藏安何也舍居止也藏謂五神藏也岐伯曰溫瘧者得之冬中於風寒氣藏於骨髓之中至春則陽氣大發邪氣不能自出因遇大暑腦髓爍肌肉消腠理發泄或有所用力邪氣與汗皆出此病藏於腎其氣

先從内出之於外也[腎主於冬冬主骨髓腦爲髓海上下相應厥熱上熏故腦髓銷爍銷爍則熱氣外薄故肌肉減削而病藏於腎也]如是者陰虛而陽盛陽盛則熱矣[陰虛謂腎藏氣虛陽盛謂膀胱太陽氣盛]衰則氣復反入入則陽虛陽虛則寒矣故先熱而後寒名曰温瘧[衰謂病衰退也復反入謂入腎陰脉中]帝曰癉瘧何如岐伯曰癉瘧者肺素有熱氣盛於身厥逆上衝中氣實而不外泄因有所用力腠理開風寒舍於皮膚之内分肉之間而發發則陽氣盛陽氣盛而不衰則病矣其氣不及於陰[新校正云按全元起本及太素作不反之陰巢元方作不及之陰]故但熱而不寒氣内藏於心而外舍於分肉之間令人消爍脱肉故命曰癉瘧帝曰善

刺瘧篇第三十六

新校正云按全元起本在第六卷

足太陽之瘧令人腰痛頭重寒從背起足太陽脉從巔入絡腦還出别下項循肩髆内俠脊抵腰中其支别者從髆内左右别下貫胂過髀樞故令腰痛頭重寒從背起 新校正云按三部九候論注貫胂作貫臀刺腰痛注亦作貫臀甲乙經作貫胂先寒後熱熇熇暍暍然熇熇甚熱狀暍暍亦熱盛也太陽不足故先寒寒極則生熱故後熱也熱止汗出難已熱生是爲氣虛熱止則爲氣復氣復而汗反出此爲邪氣盛而真不勝故難已 新校正云按全元起本并甲乙經太素巢元方並作先寒後熱渴渴止汗出與此文異刺郄中出血太陽之郄是謂金門金門在足外踝下一名曰關梁陽維所别屬也刺可入同身寸之三分若灸者可灸三壯黄帝中誥圖經云委中主之則古法以委中爲郄中也委中在膕中央約文中動脉足太陽脉之所入也刺可入同身寸之五分留七呼若灸者可灸三壯 新校正云詳刺郄中甲乙經作膕中今王氏兩注之當以膕中爲正

足少陽之瘧令人身體解㑊身體解㑊次如下句寒不甚熱不甚陽氣未盛故令其然惡見人見人心惕惕然膽與肝合肝虛則恐邪薄其氣故惡見人見人心惕惕然也熱多汗出甚邪盛則熱多中風故汗出

刺足少陽俠谿主之俠谿在足小指次指歧骨間本節前陷者中少陽之榮刺可入同身寸之三分留三呼若灸者可灸三壯足陽明之瘧令人先寒洒淅洒淅寒甚久乃熱熱去汗出喜見日月光火氣乃快然陽虛則外先寒陽虛極則復盛故寒甚久乃熱也熱去汗已全又內強陽不勝陰故喜見日月光火氣乃快然也刺足陽明跗上衝陽穴也在足跗上同身寸之五寸骨間動脈上去陷谷同身寸之三寸陽明之原刺可入同身寸之三分留十呼若灸者可灸三壯足太陰之瘧令人不樂好大息心氣流於肺則喜今脾藏受病心母救之火氣下入於脾不上行於肺又太陰脈支別者復從胃上鬲注心中故令人不樂好大息也不嗜食多寒熱汗出脾主化穀營助四傍今邪薄之諸藏元氣衰土寄四季王則邪氣交爭故不嗜食多寒熱而汗出　新校正云按甲乙經云多寒少熱病至則善嘔嘔已乃衰足太陰脈入腹屬脾絡胃上鬲俠咽故病氣來至則嘔嘔已乃衰退也即取之待病衰去即而取之其言衰即取之井俞及公孫也公孫在足大指本節後同身寸之一寸太陰絡也刺可入同身寸之四分留七呼若灸者可灸三壯足少陰之瘧令人嘔吐甚多寒熱熱多寒少足少陰脈貫肝鬲入肺中循喉

隴故嘔吐甚多寒熱也腎爲陰藏陰氣生寒今陰氣不足故熱多寒少　新校正云按甲乙經云嘔吐甚多寒少熱欲閉戶牖而處其病難已胃陽明脉病欲獨閉戶牖而處今謂胃土病證反見腎水之中土刑於水故其病難已也太鍾太谿悉主之太鍾在足内踝後街中少陰絡也刺可入同身寸之二分留七呼若灸者可灸三壯太谿在足内踝後跟骨上動脉陷者中少陰俞也刺可入同身寸之三分留七呼若灸者可灸三壯也　新校正云按甲乙經云其病難已取太谿又按太鍾穴甲乙經作跟後衝中刺腰痛篇注作跟後街中動脉水穴注云在内踝後此注云内踝後街中諸注不同當以甲乙經爲正足厥陰之瘧令人腰痛少腹滿小便不利如癃狀非癃也數便意恐懼氣不足腹中悒悒足厥陰脉循股陰入髦中環陰器抵少腹故病如是癃謂不得小便也悒悒不暢之貌　新校正云按甲乙經數便意三字作數噫二字刺足厥陰太衝主之在足大指本節後同身寸之二寸陷者中厥陰俞也刺可入同身寸之三分留十呼若灸者可灸三壯也　新校正云按刺腰痛篇注云在本節後内間動脉應手肺瘧者令人心寒寒甚熱熱間善驚如有所見者刺手太陰陽明列缺主之列缺在手腕後同身寸之一寸半手太陰絡也刺可入同身寸之三分留三呼若灸者可灸五壯陽明穴合谷主之

（合谷在手大指次指岐骨間手陽明脉之所過也刺可入同身寸之三分留六呼若灸者可灸三壯）心瘧者令人煩心甚欲得清水反寒多不甚熱刺手少陰（神門主之神門在掌後銳骨之端陷者中手少陰俞也刺可入同身寸之三分留七呼若灸者可灸三壯　新校正云按太素云欲得清水及寒多寒不甚熱甚也）肝瘧者令人色蒼蒼然太息其狀若死者刺足厥陰見血（中封主之中封在足内踝前同身寸之一寸半陷者中仰足而取之伸足乃得之足厥陰經也刺出血止常刺者可入同身寸之四分留七呼若灸者可灸三壯）脾瘧者令人寒腹中痛熱則腸中鳴鳴已汗出刺足太陰（商丘主之商丘在足内踝下微前陷者中足太陰經也刺可入同身寸之三分留七呼若灸者可灸三壯）腎瘧者令人洒洒然腰脊痛宛轉大便難目眴眴然手足寒刺足太陽少陰（太鍾主之取如前足少陰瘧中法）胃瘧者令人且病也善飢而不能食食而支滿腹大（胃熱脾虛故善飢而不能食食而支滿腹大也是以下文兼刺太陰　新校正云按太素且病作疸病）刺足陽

明太陰橫脉出血厲兌解谿三里主之厲兌在足太指次指之端去爪甲如韭葉陽明井也刺可入同身寸之一分留一呼若灸者可灸一壯解谿在衝陽後同身寸之三寸半腕上陷者中陽明經也刺可入同身寸之五分留五呼若灸者可灸三壯三里在膝下同身寸之三寸䯒骨外廉兩筋肉分間陽明合也刺可入同身寸之一寸留七呼若灸者可灸三壯然足陽明取此三穴足太陰刺其橫脉出血也橫脉謂足內踝前斜過大脉則太陰之經脉也　新校正云詳解谿在衝陽後三寸半按甲乙經一寸半氣穴論注二寸半瘧發身方熱刺跗上動脉則陽明之脉也開其空出其血立寒陽明之脉多血多氣熱盛氣壯故出其血而立可寒也瘧方欲寒刺手陽明太陰足陽明太陰亦謂開穴而出其血也當隨井俞而刺之也瘧脉滿大急刺背俞用中鍼傍伍胠俞各一適肥瘦出其血也瘦者淺刺少出血肥者深刺多出血背俞謂大杼五胠俞謂譩譆瘧脉小實急灸脛少陰刺指井灸脛少陰是謂復溜復溜在內踝上同身寸之二寸陷者中足少陰經也刺可入同身寸之三分留三呼若灸者可灸五壯刺指井謂刺至陰至陰在足小指外側去爪甲角如韭葉足太陽井也刺可入同身寸之一分留五呼若灸者可灸三壯瘧脉滿大急

刺背俞用五胠俞背俞各一適行至於血也謂調適其血之度深淺循三備法而行鍼令至於血脉也背俞謂大杼五胠俞謂譩譆主之、新校正云詳此條從瘧脉滿大至此注終文注共五十五字當從删削經文與次前經文重復王氏隨而注之別無義例不若上文之精審不復出也瘧脉緩大虛便宜用藥不宜用鍼緩者中風大爲氣實虛者血虛血虛氣實風又攻之故宜藥治以遣其邪不宜鍼寫而出血也凡治瘧先發如食頃乃可以治過之則失時也先其發時眞邪異居波隴不起故可治過時則眞邪相合攻之則反傷眞氣故曰失時新校正云詳從前瘧脉滿大至此全元起本在第四卷中王氏移續於此也諸瘧而脉不見刺十指間出血血去必已先視身之赤如小豆者盡取之十二瘧者其發各不同時察其病形以知其何脉之病也隨其形證而病脉可知先其發時如食頃而刺之一刺則衰二刺則知三刺則已不已刺舌下兩脉出血釋具下文不已刺郄中盛經出血又刺項已下俠脊者必已並足太陽之脉氣也郄中則委中也俠脊者謂大杼風門熱府穴也大杼在項第一椎下兩傍相去各同身寸之二寸半陷者中刺可入同身寸之三分留七呼若灸者可灸五壯風門熱府在第二椎下兩傍各同身寸之一寸半刺可入同身寸之五分留七呼若灸者可灸五壯　新校正云詳大杼穴灸五壯按甲乙經作七壯氣穴論注作七壯刺熱論及熱穴注並作五壯舌下兩脉者廉泉也廉泉穴名在頷下結喉上舌本下陰維任脉之會刺可入同身寸之三分留三呼若灸者可灸三壯刺瘧者必先問其病之所先發者先刺之先頭痛及重者先刺頭上及兩額兩眉間出血頭上謂上星百會兩額謂懸顱兩眉間謂攢竹等穴也先項背痛者先刺之項風池風府主之背大杼神道主之先腰脊痛者先刺郄中出血先手臂痛者先刺手少陰陽明十指間新校正云按別本作手陰陽全本亦作下陰陽先足脛痠痛者先刺足陽明十指間出血各以邪居之所而寫之風瘧瘧發則汗出惡風刺三陽經背俞

之血者[三陽太陽也　新校正云按甲乙經云足三陽]䯒痠痛甚按之不可名曰胕髓病以鑱鍼絶骨出血立已[陽輔穴也取如氣穴論中府俞法]身體小痛刺至陰[新校正云按甲乙經無至陰二字]諸陰之井無出血間日一刺[諸井皆在指端足少陰井在足心宛宛中]瘧不渴間日而作刺足太陽[新校正云按九卷云足陽明太素同]渴而間日作刺足少陽[新校正云按九卷云手少陽太素同]溫瘧汗不出爲五十九刺[自胃瘧下至此并黄帝中誥圖經所主或有不與此文同應古之別法也]

氣厥論篇第三十七[新校正云按全元起本在第九卷與厥論相併]

黄帝問曰五藏六府寒熱相移者何岐伯曰腎移寒於肝癰腫少氣[肝藏血然寒入則陽氣不散陽氣不散則血聚氣澀故爲癰腫又爲少氣也　新校正云按全元起本云腎移寒於脾元起注云腎傷於寒而傳於脾脾主肉寒生於肉則結爲堅堅化爲膿故爲癰也血傷氣少故曰少氣甲乙經亦作移寒於脾王因誤本遂解爲肝亦

智者之一失也脾移寒於肝癰腫筋攣脾藏主肉肝藏主筋肉温則筋舒肉冷則筋急故筋攣也肉寒則衞
氣結聚故爲癰腫肝移寒於心狂隔中心爲陽藏神處其中寒薄之則神亂離故狂也陽氣與寒相薄故隔塞而中不
通也心移寒於肺肺消肺消者飲一溲二死不治心爲陽藏反受諸寒寒氣不消
乃移於肺寒隨心火內鑠金精金受火邪故中消也然肺藏消鑠氣無所持故令飲一而溲二也金火相賊故死不能治肺移寒於腎
爲涌水涌水者按腹不堅水氣客於大腸疾行則鳴濯
濯如囊裹漿水之病也肺藏氣腎主水夫肺寒入腎腎氣有餘腎氣有餘則上奔於肺故云涌水也大腸爲肺之
府然肺腎俱爲寒薄上下皆無所之故水氣客於大腸也腎受凝寒不能化液大腸積水而不流通故其疾行則腸鳴而濯濯有聲如囊裹漿而爲水病也
新校正云按甲乙經水之病也作治主肺者脾移熱於肝則爲驚衄肝藏血又主驚故熱薄之則驚而鼻中血
出肝移熱於心則死兩陽和合火木相燔故肝熱入心則當死也陰陽別論曰肝之心謂之生陽生陽之屬不過四日而死
新校正云按陰陽別論之文義與此殊王氏不當引彼誤文附會此義心移熱於肺傳爲鬲消心肺兩間中有

鍼鬲膜鬲膜下際内連於横鬲膜故心熱入肺久久傳化内爲鬲熱消渴而多飲也肺移熱於腎傳爲柔痓柔謂筋柔而無力痓謂骨痓而不隨氣骨皆熱髓不内充故骨痓強而不舉筋柔緩而無力也腎移熱於脾傳爲虛腸澼死不可治脾土制水腎反移熱以與之是脾土不能制水而受病故久久傳爲虛損也腸澼死者腎主下焦象水而冷今乃移熱是精氣内消下焦無主以守持故腸澼除而氣不禁止胞移熱於膀胱則癃溺血膀胱爲津液之府胞爲受納之司故熱入膀胱胞中外熱陰絡内溢故不得小便而溺血也正理論曰熱在下焦則溺血此之謂也膀胱移熱於小腸鬲腸不便上爲口糜小腸脉絡心循咽下隔抵胃屬小腸故受熱以下令腸隔塞而不便上則口生瘡而糜爛也糜謂爛也小腸移熱於大腸爲虙瘕爲沉小腸熱已移入大腸兩熱相薄則血溢而爲伏瘕也血澀不利則月事沉滯而不行故云爲虙瘕爲沉也虙與伏同瘕一爲疝傳寫誤也大腸移熱於胃善食而瘦入謂之食亦胃爲水穀之海其氣外養肌肉熱消水穀又鑠肌肉故善食而瘦入也食亦者謂食入移易而過不生肌膚也亦易也　新校正云按甲乙經入作又王氏注云善食而瘦入也殊爲無義不若甲乙經作又讀連下文胃移熱於膽亦曰食亦義同上

膽移熱於腦則辛頞鼻淵鼻淵者濁涕下不止也腦液下滲則爲濁涕涕下不止如彼水泉故曰鼻淵也頞謂鼻頞也足太陽脉起於目內眥上額交巔上入絡腦足陽明脉起於鼻交頞中傍約太陽之脉今腦熱則足太陽逆與陽明之脉俱盛薄於頞中故鼻頞辛也辛謂酸痛故下文曰傳爲衄衊瞑目以足陽明脉交頞中傍約太陽之脉故耳熱盛則陽絡溢陽絡溢則衄出汗血也衊謂汗血也血出甚陽明太陽脉衰不能榮養於目故瞑瞑暗也故得之氣厥也厥者氣逆也皆由氣逆而得之

欬論篇第三十八新校正云按全元起本在第九卷

黃帝問曰肺之令人欬何也岐伯對曰五藏六府皆令人欬非獨肺也帝曰願聞其狀岐伯曰皮毛者肺之合也皮毛先受邪氣邪氣以從其合也邪謂寒氣其寒飲食入胃從肺脉上至於肺則肺寒肺寒則外內合邪

因而客之則爲肺欬【肺脈起于中焦下絡大腸還循胃口上鬲屬肺故云從肺脈上至于肺也】五藏各以其時受病非其時各傳以與之【時謂王月也非王日則不受邪故各傳以与之】人與天地相參故五藏各以治時感於寒則受病微則爲欬甚者爲泄爲痛【寒氣微則外應皮毛内通肺故欬寒氣甚則入于内内裂則痛入于腸胃則泄痢】乘秋則肺先受邪乘春則肝先受之乘夏則心先受之乘至陰則脾先受之乘冬則腎先受之【以當用事之時故先受邪氣 新校正云按全元起本及太素无乘秋則三字疑此文誤多也】帝曰何以異之【欲明其證也】岐伯曰肺欬之狀欬而喘息有音甚則唾血【肺藏氣而應息故欬則喘息而喉中有声甚則肺絡逆故唾血也】心欬之狀欬則心痛喉中介介如梗狀甚則咽腫喉痺【手心主脈起于胷中出屬心包少陰之脈起于心中出屬心系其支別者從心系上俠咽喉故病如是 新校正云按甲乙經介介如梗狀作喝喝又少陰之脈上俠咽不言俠喉】肝欬

之狀欬則兩胠下痛甚則不可以轉轉則兩胠下滿足厥陰脉上貫鬲布脇肋循喉嚨之后故如是胠亦脇也脾欬之狀欬則右脇下痛陰陰引肩背甚則不可以動動則欬劇足太陰脉上貫鬲俠咽其支別者復從胃別上鬲故病如是也脾氣連肺故痛引肩背也脾氣主右故右胠下脉脉然深慢痛也腎欬之狀欬則腰背相引而痛甚則欬涎足少陰脉上股內后廉貫脊屬腎絡膀胱其直行者從腎上貫肝鬲入肺中循喉嚨俠舌本又旁光脉從肩髆內別下俠脊抵腰中入循膂絡腎故病如是帝曰六府之欬柰何安所受病歧伯曰五藏之久欬乃移於六府脾欬不已則胃受之胃欬之狀欬而嘔嘔甚則長蟲出脾與胃合又胃之脉循喉嚨入缺盆下鬲屬胃絡脾故脾欬不已胃受之也胃寒則嘔嘔甚則腸氣逆上故蚘出肝欬不已則膽受之膽欬之狀欬嘔膽汁肝與膽合又膽之脉從缺盆以下胸中貫鬲絡肝故肝欬不已膽受之也十氣好逆故嘔溫苦汁也肺欬不已則大腸受

之大腸欬狀欬而遺失肺與大腸合又大腸脈入缺盆絡肺故肺欬不已大腸受之大腸為傳送之府故寒入則氣不禁焉　新校正云按甲乙經遺失作遺矢心欬不已則小腸受之小腸欬狀欬而失氣氣與欬俱失心與小腸合又小腸脈入缺盆絡心故心欬不已小腸受之小腸寒盛氣入大腸欬則小腸氣下奔故失氣也腎欬不已則膀胱受之膀胱欬狀欬而遺溺腎與膀胱合又膀胱脈從肩髆內俠脊抵腰中入循膂絡腎屬膀胱故腎欬不已膀胱受之膀胱為津液之府是故遺溺久欬不已則三焦受之三焦欬狀欬而腹滿不欲食飲此皆聚於胃關於肺使人多涕唾而面浮腫氣逆也三焦者非謂手少陽也正謂上焦中焦耳何者上焦者出于胃上口並咽以上貫膈布胸中走腋中焦者亦至于胃口出上焦之后此所受氣者泌糟粕蒸津液化其精微上注于肺脈乃化而為血故言皆聚于胃關于肺也兩焦受病則邪氣熏肺而肺氣滿故使人多涕唾而面浮腫氣逆也腹滿不欲食者胃寒故也胃脈者從缺盆下乳內廉下循腹至氣市其支者復從胃下口循腹裏至氣市中而合今胃受邪故病如是也何以明其不謂下焦然下焦者別于回腸注于膀胱故水穀者常并居于胃中成糟粕而俱下於大腸泌別

汁循下焦而于入旁刀尋此行化乃与胃口懸迭故不謂此也　新校正云按甲乙經胃脉下循腹作下俠齊　帝曰治之柰何

岐伯曰治藏者治其俞治府者治其合浮腫者治其經諸藏俞者皆脉之所起第三穴諸府合者皆脉之所起第六穴也經者藏脉之所起第四穴府脉之所起第五穴甲乙經曰脉之所注爲俞所行爲經所入爲合此之謂也　帝曰善

重廣補注黃帝内經素問卷第十

瘧論　熇火沃切　漉音鹿　弭緜婢切　刺瘧論　暍音謁　悒於急切　眴音舜

氣厥論　痓音熾　麋武悲切　虙音復　衊莫結切　欬論　蚘音回

重廣補注黄帝内經素問卷第十一

啓玄子次注林億孫奇高保衡等奉敕校正孫兆重改誤

舉痛論　腹中論

刺腰痛篇

舉痛論篇第三十九

新校正云按全元起本在第三卷名五藏舉痛所以名舉痛之義未詳按本篇乃黄帝問五藏卒痛之疾疑舉乃卒字之誤也

黄帝問曰余聞善言天者必有驗於人善言古者必有合於今善言人者必有厭於己如此則道不惑而要數極所謂明也善言天者言天四時之氣温涼寒暑生長收藏在人形氣五藏參應可驗而指示善惡故曰必有驗於人善言古者謂言上古聖人養生損益之迹與今養生損益之理可合而與論成敗故曰必有合於今也善言人者謂言形骸骨節更相枝拄筋脉束絡皮肉包

裏而五藏六府次居其中假士神五藏而運用之氣絶神去則之於死是以知彼浮形不能堅久靜慮於巳亦與彼同故曰必有厭於巳也夫如此者是知道要數之極悉無疑惑深明至理而乃能然矣今余問於夫子令言而可知視而可見捫而可得令驗於巳而發蒙解惑可得而聞乎言如發開童蒙之耳解於疑惑者之心令一一條理而目視手循驗之可得捫摸循也岐伯再拜稽首對曰何道之問也請示問常也帝曰願聞人之五藏卒痛何氣使然岐伯對曰經脉流行不止環周不休寒氣入經而稽遲泣而不行客於脉外則血少客於脉中則氣不通故卒然而痛帝曰其痛或卒然而止者或痛甚不休者或痛甚不可按者或按之而痛止者或按之無益者或喘動應手者或心與背相引而痛者或脇肋與少腹

相引而痛者或腹痛引陰股者或痛宿昔而成積者或卒然痛死不知人有少間復生者或痛而嘔者或腹痛而後泄者或痛而閉不通者凡此諸痛各不同形別之柰何欲明異候之所起岐伯曰寒氣客於脉外則脉寒脉寒則縮踡縮踡則脉絀急則外引小絡故卒然而痛得炅則痛立止脉左右環故得寒則縮踡而絀急縮踡絀急則衛氣不得通流故外引於小絡脉也衛氣不入寒內薄之脉急不縱故痛生也得熱則衛氣復行寒氣退辟故痛止炅熱也止已也因重中於寒則痛久矣重寒難釋故痛久不消寒氣客於經脉之中與炅氣相薄則脉滿滿則痛而不可按也按之痛甚者其義具下文寒氣稽留炅氣從上則脉充大而血氣亂故痛甚不可按也脉既滿大血氣復亂按之則邪氣攻內故不可按也寒氣客於

腸胃之間膜原之下血不得散小絡急引故痛按之則血氣散故按之痛止膜謂鬲間之膜原謂鬲肓之原血不得散謂鬲膜之中小絡脉内血也絡滿則急故牽引而痛生也手按之則寒氣散小絡緩故痛止

寒氣客於俠脊之脉則深按之不能及故按之無益也俠脊之脉者當中督脉也次兩傍足太陽脉也督脉者循脊裏太陽者貫膂筋故深按之不能及也若按當中則膂節曲按兩傍則膂筋蹙合曲與蹙合皆衛氣不得行過寒氣益聚而内畜故按之無益

寒氣客於衝脉衝脉起於關元隨腹直上寒氣客則脉不通脉不通則氣因之故喘動應手矣衝脉奇經脉也關元穴名在齊下三寸言起自此穴即隨腹而上非生出於此也其本生出乃起於腎下也直上者謂上行會於咽喉也氣因之謂衝脉不通足少陰氣因之上滿衝脉與少陰並行故喘動應於手也

寒氣客於背俞之脉則脉泣脉泣則血虚血虚則痛其俞注於心故相引而痛按之則熱氣至熱氣至則痛止矣背俞謂心

俞脉亦足太陽脉也夫俞者皆內通於藏故曰其俞注於心相引而痛也按之則温氣入温氣入則心氣外發故痛止寒氣客於厥陰之脉厥陰之脉者絡陰器繫於肝寒氣客於脉中則血泣脉急故脇肋與少腹相引痛矣厥陰者肝之脉入髦中環陰器抵少腹上貫肝鬲布脅肋故曰絡陰器繫於肝脉急引脇與少腹痛也厥氣客於陰股寒氣上及少腹血泣在下相引故腹痛引陰股亦厥陰肝脉之氣也以其脉循陰股入髦中環陰器上抵少腹故曰厥氣客於陰股寒氣上及於少腹也寒氣客於小腸膜原之間絡血之中血泣不得注於大經血氣稽留不得行故宿昔而成積矣言血爲寒氣之所凝結而乃成積寒氣客於五藏厥逆上泄陰氣竭陽氣未入故卒然痛死不知人氣復反則生矣言藏氣被寒擁胃而不行氣復得通則已也新校正云詳注中擁胃疑作擁冒寒氣客於腸胃厥逆上出故痛而嘔也

腸胃客寒留止則腸氣不得下流而反上行寒不去則痛生陽上行則嘔逆故痛而嘔也寒氣客於小腸小腸不得成聚故後泄腹痛矣小腸爲受盛之府中滿則寒邪不居故不得結聚而傳下入於迴腸迴腸廣腸也爲傳導之府物不得停留故後泄而痛熱氣留於小腸腸中痛癉熱焦渴則堅乾不得出故痛而閉不通矣熱滲津液故便堅也帝曰所謂言而可知者也視而可見柰何謂候色也岐伯曰五藏六府固盡有部謂面上之分部視其五色黃赤爲熱中熱則色黃赤白爲寒陽氣少血不上榮於色故白青黑爲痛血凝泣則變惡故色青黑則痛此所謂視而可見者也帝曰捫而可得柰何捫摸也以手循摸也岐伯曰視其主病之脉堅而血及陷下者皆可捫而得也帝曰善余知百病生於氣也夫氣之爲用虛實逆順緩急皆能爲病故發此問端怒則氣上喜則氣緩悲則氣消恐則氣下

寒則氣收，炅則氣泄，驚則氣亂〔新校正云：按太素驚作憂。〕勞則氣耗，思則氣結，九氣不同，何病之生？岐伯曰：怒則氣逆，甚則嘔血及飧泄〔新校正云：按甲乙經及太素飧泄作食而氣逆。〕故氣上矣〔怒則陽氣逆上而肝氣乘脾，故甚則嘔血及飧泄作何以明其然？怒則面赤，甚則色蒼。靈樞經曰：盛怒而不止則傷志。明怒則氣逆上而不下也。〕喜則氣和志達，榮衛通利，故氣緩矣〔氣脈和調，故志達暢；榮衛通利，故氣徐緩。〕悲則心系急，肺布葉舉，而上焦不通，榮衛不散，熱氣在中，故氣消矣〔布葉謂肺布蓋之大葉。新校正云：按甲乙經及太素而上焦不通作兩焦不通。又王注肺布葉舉謂布蓋之大葉，疑非。全元起云：悲則損於心，心系急則動於肺，肺氣繫諸經逆，故肺布而葉舉。安得謂肺布為肺布蓋之大葉？〕恐則精却，却則上焦閉，閉則氣還，還則下焦脹，故氣不行矣〔恐則陽精却上而不下流，故却則上焦閉也。上焦既閉，氣不行流，下焦陰氣亦還迴不散，而聚為脹也。然上焦固禁，下焦氣還，各守一處，故氣不行也。新校正云：詳氣不行當作氣下行也。〕寒則腠理閉，氣不行

故氣收矣 腠謂津液滲泄之所理謂文理逢會之中閉謂密閉氣謂衛氣行謂流行收謂收斂也身寒則衛氣沉故皮膚文理及滲泄之處皆閉密而氣不流行衛氣收斂於中而不發散也 新校正云按甲乙經氣不行作營衛不行 炅則腠理開榮衛通汗大泄故氣泄 人在陽則舒在陰則慘故熱則膚腠開發榮衛大通津液外滲而汗大泄也 驚則心無所倚神無所歸慮無所定故氣亂矣 氣奔越故不調理 新校正云按太素驚作憂 勞則喘息汗出外內皆越故氣耗矣 疲力役則氣奔速故喘息氣奔速則陽外發故汗出然喘且汗出內外皆踰越於常紀故氣耗損也 思則心有所存神有所歸正氣留而不行故氣結矣 繫心不散故氣亦停留 新校正云按甲乙經歸正二字作止字

腹中論篇第四十 新校正云按全元起本在第五卷

黃帝問曰有病心腹滿旦食則不能暮食此爲何病

岐伯對曰名爲鼓脹 心腹脹滿不能再食形如鼓脹故名鼓脹也 新校正云按太素鼓作穀 帝曰治

之奈何岐伯曰治之以雞矢醴一劑知二劑已按古本草雞矢並不治鼓脹惟大利小便微寒今方制法當取用處湯漬服之帝曰其時有復發者何也復謂再發言如舊也岐伯曰此飲食不節故時有病也雖然其病且已時故當病氣聚於腹也飲食不節則傷胃胃脉者循腹裏而下行故飲食不節時有病者復病氣聚於腹中也帝曰有病胷脇支滿者妨於食病至則先聞腥臊臭出清液先唾血四支清目眩時時前後血病名爲何何以得之清液清水也亦謂之清涕清涕者謂從竅漏中漫液而下水出清冷也目眩謂目視眩轉也前後血謂前陰後陰出血也岐伯曰病名血枯此得之年少時有所大脫血若醉入房中氣竭肝傷故月事衰少不來也出血多者謂之脫血漏下鼻衄嘔吐出血皆同焉夫醉則血脉盛血脉盛則內熱因而入房髓液皆下故腎中氣竭也肝藏血以少大脫血故肝傷也然於丈夫則精液衰乏女子則月事衰少而不來帝曰

治之奈何復以何術岐伯曰以四烏鰂骨一藘茹二物并合之丸以雀卵大如小豆以五丸爲後飯飲以鮑魚汁利腸中新校正云按别本一作傷中及傷肝也飯後藥先謂之後飯按古本草經云烏鰂魚骨藘茹等並不治血枯然經法用之是攻其所生所起爾夫醉勞力以入房則腎中精氣耗竭月事衰少不至則中有惡血淹留精氣耗竭則陰萎不起而無精惡血淹留則血痹著中而不散故先茲四藥用入方焉古本草經曰烏鰂魚骨味鹹冷平無毒主治女子血閉藘茹味辛寒平有小毒主散惡血雀卵味甘溫平無毒主治男子陰萎不起強之令熱多精有子鮑魚味辛臭溫平無毒主治瘀血血痹在四支不散者尋文會意方義如此而處治之也新校正云按甲乙經及太素藘茹作蕳茹詳王注性味乃蕳茹當改藘作蕳又按本草烏魚骨冷作微溫雀卵甘作酸與王注異帝曰病有少腹盛上下左右皆有根此爲何病可治不岐伯曰病名曰伏梁伏梁心之積也新校正云詳此伏梁與心積之伏梁大異病有名同而實異者非一如此之類是也帝曰伏梁何因而得之岐伯曰裹大膿血居腸胃之外不可治

治之每切按之致死帝曰何以然岐伯曰此下則因陰必下膿血上則迫胃脘生鬲俠胃脘內癰正當衝脉帶脉之部分也帶脉者起於季脇迴身一周横絡於齊下衝脉者與足少陰之絡起於腎下出於氣街循陰股其上行者出齊下同身寸之三寸關元之分俠齊直上循腹各行會於咽喉故病當其分則少腹盛上下左右皆有根也以其上下堅盛如有潰梁故曰病名伏梁不可治也以裹大膿血居腸胃之外按之痛悶不堪故每切按之致死也以衝脉下行者絡陰上行者循腹故也上則迫近於胃脘下則因薄於陰器也若因薄於陰則便下膿血若迫近於胃則病氣上出於鬲復俠胃脘內長其癰也何以然哉以本有大膿血在腸胃之外故也生當為出傳文誤也　新校正云按太素俠胃作使胃此久病也難治居齊上為逆居齊下為從勿動亟奪若裹大膿血居齊上則漸傷心藏故為逆居齊下則去心稍遠猶得漸攻故為從從順也亟數也奪去也言不可移動但數數去之則可矣論在刺法中今經亡帝曰人有身體髀股䯒皆腫環齊而痛是為何病岐伯曰病名伏梁此二十六字錯簡在奇病論中若不有此二十六字則下文無據也　新校正云詳此並無注解盡在下卷奇

病論中此風根也此四字此篇本有奇病論中亦有之其氣溢於大腸而著於肓肓之原在齊下故環齊而痛也不可動之動之為水溺濇之病亦衝脉也齊下謂脖胦在齊下同身寸之二寸半靈樞經曰肓之原名曰脖胦帝曰夫子數言熱中消中不可服高粱芳草石藥石藥發瘨芳草發狂多飲數溲謂之熱中多食數溲謂之消中多喜曰瘨多怒曰狂芳美味也夫熱中消中者皆富貴人也今禁高粱是不合其心禁芳草石藥是病不愈願聞其說熱中消中者脾氣之上溢甘肥之所致故禁食高粱芳美之草也通評虛實論曰凡治消癉甘肥貴人則高粱之疾也又奇病論曰夫五味入於口藏於胃脾為之行其精氣津液在脾故令人口甘此肥美之所發也此人必數食甘美而多肥也肥者令人内熱甘者令人中滿故其氣上溢轉為消渴此之謂也夫富貴人者驕恣縱欲輕人而無能禁之禁之則逆其志順之則加其病令思難詰故發問之高粱米也石藥英乳也芳草濃美也然此五者富貴人常服之難禁也岐伯曰夫芳草之氣美石藥之氣悍二者其氣急

疾堅勁故非緩心和人不可以服此二者脾氣溢而生病氣美則重盛於脾消熱之氣躁疾氣悍則又滋其熱者人性和心緩氣候舒勻不與物爭釋然寬泰則神不躁迫無懼內傷故非緩心和人不可以服此二者悍利也堅定也固也勁剛也言其芳草石藥之氣堅定固久剛烈而卒不歇滅此二者是也帝曰不可以服此二者何以然岐伯曰夫熱氣慓悍藥氣亦然二者相遇恐內傷脾慓疾也脾者土也而惡木服此藥者至甲乙日更論熱氣慓盛則木氣內餘故心非和緩則躁怒數起躁怒數起則熱氣因木以傷脾甲乙爲木故至甲乙日更論脾病之增減也帝曰善有病膺腫新校正云按甲乙經作癰腫頸痛胷滿腹脹此爲何病何以得之膺胷旁也頸項前也胷膺間也岐伯曰名厥逆氣逆所生故名厥逆帝曰治之柰何岐伯曰灸之則瘖石之則狂須其氣并乃可治也石謂以石鍼開破之帝曰何以然岐伯曰陽氣重上有餘於上灸之則陽

氣入陰入則瘖石之則陽氣虛虛則狂灸之則火氣助陽陽盛故入陰石之則陽氣出陽氣出則內不足故狂須其氣并而治之可使全也并謂并合也待自并合則兩氣俱全故可治若不爾而灸石之則偏致勝負故不得全而瘖狂也帝曰善何以知懷子之且生也岐伯曰身有病而無邪脉也病謂經閉也脉法曰尺中之脉來而斷絕者經閉也月水不利若尺中脉絕者經閉也今病經閉脉反如常者婦人姙娠之證故云身有病而無邪脉也帝曰病熱而有所痛者何也岐伯曰病熱者陽脉也以三陽之動也人迎一盛少陽二盛太陽三盛陽明入陰也夫陽入於陰故病在頭與腹乃䐜脹而頭痛也帝曰善新校正云按六節藏象論云人迎一盛病在少陽二盛病在太陽三盛病在陽明與此論同又按甲乙經三盛陽明無入陰也三字

刺腰痛篇第四十一

新校正云按全元起本在第

足太陽脈令人腰痛引項脊尻背如重狀足太陽脈別下項循肩髆內俠脊抵腰中別下貫臀故令人腰痛引項脊尻背如重狀也新校正云按甲乙經貫臀作貫胂刺瘧注亦作貫胂三部九候注作貫臀內刺其郄中太陽正經出血春無見血郄中委中也在膝後屈處膕中央約文中動脈足太陽脈之所入也刺可入同身寸之五分留七呼若灸者可灸三壯太陽合腎腎王於冬水衰於春故春無見血也

少陽令人腰痛如以鍼刺其皮中循循然不可以俛仰不可以顧足少陽脈遶髦際橫入髀厭中故令腰痛如以鍼刺其皮中循循然不可俛仰少陽之脈起於目銳眥上抵頭角下耳後循頸行手陽明之前至肩上交出手少陽之後其支別者目銳眥下入大迎合手少陽於䪼下加頰車下頸合缺盆故不可以顧新校正云按甲乙經行手陽明之前作行手少陽之前也刺少陽成骨之端出血成骨在膝外廉之骨獨起者夏無見血成骨謂膝外近下䯒骨上端兩起骨相並間陷容者也䯒骨所成柱膝髀骨故謂之成骨也少陽合肝肝王於春木衰於夏以無見血也

陽明令人腰痛不可以顧顧如有見者善悲足陽明脈起於鼻交頞中下循鼻外入上齒中還出俠口環脣

下交承漿却循頤後下廉出大迎其支別者從大迎前下人迎循喉嚨入缺盆又其支別者起胃下口循腹裏至氣街中而合以下髀故令人腰痛不可顧顧如有見者陽虛故悲也刺陽明於䯒前三痏上下和之出血秋無見血按內經中誥流注圖經陽明脉穴俞之所主此腰痛者悉刺䯒前三痏則正三里穴也三里穴在膝下同身寸之三寸䯒骨外廉兩筋肉分間刺可入同身寸之一寸留七呼若灸者可灸三壯陽明合脾脾所主長夏土衰於秋故秋無見血　新校正云按甲乙經䯒前作骭足少陰令人腰痛痛引脊內廉足少陰脉上股內後廉貫脊屬腎故令人腰痛痛引脊內廉也　新校正云按全元起本脊內廉作脊內痛太素亦同此前少足太陰腰痛證并刺足太陰法應古文脫簡也刺少陰於內踝上二痏春無見血出血太多不可復也按內經中誥流注孔穴圖經少陰脉穴俞所主此腎痛者當刺內踝上則正復溜穴也復溜在內踝後上同身寸之二寸動脈陷者中刺可入同身寸之三分留三呼若灸者可灸五壯厥陰之脉令人腰痛腰中如張弓弩弦足厥陰脉自陰股環陰器抵少腹其支別者與太陰少陽結於腰髁下俠脊第三第四骨空中其穴即中髎下髎故腰痛則中如張弓弩之弦也如張弦者言強急之甚刺厥陰之脉在腨踵魚腹之外循

之累累然乃刺之 腨踵者言脉在腨外側下當跟也腨形勢如卧魚之腹故曰魚腹之外也循其分肉有血絡累累然乃刺出之此正當承筋穴分足厥陰之絡在内踝上五寸別走少陽者刺可入同身寸之二分留三呼若灸者可灸三壯厥陰一經作居陰是傳寫草書厥字爲居也 新校正云按經云厥陰之脉令人腰痛次言刺厥陰之脉注言刺厥陰之絡經注相違疑經中脉字乃絡字之誤也 其病令人善言默默然不慧刺之三痏 厥陰之脉循喉嚨之後上入頏顙絡於舌本故病則善言風盛則昏冒故不爽慧也三刺其處腰痛乃除 新校正云按經云善言默默然不慧詳善言與默默二病難相兼全元起本無善字於義爲允又按甲乙經厥陰之脉不絡舌本王氏於素問之中五處引注而注厥論與刺熱及此三篇皆云絡舌本注風論注痺論二篇不言絡舌本蓋王氏亦疑而兩言之也 解脉令人腰痛痛引肩目䀮䀮然時遺溲 解脉散行脉也言不合而別行也此足太陽之經起於目内眥上額交巔上循肩髆俠脊抵腰中入循膂絡腎屬膀胱下入膕中故病斯候也又其支別者從髆内別下貫胂循髀外後廉而下合於膕中兩脉如繩之解股故名解脉也 刺解脉在膝筋肉分間郄外廉之橫脉出血血變而止 膝後兩傍大筋雙上股之後兩筋之間橫文之處努肉高起則郄中之分也古中誥以膕中爲太陽之郄當取郄外廉有血絡橫見迢然紫黑

而盛滿者乃刺之當見黑血必候其血色變赤乃止血不變
赤極而寫之必行血色變赤乃止此太陽中經之爲腰痛也解脉令人腰
痛如引帶常如折腰狀善恐足太陽之別脉自肩而別下循脊
至腰而横入髀外後廉而下合膕中
故若引帶如折腰之狀　新校正云按
甲乙經如引帶作如裂善恐作善怒也刺解脉在郄中結絡如黍
米刺之血射以黑見赤血而巳郄中則委中穴足太陽合也在
膝後屈處膕中央約文中動脉
刺可入同身寸之五分留七呼若灸者可灸三壯此經刺法也今則取其結絡
大如黍米者當黑血箭射而出見血變赤然可止也　新校正云按全元起云
有兩解脉病源
各異恐誤未詳同陰之脉令人腰痛痛如小錘居其中怫
然腫足少陽之別絡也並少陽經上行去足外踝上同身寸之五寸乃別走
厥陰並經下絡足跗故曰同陰脉也怫怒也言腫如嗔怒也　新校正
云按太素小錘
作小鍼刺同陰之脉在外踝上絶骨之端爲三痏絶骨
之端
如前同身寸之三分陽輔穴也足少陽脉所行刺
可入同身寸之五分留七呼若灸者可灸三壯刺陽維之脉令人腰
痛痛上怫然腫陽維起於陽則太陽之所
生奇經八脉此其一也刺陽維之脉脉與

太陽合腨下間去地一尺所太陽所主與正經並行而上至腨下復與太陽合而上也腨下去地正同身寸之一尺是則承光穴在銳腨腸下肉分間陷者中刺可入同身寸之七分若灸者可灸五壯以其取腨腸下肉分間故云合腨下間　新校正云按穴之所在乃承山穴非承光也山字誤為光　衡絡之脉令人腰痛不可以俛仰仰則恐仆得之舉重傷腰衡絡絕惡血歸之衡橫也謂太陽之外也絡自腰中橫入髀外後廉而下與中經合於膕中者今舉重傷腰則橫絡絕中經獨盛故腰痛不可以俛仰矣一經作衡絕之脉傳寫魚魯之誤也若是衡脉中請不應取太陽脉委陽殷門之穴也刺之在郄陽筋之間上郄數寸衡居為二痏出血橫居二穴謂委陽殷門平視橫相當也郄陽謂浮郄穴上側委陽穴也筋之間謂膝後膕上兩筋之間殷門穴也二穴々台上殷肉下橫文同身寸之六寸故曰上郄數寸也委陽刺可入同身寸之七分留五呼若灸者可灸三壯殷門刺可入同身寸之五分留七呼若灸者可灸三壯故曰衡居為二痏　新校正云詳王氏云浮郄穴上側委陽穴也按甲乙經云委陽在浮郄穴下一寸不得言上側也　會陰之脉令人腰痛痛上漯漯然汗出汗乾令人欲飲飲已欲走足太陽之中經也其脉循腰下會於後陰故曰會陰

之脉其經自腰下行至足今陽氣大盛故痛士漯然汗出汗液既出則腎燥陰虛故汗乾令人欲飲水以救腎也水入腹已腎氣復生陰氣流行太陽又盛故飲水已反欲走也刺直陽之脉上三痏在蹻上郄下五寸橫居視其盛者出血直陽之脉則太陽之脉俠脊下行貫臀下至膕中下循腨過外踝之後條直而行者故曰直陽之脉也蹻為陽蹻所生申脉穴在外踝下也郄下則膕下也言此刺處在膕下同身寸之五寸上承郄中之穴下當申脉之位是謂承筋穴即腨中央如外陷者中也太陽脉氣所發禁不可刺可灸三壯今云刺者謂刺其血絡之盛滿者也兩腨皆有太陽經氣下行當視兩腨中央有血絡盛滿者乃刺出之故曰視其盛者出血　新校正云詳上云會陰之脉令人腰痛此云刺直陽之脉者詳此直陽之脉即會陰之脉也文變一事不殊又承筋穴注云腨中央如外按甲乙經及骨空論注無如外二字飛陽之脉令人腰痛痛上拂拂然甚則悲以恐是陰維之脉也去内踝上同身寸之五寸腨分中並少陰經而上也少陰之脉前則陰維脉所行也足少陰之脉從腎上貫肝鬲入肺中循喉嚨俠舌本其支別者從肺出絡心注胸中故甚則悲以恐也恐者生於腎悲者生於心刺飛陽之脉在内踝上五寸臣億等按甲乙經作二寸少陰之前與陰維之會内踝後上同身寸之五寸復溜穴少陰脉所行刺可入同身寸之三分内踝之後築賓穴陰維之郄刺可

入同身寸之三分若灸者可灸五壯少陰之前陰維之會以三脉會在其穴故分也刺可入同身寸之三分若灸者可灸五壯今中誥經文正同此法臣億等按甲乙經足太陽之絡別走少陰者名曰飛揚在外踝上七寸又云築賓陰維之郄在內踝上腨分中復溜穴在內踝上二寸今此經注都與甲乙不合者疑經注中五寸字當作二寸則素問與甲乙相應矣

昌陽之脉令人腰痛痛引膺目䀮䀮然甚則反折舌卷不能言陰蹻脉也陰蹻者足少陰之别也起於然骨之後上內踝之上直上循陰股入陰而循腹上入匈裏入缺盆上出人迎之前入頄內廉屬目內眥合於太陽陽蹻而上行故腰痛之狀如此刺內筋為二痏在內踝上大筋前太陰後上踝二寸所內筋謂大筋之前分肉也太陰後大筋前即陰蹻之郄交信穴也在內踝上同身寸之二寸少陰前太陰後筋骨之間陷者之中刺可入同身寸之四分留五呼若灸者可灸三壯今中誥經文正主此

散脉令人腰痛而熱熱甚生煩腰下如有橫木居其中甚則遺溲散脉足太陰之别也散行而上故以名焉其脉循股內入腹中與少陰少陽結於腰髁下骨空中故病則腰下如有橫木居其中甚乃遺溲也刺散脉在膝前骨肉分間絡外廉束脉為三痏謂膝前內側也

骨肉分謂膝内輔骨之下下廉腨肉之兩間也絡外廉則太陰之絡色青而見者也輔骨之下後有大筋擷束膝胻之骨令其連屬取此筋骨繫束之處脉以去其病是曰地機三刺而已故曰束脉爲之三痏也

肉里之脉令人要痛不可以欬欬則筋縮急肉里之脉少陽所生則陽維之脉氣所發也里裏也刺肉里之脉爲二痏在太陽之外少陽絶骨之後分肉主之一經云少陽絶骨之前傳寫誤也絶骨之前足少陽脉所行絶骨之後陽維脉所過故指曰在太陽之外少陽絶骨之後也分肉穴在足外踝直上絶骨之端如後同身寸之二分筋肉分間陽維脉氣所發刺可入同身寸之五分留十呼若灸者可灸三壯　新校正云按分肉之穴甲乙經不見與氣穴注兩出而分寸不同氣穴注二分作三分五分作三分十呼作七呼

腰痛俠脊而痛至頭几几然目䀮䀮然欲僵仆刺足太陽郄中出血郄中委中　新校正云按太素作頭沈沈然

腰痛上寒刺足太陽陽明上熱刺足厥陰不可以俛仰刺足少陽中熱而喘刺足少陰刺郄中出血此法玄妙中誥不同莫可窺測當用知其應不爾皆應先去絡乃調之也

腰痛上寒

不可顧刺足陽明上寒陰市主之陰市在膝上同身寸之三寸伏兎下陷者中足陽明脉氣所發刺可入同身寸之三分留七呼若灸者可灸三壯不可顧三里主之三里在膝下同身寸之三寸䯒外廉兩筋肉分間足陽明脉之所入也刺可入同身寸之一寸留七呼若灸者可灸三壯上熱刺足太陰地機主之地機在膝下同身寸之五寸足太陰之郄也刺可入同身寸之三分若灸者可灸三壯新校正云按甲乙經作五壯中熱而喘刺足少陰涌泉太鍾悉主之涌泉在足心陷者中屈足捲指宛宛中足少陰脉之所出刺可入同身寸之三分留三呼若灸者可灸三壯太鍾在足跟後街中動脉足少陰之絡刺可入同身寸之二分留七呼若灸者可灸三壯新校正云按刺瘧注太鍾在內踝後街中水穴論注在內踝後此注在跟後街中動脉三注不同甲乙經亦云跟後衝中當從甲乙經爲正大便難刺足少陰涌泉主之少腹滿刺足厥陰太衝主之在足大指本節後內間同身寸之二寸陷者中脉動應手足厥陰脉之所注也刺可入同身寸之三分留十呼若灸者可灸三壯如折不可以俛仰不可舉刺足太陽如折束骨主之不可以俛仰京骨崑崙悉主之不可舉申脉僕參悉主之束骨在足小指外側本節後赤白肉際陷者中足太陽脉之所注也刺可入同身寸之三分留三呼若灸者可灸三壯京骨在足外側大骨下赤白肉際陷者中按而得之足太陽脉之所過也刺可入同身寸之三分留七呼若

灸者可灸三壯崑崙在足外踝後跟骨上陷者中細脉動應手足太陽脉之所行也刺可入同身寸之五分留十呼若灸者可灸三壯申脉在外踝下同身寸之五分容爪甲陽蹻之所生也刺可入同身寸之六分留十呼若灸者可灸三壯僕參在跟骨下陷者中足太陽陽蹻二脉之會刺可入同身寸之三分留七呼若灸者可灸三壯 新校正云按甲乙經申脉在外踝下陷者中無五分字刺入六分作三分留十呼作留六呼氣穴注作七呼僕參留七呼甲乙經作六呼

引脊內廉刺足少陰 復溜主之取同飛陽注從腰痛上寒不可顧至此件經語除注並合朱書 新校正云按全元起本及甲乙經并太素自腰痛上寒至此並無乃王氏所添也今注云從腰痛上寒至並合朱書十九字非王冰之語蓋後人所加也 腰痛引少腹控眇不可以仰 新校正云按甲乙經作不可以俛仰 刺腰尻交者兩髁胂上以月生死爲痏數發鍼立已 此邪客於足太陰之絡也控通引也眇謂季脇下之空軟處也腰尻交者謂髁下尻骨兩傍四骨空左右八穴俗呼此骨爲八髎骨也此腰痛取腰髁下第四髎即下髎穴也足太陰厥陰少陽三脉左右交結於中故曰腰尻交者也兩髁胂謂兩髁骨下堅起肉也胂上非胂之止巔正當刺胂肉矣直刺胂肉即胂上也何者胂之上巔别有中膂肉俞白環俞雖並主腰痛考其形證經不相應矣 髁骨即腰脊兩傍起骨也俠脊兩傍腰髁之下 各有胂肉隴起而斜趣於髁骨之後內承其髁故曰兩髁胂也下承髁胂肉左右兩胂各有四

骨空故曰上髎次髎中髎下髎上髎當髁骨下陷者中餘三髎少斜下按之陷中是也四空悉主腰痛唯下髎所主文與經同即太陰厥陰少陽所結者也刺可入同身寸之二寸留十呼若灸者可灸三壯以月生死爲痏數者月初向圓爲月生月半向空爲月死死月刺少生月刺多繆刺論曰月生一日一痏二日二痏漸多之十五日十五痏十六日十四痏漸少之其痏數多少如此即知也左取右右取左痏在左針取右痛在右針取左所以然者以其脉左右交結於尻骨之中故也新校正云詳此腰痛引少腹一節與繆刺論重

重廣補注黃帝内經素問卷第十一

舉痛論 泣音澁 絀急上丁骨切 腹中論 則昨則魚切 藘茹上力居切下音如 脖胦上蒲没切下烏朗切 瘖音陰 刺腰痛論 厭於艷切 髁苦瓦切 髎音遼 踹腫丑用切 蠡溝上盧啓切又落戈切 嘿音黑 小鍾直垂切 漯他合切 髂苦嫁切 擷虎結切 眇亡表切

重廣補註黄帝内經素問卷第十二

啓玄子次注林億孫奇高保衡等奉敕校正孫兆重改誤

風論　痹論

痿論　厥論

風論篇第四十二（新校正云按全元起本在第九卷）

黄帝問曰風之傷人也或爲寒熱或爲熱中或爲寒中或爲癘風或爲偏枯或爲風也其病各異其名不同或内至五藏六府不知其解願聞其説（傷謂人自中之）岐伯對曰風氣藏於皮膚之間内不得通外不得泄（腠理開踈風邪風入風氣入已玄府閉封故内不得通外不得泄也）風者善行而數變腠理開則洒然寒

閉則熱而悶洒然寒貌悶不爽貌腠理開則風飄揚故寒腠理閉則風混亂故悶其寒也則衰食飲其熱也則消肌肉故使人怢慄而不能食名曰寒熱寒風入胃故食飲衰熱氣內藏故消肌肉寒熱相合故怢慄而不能食名曰寒熱也怢慄卒振寒貌　新校正云詳怢慄全元起本作失味甲乙經作解㑊風氣與陽明入胃循脉而上至目內眥其人肥則風氣不得外泄則爲熱中而目黃人瘦則外泄而寒則爲寒中而泣出陽明者胃脉也胃脉起於鼻交頞中下循鼻外入上齒中還出俠口環脣下交承漿却循頤後下廉循喉嚨入缺盆下鬲屬胃絡脾故與陽明入胃循脉而上至目內眥也人肥則腠理密緻故不得外泄則爲熱中而目黃人瘦則腠理開疏風得外泄則寒中而泣出也風氣與太陽俱入行諸脉俞散於分肉之間與衛氣相干其道不利故使肌肉憤䐜而有瘍衛氣有所凝而不行故其肉有不仁也肉分之間衛氣行處風與衛氣相薄俱行於肉分之間故氣道澀而不利也氣

道不利風氣內攻衛氣相持故肉憤䐜而瘡出也瘍瘡也若衛氣被風吹之不得流轉所在偏併凝而不行則肉有不仁之處也不仁謂㿉而不知寒熱痛癢

癘者有榮氣熱胕其氣不清故使其鼻柱壞而色敗皮膚瘍潰吹則風入於經脈之中也榮行脈中故風入脈中內攻於血與榮氣合合二而血胕壞也其氣不清言潰亂也然血脈潰亂榮復挾風陽脈盡上於頭鼻爲呼吸之所故鼻柱壞而色惡皮膚破而潰爛也脈要精微論曰脈風盛爲癘風寒客於脈而不去名曰癘風或名曰寒熱始爲寒熱熱成曰癘風新校正云按別本成一作盛以春甲乙傷於風者爲肝風以夏丙丁傷於風者爲心風以季夏戊己傷於邪者爲脾風以秋庚辛中於邪者爲肺風以冬壬癸中於邪者爲腎風春甲乙木肝主之夏丙丁火心主之季夏戊己土脾主之秋庚辛金肺主之冬壬癸水腎主之風中五藏六府之俞亦爲藏府之風各入其門戶所中則爲偏風隨俞左右而偏中之則爲偏風風氣循風府而上

則爲腦風，風入係頭則爲目風眼寒（風府穴名，正入項髮際一寸大筋內宛宛中，督脉陽維之會。自風府而上則腦戶也，腦戶者督脉足太陽之會，故循風府而上則爲腦風也。足太陽之脉者，起於目內眥，上額交巔上，入絡腦，還出，故風入係頭則爲目風眼寒也）。飲酒中風則爲漏風（熱鬱腠疏，中風汗出，多如液漏，故曰漏風。經具名曰酒風）。入房汗出中風則爲內風（內耗其精，外開腠理，因內風襲，故曰內風。經具名曰勞風）。新沐中風則爲首風（沐髮中風，舍於頭，故曰首風）。久風入中則爲腸風飧泄（風在腸中，上熏於胃，故食不化而下出焉。飧泄者，食不化而出也。新校正云：按全元起云：飧泄者，水穀不分爲利）。外在腠理則爲泄風（風居腠理則玄府開通，風薄汗泄，故云泄風）。故風者百病之長也，至其變化乃爲他病也，無常方，然致有風氣也（長先也，先百病而有也。新校正云：按全元起本及甲乙經致字作故攻）。帝曰：五藏風之形狀不同者何？願聞其診及其病能（診謂可言之證，能謂內作病形）。

岐伯曰：肺風之狀，多汗惡風，色皏然白，時欬短氣，晝日則差暮則甚其診在眉上其色白凡內多風氣則熱有餘熱則腠理開故多汗也風薄於內故惡風焉皏謂薄白色也肺色白在變動為欬主藏氣風內迫之故色皏然白時欬短氣也晝則陽氣在表故差暮則陽氣入裏風內應之故甚也眉上謂兩眉間之上闕庭之部所以外司肺候故診在焉白肺色也

心風之狀多汗惡風焦絕善怒嚇赤色病甚則言不可快診在口其色赤焦絕謂脣焦而文理斷絕也何者熱則皮剝故也風薄於心則神亂故善怒而嚇人也心脈支別者從心系上俠咽喉而主舌故病甚則言不可快也口脣色赤故診在焉赤者心色也　新校正云按甲乙經無嚇字

肝風之狀多汗惡風善悲色微蒼嗌乾善怒時憎女子診在目下其色青肝病則心藏無養心氣虛故善悲肝合木木色蒼故色微蒼也肝脈者循股陰入髦中環陰器抵少腹俠胃屬肝絡膽上貫鬲布脅肋循喉嚨之後入頏顙上出額與督脈會於巔其支別者從目系下故嗌乾善怒　時憎女子診在目下也青肝色也

脾風之狀多汗惡風身體怠墯四支不欲動色薄微黃不嗜食診在鼻上其色黃脾脈起於足上循胻骨之上膝股內前廉入腹屬脾絡胃上鬲俠咽連舌本散

舌下其支別者復從胃別上鬲注心中心脉出於手循臂故身體㥘惰四支不欲動而不嗜食脾氣合土主中央鼻於面部亦居中故診在焉黃脾色也　新校正云按王注脾風不當引心脉出於手循臂十字於義無取脾主四支脾風則四支不欲動矣　腎風之狀多汗惡風面痝然浮腫脊痛不能正立其色炲隱曲不利診在肌上其色黑痝然言腫起也炲黑色也腎者陰也目下亦陰也故腎藏受風則面痝然而浮腫腎脉者起於足下上循腨內出膕內廉上股內後廉貫脊故脊痛不能正立也隱曲者謂隱蔽委曲之處也腎藏精外應交接今藏被風薄精氣內微故隱蔽委曲之事不通利所爲也陰陽應象大論曰氣歸精精食氣今精不足則氣內歸精氣不注皮故肌皮上黑也黑腎色也　胃風之狀頸多汗惡風食飲不下鬲塞不通腹善滿失衣則䐜脹食寒則泄診形瘦而腹大胃之脉支別者從頤後下廉過人迎循喉嚨入缺盆下鬲屬胃絡脾其直行者從缺盆下乳內廉下俠齊入氣街中其支別者起胃下口循腹裏至氣街中而合故頸多汗食飲不下鬲塞不通腹善滿也然失衣則外寒而中熱故腹䐜脹食寒則寒物薄胃而陽不內消故泄利胃合脾而主肉胃氣不足則肉不長故瘦也胃中風氣稸聚故腹大也　新校正云按孫思邈云新食音取風爲胃風　首風之狀頭面

多汗惡風，當先風一日則病甚，頭痛不可以出內，至其風日則病少愈。頭者諸陽之會，風客之則皮腠疎，故頭面多汗也。夫人陽氣外合於風，故先當風一日則病甚，以先風甚故亦先衰，是以至其風日則病少愈。內謂室屋之內也。不可以出屋室之內者，以頭痛甚而不喜外風故也。新校正云：按孫思邈云：新沐浴竟取風為首風。

漏風之狀，或多汗，常不可單衣，食則汗出，甚則身汗，喘息惡風，衣常濡，口乾善渴，不能勞事。脾胃風熱，故不可單衣。腠理開疎，故食則汗出。甚則風薄於肺，故身汗喘息惡風，衣裳濡，口乾善渴也。形勞則喘息，故不能勞事。新校正云：按孫思邈云：因醉取風為漏風，其狀惡風，多汗少氣，口乾善渴，近衣則身熱如火，臨食則汗流如雨，骨節懈墮，不欲自勞。

泄風之狀，多汗，汗出泄衣上，口中乾，上漬其風，不能勞事，身體盡痛則寒。上漬，謂皮上濕如水漬也，以多汗出故爾。汗多則津液涸，故口中乾。形勞則汗出甚，故不能勞事。身體盡痛，以其汗多，汗多則亡陽，故寒也。新校正云：按孫思邈云：新房室竟取風為內風，其狀惡風，汗流沾衣裳。疑此泄風乃內風也。按本論前文先云漏風、內風、首風，次言入中為腸風，在外為泄風，今有泄風而無內風，孫思邈載內風乃此泄風之狀，故疑

此卌字乃内之誤也 帝曰善

痺論篇第四十三 新校正云按全元起本在第八卷

黄帝問曰痺之安生 安猶何也言何以生 岐伯對曰風寒濕三氣雜至合而爲痺也 雖合而爲痺發起亦殊矣 其風氣勝者爲行痺寒氣勝者爲痛痺濕氣勝者爲著痺也 風則陽受之故爲痺行寒則陰受之故爲痺痛濕則皮肉筋脉受之故爲痺著而不去也故乃痺從風寒濕之所生也 帝曰其有五者何也 言風寒濕氣各異則三痺生有五何氣之勝也 岐伯曰以冬遇此者爲骨痺以春遇此者爲筋痺以夏遇此者爲脉痺以至陰遇此者爲肌痺以秋遇此者爲皮痺 冬主骨春主筋夏主脉秋主皮至陰主肌肉故各爲其痺也至陰謂戊己月及土寄王月也 帝曰内舍五藏六府何氣使然 言皮肉筋脉痺以五時之外遇然内居藏府何以致之 岐伯曰五藏皆

有合病久而不去者内舍於其合也〔肝合筋心合脉脾合肉肺合皮腎合骨久病不去則入於是〕故骨痺不已復感於邪内舍於腎筋痺不已復感於邪内舍於肝脉痺不已復感於邪内舍於心肌痺不已復感於邪内舍於脾皮痺不已復感於邪内舍於肺所謂痺者各以其時重感於風寒濕之氣也〔時謂氣王之月也肝王春心王夏肺王秋腎王冬脾王四季之月感謂感應也〕凡痺之客五藏者肺痺者煩滿喘而嘔〔以藏氣應息又其脉還循胃口故使煩滿喘而嘔〕心痺者脉不通煩則心下鼓暴上氣而喘嗌乾善噫厥氣上則恐〔心合脉受邪則脉不通利也邪氣内擾故煩也手少陰心脉起於心中出屬心系下鬲絡小腸其支別者從心系上俠咽喉其直者復從心系却上肺故煩則心下鼓滿暴上氣而喘嗌乾也心主爲噫以下鼓滿故噫之以出氣也若是逆氣上乘於心則恐畏也神懼凌弱故爾〕肝痺者

夜卧則驚多飲數小便上爲引如懷肝主驚駭氣相應故中夜卧則驚也肝之脉循
股陰入髦中環陰器抵少腹俠胃屬肝絡膽上貫鬲布脇肋循
喉嚨之後上入頏顙故多飲水數小便上引少腹如懷妊之狀腎痹者善
脹尻以代踵脊以代頭腎者胃之關關不利則胃氣不轉故善脹也尻以代踵謂足攣急也脊以代頭謂身蹉屈
也踵足跟也腎之脉起於足小指之下斜趨足心出於然骨之下循内踝之後
別入跟中以上腨内出膕内廉上股内後廉貫脊屬腎絡膀胱其直行者從腎
上貫肝鬲入肺中氣不足而受邪故不脾痹者四支解墮發欬嘔
伸展　新校正云詳然骨一作然谷
汁上爲大塞土王四季外主四支故四支解墮又以其脉起於足循腨骱上膝股也然脾脉入腹屬脾絡胃上鬲俠咽故發欬嘔
汁脾氣養肺胃復連
咽故上爲大塞也腸痹者數飲而出不得中氣喘爭時發
飧泄大腸之脉入缺盆絡肺下鬲屬大腸小腸之脉又入缺盆絡心循咽下
鬲抵胃屬小腸今小腸有邪則脉不下鬲脉不下鬲則腸不行化而胃
氣稸熱故多飲水而不得下出也腸胃中陽氣與邪氣奔
喘交爭得時通利以腸氣不化故時或得通則爲飧泄胞痹者少腹
膀胱按之内痛若沃以湯澀於小便上爲清涕膀胱爲津液之

府胞內居之少腹處關元之中內藏胞器然膀胱之脈起於目內眥上額交巔上入絡腦還出別下項循肩髆內俠脊抵腰中入循膂絡腎屬膀胱其支別者從腰中下貫臀入膕中今胞受風寒濕氣則膀胱太陽之脈不得下流於足故少腹膀胱按之內痛若沃以湯澀於小便也小便既澀太陽之脈不得下行故上爍其腦而為清涕出於鼻竅矣沃猶灌也新校正云按全元起本內痛二字作兩髀陰氣者靜則神藏躁則消亡陰謂五神藏也所以說神藏與消亡者言人安靜不涉邪氣則神氣寧以內藏人躁動觸冒邪氣則神被害而離散藏無所守故曰消亡此言五藏受邪之為痺也飲食自倍腸胃乃傷藏以躁動致傷府以飲食見損皆謂過用越性則受其邪此言六府受邪之為痺也淫氣喘息痺聚在肺淫氣憂思痺聚在心淫氣遺溺痺聚在腎淫氣乏竭痺聚在肝淫氣肌絕痺聚在脾淫氣謂氣之妄行者各隨藏之所主而入為痺也新校正云詳從上凡痺之客五藏者至此全元起本在陰陽別論中此王氏之所移也諸痺不已亦益內也從外不去則益深至於身內其風氣勝者其人易已也

帝曰痺其時有死者或疼久者或易已者其故何也岐伯

是入藏者死其留連筋骨間者疼久其留皮膚間者易已入藏者死以神去也筋骨疼久以其定也皮膚易已以浮淺也由斯深淺故有是不同帝曰其客於六府者何也岐伯曰此亦其食飲居處爲其病本也四方雖土地温涼高下不同物性剛柔食居不異但動過其分則六府致傷陰陽應象大論曰水穀之寒熱感則害六府　新校正云按傷寒論曰物性剛柔食居亦異六府亦各有俞風寒濕氣中其俞而食飲應之循俞而入各舍其府也六府俞亦謂背俞也膽俞在十椎之傍胃俞在十二椎之傍三焦俞在十三椎之傍大腸俞在十六椎之傍小腸俞在十八椎之傍膀胱俞在十九椎之傍隨形分長短而取之如是各去脊同身寸之一寸五分並足太陽脉氣之所發也　新校正云詳六府俞並在本椎下兩傍此注言在椎之傍者文略也帝曰以鍼治之柰何岐伯曰五藏有俞六府有合循脉之分各有所發各隨其過新校正云按甲乙經隨作治則病瘳也肝之俞曰太衝心之俞曰大陵脾之俞曰太白肺之俞曰太淵腎之俞曰太谿皆經脉之所注也太衝在足大指間本節後二寸陷者中　新校正云按刺腰

痛注云太衝在足大指本節後內間二寸陷者中動脉應手刺可入同身寸之三分留十呼若灸者可灸三壯太陵在手掌後骨兩筋間陷者中刺可入同身寸之六分留七呼若灸者可灸三壯太白在足內側核骨下陷者中刺可入同身寸之三分留七呼若灸者可灸三壯大淵在手掌後陷者中刺可入同身寸之二分留二呼若灸者可灸三壯太谿在足內踝後跟骨上動脉陷者中刺可入同身寸之三分留七呼若灸者可灸三壯也胃合入于三里膽合入于陽陵泉大腸合入于曲池小腸合入于小海三焦合入于委陽膀胱合入于委中三里在膝下三寸䯒外廉兩筋間刺可入同身寸之一寸留七呼若灸者可灸三壯陽陵泉在膝下一寸䯒外廉陷者中刺可入同身寸之六分留十呼若灸者可灸三壯小海在肘內大骨外去肘端五分陷者中屈肘乃得之刺可入同身寸之二分留七呼若灸者可灸五壯曲池在肘外輔屈肘曲骨之中刺可入同身寸之五分留七呼若灸者可灸三壯委陽在足膕中外廉兩筋間刺可入同身寸之七分留五呼若灸者可灸三壯屈伸而取之委中在膕中央約文中動脉刺可入同身寸之五分留七呼若灸者可灸三壯　新校正云按刺熱注委中在足膝後屈處餘並同此　故經言循脉之分各有所發各隨其過則病瘳也過謂脉所經過處　新校正云詳王氏以委陽為三焦之合按甲乙經云委陽三焦下輔俞也足太陽之別絡三焦之合自在手少陽經天井穴為少陽脉之所入為合詳此六府之合俱引本經所入之穴獨三焦不引本經所入之穴者王氏之誤也王氏但見甲乙經云三焦合于委陽彼說自異彼又以大腸合于巨虛上廉小腸合于下廉此以曲池小海易之故知當以天井穴為合也

帝曰榮衛之氣亦令人痺乎岐伯曰榮者水穀之精氣也和調於五藏灑陳於六府乃能入於脉也正理論曰穀入於胃脉道乃行水入於經其血乃成又靈樞經曰榮氣之道内穀爲寶新校正云按別本寶作實穀入於胃氣傳與肺精專者上行經隧由此故水穀精氣合榮氣運行而入於脉也故循脉上下貫五藏絡六府也榮行脉内故無所不至衛者水穀之悍氣也其氣慓疾滑利不能入於脉也悍氣謂浮盛之氣也以其浮盛之氣故慓疾滑利不能入於脉中也故循皮膚之中分肉之間熏於肓膜散於胷腹皮膚之中分肉之間謂脉外也肓膜謂五藏之間鬲中膜也以其浮盛故能布散於胷腹之中空虚之處熏其肓膜令氣宣通也逆其氣則病從其氣則愈不與風寒濕氣合故不爲痺帝曰善痺或痛或不痛或不仁或寒或熱或燥或濕其故何也岐伯曰痛者寒氣多也有寒故痛也風寒濕氣

客於肉分之間迫切而爲沫得寒則聚聚則排分肉肉裂則痛故有寒則痛也其不痛不仁者病久入深榮衛之行濇經絡時踈故不通新校正云按甲乙經不通作不痛詳甲乙經此條之不痛與不仁兩事後言不痛是再明不痛之爲重也皮膚不營故爲不仁不仁者皮頑不知有無也其寒者陽氣少陰氣多與病相益故寒也病本生於風寒濕氣故陰氣益之也其熱者陽氣多陰氣少病氣勝陽遭陰故爲痺熱遭遇也言遇於陰氣陰氣不勝故爲熱新校正云按甲乙經遭作乘其多汗而濡者此其逢濕甚也陽氣少陰氣盛兩氣相感故汗出而濡也中表相應則相感也帝曰夫痺之爲病不痛何也岐伯曰痺在於骨則重在於脉則血凝而不流在於筋則屈不伸在於肉則不仁在於皮則寒故具此五者則不痛也凡痺之類逢寒則蟲逢熱

則縱帝曰善蟲謂皮中如蟲行縱謂縱緩不相就　新校正云按甲乙經蟲作急

痿論篇第四十四　新校正云按全元起本在第四卷

黃帝問曰五藏使人痿何也痿謂痿弱無力以運動　岐伯對曰肺主身之皮毛心主身之血脉肝主身之筋膜新校正云按全元起本云膜者人皮下肉上筋膜也脾主身之肌肉腎主身之骨髓所主不同痿生亦各歸其所主　故肺熱葉焦則皮毛虛弱急薄著則生痿躄也躄謂攣躄足不得伸以行也肺熱則腎受熱氣故爾　心氣熱則下脉厥而上上則下脉虛虛則生脉痿樞折挈脛縱而不任地也心熱盛則火獨光火獨光則內炎上腎之脉常下行今火盛而上炎用事故腎脉亦隨火炎爍而逆上行也陰氣厥逆火復內燔陰上隔陽下不守位心氣通脉故生脉痿腎氣主足故膝腕樞紐如折去而不相提挈脛筋縱緩而不能任用於地也　肝氣熱則膽泄口苦筋膜乾筋膜乾則筋急而攣

發爲筋痿膽約肝葉而汁味至苦故肝熱則膽液滲泄膽病則口苦今膽液滲泄故口苦也肝主筋膜故熱則筋膜乾而攣急發爲筋痿也八十一難經曰膽在肝短葉間下脾氣熱則胃乾而渴肌肉不仁發爲肉痿脾與胃以膜相連脾氣熱則胃液滲泄故乾而且渴也脾主肌肉今熱薄於內故肌肉不仁而發爲肉痿腎氣熱則腰脊不舉骨枯而髓減發爲骨痿腰爲腎府又腎脉上股內貫脊屬腎故腎氣熱則腰脊不舉也腎主骨髓故熱則骨枯而髓減發則爲骨痿帝曰何以得之岐伯曰肺者藏之長也爲心之蓋也位高而布葉於胸中是故爲藏之長心之蓋有所失亡所求不得則發肺鳴鳴則肺熱葉焦志苦不暢氣鬱故也肺藏氣氣鬱不利故喘息有聲而肺熱葉焦也故曰五藏因肺熱葉焦發爲痿躄此之謂也肺者所以行榮衛治陰陽故引曰五藏因肺熱而發爲痿躄是也悲哀太甚則胞絡絶胞絡絶則陽氣內動發則心下崩數溲血也悲則心系急肺布葉舉而上焦不通榮衛不散熱氣在中故胞絡絶而陽氣內鼓動發則心下崩數溲血也心

下崩謂心包內崩而下並也溲謂溺也　新校正云按楊上善云胞絡者心上胞絡之脉也詳經注中胞字俱當作包全本胞又作肌也故本病曰大經空虛發爲肌痺傳爲脉痿本病古經論篇名也大經謂大經脉也以心崩溲血故大經空虛脉空則熱內薄衛氣盛榮氣微故發爲肌痺也先見肌痺後漸脉痿故曰傳爲脉痿也思想無窮所願不得意淫於外入房太甚宗筋弛縱發爲筋痿及爲白淫思想所願爲祈欲也施寫爲勞損故爲筋痿及白淫也白淫謂白物淫衍如精之狀男子因溲而下女子陰器中綿綿而下也故下經曰筋痿者生於肝使內也下經上古之經名也使內謂勞役陰力費竭精氣也有漸於濕以水爲事若有所留居處相濕肌肉濡漬痺而不仁發爲肉痿業惟近濕居處澤下皆水爲事也平者久而猶怠感之者尤甚矣肉屬於脾脾氣惡濕濕著於內則衛氣不榮故肉爲痿也故下經曰肉痿者得之濕地也陰陽應象大論曰地之濕氣感則害皮肉筋脉此之謂害肉也有所遠行勞倦逢大熱而渴渴則陽氣內伐內伐則熱舍

於腎腎者水藏也今水不勝火則骨枯而髓虛故足不任身發爲骨痿陽氣內伐謂伐腹中之陰氣也水不勝火以熱舍於腎中也故下經曰骨痿者生於大熱也腎性惡燥熱反居中熱薄骨乾故骨痿無力也帝曰何以別之岐伯曰肺熱者色白而毛敗心熱者色赤而絡脉溢肝熱者色蒼而爪枯脾熱者色黃而肉蠕動腎熱者色黑而齒槁各求藏色及所主養而命之則其應也帝曰如夫子言可矣論言治痿者獨取陽明何也岐伯曰陽明者五藏六府之海陽明胃脉也胃爲水穀之海也主閏宗筋宗筋主束骨而利機關也宗筋謂陰髦中橫骨上下之竪筋也上絡胸腹下貫髖尻又經於背腹上頭項故云宗筋主束骨而利機關也然腰者身之大關節所以司屈伸故曰機關衝脉者經脉之海也靈樞經曰衝脉者十二經之海主滲灌谿谷與陽明合於宗筋尋此則橫骨上

內經十二　十

下齊兩傍堅筋正宗筋也衝脉循腹俠齊傍各同身寸之五分而上陽明脉亦俠齊傍各同身寸之一寸五分而上宗筋脉於中故云與陽明合於宗筋也以爲十二經海故主滲灌谿谷也肉之大會爲谷小會爲谿　新校正云詳宗筋脉於中一作宗筋縱於中

陰陽揔宗筋之會會於氣街而陽明爲之長皆屬於帶脉而絡於督脉

宗筋脉會會於橫骨之[illegible]從上而下故云陰陽揔宗筋之會也宗筋俠齊下合於橫而陽明輔其外衝脉居其中故云會於氣街而陽明爲之長也氣街則陰髦兩[illegible]脉動處也帶脉者起於季脇回身一周而絡於督脉也督脉者起於關元上下循腹故云皆屬於帶脉而絡於督脉也督脉任脉衝脉三脉者同起而異行故經文或參差而引之

故陽明虛則宗筋縱帶脉不引故足痿不用也

陽明之脉從缺盆下乳內廉下俠齊至氣街中其支別者起胃下口循腹裏下至氣街中而合以下髀抵伏兔下入膝髕中下循䯒外廉下足跗入中指內間其支別者下膝三寸而別以下入中指外間故陽明虛則宗筋縱緩帶脉不引而足痿弱不可用也引謂牽引

帝曰治之柰何岐伯曰各補其滎而通其俞調其虛實和其逆順筋脉骨肉各以其時受月則病已矣帝曰善

時受月謂受氣

時月位如用土甲乙心王丙丁脾王戊己肺王庚辛腎王壬癸皆王氣法也時受月則正謂五常受氣月也

厥論篇第四十五

新校正云按全元起本在第五卷

黃帝問曰厥之寒熱者何也厥謂氣逆上也世謬傳為腳氣廣飾方論焉岐伯對曰陽氣衰於下則為寒厥陰氣衰於下則為熱厥陽謂足之三陽脉陰謂足之三陰脉下謂足也帝曰熱厥之為熱也必起於足下者何也陽主外而厥在內故問之岐伯曰陽氣起於足五指之表陰脉者集於足下而聚於足心故陽氣勝則足下熱也大約而言之足太陽脉出於足小指之端外側足少陽脉出於足小指次指之端足陽明脉出於足中指及大指之端並循足陽而上肝脾腎脉集於足下聚於足心陰弱故足下熱也新校正云按甲乙經陽氣起於足作走於足起當作走帝曰寒厥之為寒也必從五指而上於膝者何也陰主內而厥在外故問之岐伯曰陰氣起於五指之裏集

於膝下而聚於膝上故陰氣勝則從五指至膝上寒其寒也不從外皆從内也亦大約而言之也足太陰脉起於足大指之端内側足厥陰脉起於足大指之端三毛中足少陰脉起於足小指之下斜趣足心並循足陰而上循股陰入腹故云集於膝下而聚於膝之上也帝曰寒厥何失而然也岐伯曰前陰者宗筋之所聚太陰陽明之所合也宗筋俠齊下合於陰器故云前陰者宗筋之所聚也太陰者脾脉陽明者胃脉脾胃之脉皆輔近宗筋故云太陰陽明之所合　新校正云按甲乙經前陰者宗筋之所聚作厥陰者衆筋之所聚全元起云前陰者厥陰也與王注義異亦自一説春夏則陽氣多而陰氣少秋冬則陰氣盛而陽氣衰此乃天之常道此人者質壯以秋冬奪於所用下氣上爭不能復精氣溢下邪氣因從之而上也質謂形質也奪於所用謂多欲而奪其精氣也氣因於中新校正云按甲乙經氣因於中作所中陽氣衰不能滲營其經絡陽氣日損陰氣獨在故

手足爲之寒也帝曰熱厥何如而然也源其所由爾岐伯曰酒入於胃則絡脈滿而經脈虛脾主爲胃行其津液者也陰氣虛則陽氣入陽氣入則胃不和胃不和則精氣竭精氣竭則不營其四支也前陰爲太陰陽明之所合故胃不和則精氣竭也內精不足故四支無氣以營之此人必數醉若飽以入房氣聚於脾中不得散酒氣與穀氣相薄熱盛於中故熱徧於身內熱而溺赤也夫酒氣盛而慓悍腎氣有衰陽氣獨勝故手足爲之熱也醉飽入房內亡精氣中虛熱入由是腎衰陽盛陰虛故熱注於手足也帝曰厥或令人腹滿或令人暴不知人或至半日遠至一日乃知人者何也暴猶卒也言卒然冒悶不醒覺也不知人謂悶甚不知識人也或謂尸厥岐伯曰陰氣盛於上

則下虚下虚則腹脹滿陽氣盛於上則下氣重上而邪氣逆逆則陽氣亂陽氣亂則不知人也陰謂足太陰陽也新校正云按甲乙經陽氣盛於上五字作腹滿二字當從甲乙經之說何以言之別按甲乙經云陽脈下墜陰脈上爭發尸厥焉有陰氣二[illegible]於上而又言陽氣盛於上又按張仲景云少陰脈不至腎氣微少精血在氣促迫上入胸膈宗氣反聚血結心下陽氣退下熱歸陰股與陰相動令身不仁此為尸厥仲景言陽氣退下則是陽氣不得盛於上故可當從甲乙經也又王注陰謂足太陰亦為未盡按繆刺論云邪客於手足少陰太陰足陽明之絡此五絡皆會於耳中上絡左角五絡俱竭令人身脈皆動而形無知其狀若尸或曰尸厥焉得專解陰為太陰也帝曰善願聞六經脈之厥狀病能也為前問解故請備聞諸經厥也岐伯曰巨陽之厥則腫首頭重足不能行發為眴仆巨陽太陽也足太陽脈起於目內眥上額交巔上其支別者從巔至耳上角其直行者從巔入絡腦還出別下項循肩髆內俠脊抵腰中入循膂絡腎屬膀胱其支別者從腰中下貫臀入膕中其支別者從髆內左右別下貫胂過髀樞循髀外後廉下合膕中以下貫腨內出外踝之後循京骨至小指之端外側由是厥逆外形斯證也腫或作踵非陽明之厥則癲疾欲

走呼腹滿不得卧面赤而熱妄見而妄言足陽明脉起於鼻交頞中下循鼻外入上齒中還出俠口環脣下交承漿却循頤後下廉出大迎循頰車上耳前過客主人循髮際至額顱其支別者從大迎前下人迎循喉嚨入缺盆下膈屬胃絡脾其直行者從缺盆下乳內廉下俠齊入氣街中其支別者起胃下口循腹裏下至氣街中而合以下髀抵伏兔下入膝臏中下循骭外廉下足跗入中指內間其支別者下膝三寸而別以下入中指外間其支別者跗上入大指間出其端故厥如是也顱一爲顴非 少陽之厥則暴聾頰腫而熱脇痛胻不可以運足少陽脉起於目銳眥上抵頭角下耳後循頸行手少陽之前至肩上交出手少陽之後入缺盆其支別者從耳後入耳中出走耳前至目銳眥後其支別者目銳眥下大迎合手少陽於頔下加頰車下頸合缺盆以下胷中貫鬲絡肝屬膽循脇裏出氣街遶毛際橫入髀厭中其直行者從缺盆下掖循胷過季脇下合髀厭中以下循髀陽出膝外廉下入外輔骨之前直下抵絶骨之端下出外踝之前循足跗出小指次指之端故厥如是 太陰之厥則腹滿䐜脹後不利不欲食食則嘔不得卧足太陰脉起於大指之端上膝股內前廉入腹屬脾絡胃上鬲俠咽連舌本散舌下其支別者復從胃別上鬲注心中故厥如是 少陰之厥則口乾溺赤腹滿心痛足少陰脉上股內後廉貫

脊屬腎絡膀胱其直行者從腎上貫肝鬲入肺中循喉嚨俠舌本其支別者從肺出絡心注胸中故厥如是 厥陰之厥則少腹腫痛腹脹涇溲不利好卧屈膝陰縮腫䯒內熱 足厥陰脉去內踝一寸上踝八寸交出太陰之後上膕內廉循股陰入髦中環陰器抵少腹俠胃屬肝絡膽上貫鬲故厥如是矣䯒內熱一本云䯒外熱傳寫行書內外誤也 盛則寫之虛則補之不盛不虛以經取之 不盛不虛謂邪氣未盛真氣未虛如是則以穴俞經法留呼多少而取之 太陰厥逆䯒急攣心痛引腹治主病者 足太陰脉起於大指之端循指內側上內踝前廉上腨內循䯒骨後上膝股內前廉入腹其支別者復從胃別上鬲注心中故䯒急攣心痛引腹也太陰之脉行有左右候其有過者當發取之故言治主病者 新校正云詳從太陰厥逆至篇末全元起本在第九卷王氏移於此 少陰厥逆虛滿嘔變下泄清治主病者 以其脉從腎上貫肝鬲入肺中循喉嚨故如是 厥陰厥逆攣腰痛虛滿前閉譫言 新校正云按全元起云譫言者氣虛獨言也 治主病者 以其脉循股陰入髦中環陰器復上循喉嚨之後絡舌本故如是 新校正云按甲乙經厥陰之經不絡舌本王氏注刺熱篇刺腰痛篇并此三注俱云絡舌本又注風論篇

論名下云絡舌本主注自有異同當以甲乙經爲正三陰俱逆不得前後使人手足寒三日死三陰絕故三日死太陽厥逆僵仆嘔血善衄治主病者以其脈起目內眥又循脊絡腦故如是少陽厥逆機關不利機關不利者腰不可以行項不可以顧以其脈循頸下繞髦際橫入髀厭中故如是發腸癰不可治驚者死足少陽脈貫鬲絡肝屬膽循脇裏出氣街發腸癰則經氣絕故不可治驚者死也陽明厥逆喘欬身熱善驚衄嘔血以其脈循喉嚨入缺盆下鬲屬胃絡脾故如是手太陰厥逆虛滿而欬善嘔沫治主病者手太陰脈起於中焦下絡大腸還循胃口上鬲屬肺故如是手心主少陰厥逆心痛引喉身熱死不可治手心主脈起於胃中出屬心包手少陰脈其支別者從心系上俠咽喉故如是手太陽厥逆耳聾泣出項不可以顧腰不可以俛仰治主病者手太陽脈支別者從缺盆循頸上頰至目銳眥却入耳中其支別者從頰上䪼抵鼻至目內眥故耳聾泣出項不可以顧也腰不可以俛仰脈

不相應恐古錯簡文手陽明少陽厥逆發喉痺嗌腫痓治主病者手陽明脉支別者從缺盆上頸手少陽脉支別者從膻中上出缺盆上項故如是 新校正云按全元起本痓作痙

重廣補注黄帝内經素問卷第十二

風論 癘音利 潰胡對切 腦奴皓切 痺論 肓音荒 痿論 躄必亦切 髖音寬 尻枯敖切 揔音摠 臏音牝 厥論 ⿰幽頁於交切凹也 譫音儋 僵居良切 仆音赴 髦音毛

重廣補注黄帝内經素問卷第十三

啓玄子次注林億孫奇高保衡等奉敕校正孫兆重改誤

病能論　奇病論
大奇論　脉解篇

病能論篇第四十六新校正云按全元起本在第五卷

黄帝問曰人病胃脘癰者診當何如岐伯對曰診此者當候胃脉其脉當沈細沈細者氣逆胃者水穀之海其血盛氣壯今反脉沈細者是逆常平也　新校正云按甲乙經沈細作沈濇太素作沈細逆者人迎甚盛甚盛則熱沈細爲寒寒氣格陽故人迎一脉盛人迎者陽明之脉故盛則熱也人迎謂結喉傍脉動應手者人迎者胃脉也胃脉循喉嚨而入缺盆故云人迎者胃脉也逆而盛則熱聚於胃口而不行故胃脘爲

癰也（血氣壯盛而熱內薄之兩氣合熱故結爲癰也）帝曰善人有卧而有所不安者何也岐伯曰藏有所傷及精有所之寄則安故人不能懸其病也（五藏有所傷損及之水穀精氣有所之寄扶其下則卧安以傷及於藏故人不能懸其病處於空中也　新校正云按甲乙經精有所之寄則安作情有所倚則卧不安太素作精有所倚則不安）帝曰人之不得偃卧者何也（謂不得仰卧也）岐伯曰肺者藏之蓋也（居高布葉四藏下之故言肺者藏之蓋也）肺氣盛則脉大脉大則不得偃卧（肺氣盛滿偃卧則氣促喘奔故不得偃卧也）論在奇恒陰陽中（奇恒陰陽上古經篇名世本闕）帝曰有病厥者診右脉沈而緊左脉浮而遲不然病主安在（不然言不沈也　新校正云按甲乙經不然作不知）岐伯曰冬診之右脉固當沈緊此應四時左脉浮而遲此逆四時在左當主病在腎頗關在肺當腰痛也

（以冬左脉浮而遲浮爲肺脉故言頗關在肺也腰者腎之府故腎受病則腰中痛也）帝曰何以言之岐伯曰少陰脉貫腎絡肺今得肺脉腎爲之病故腎爲腰痛之病也（左脉浮遲非肺來見以左腎不足而脉不能流故得肺脉腎爲病也）帝曰善有病頸癰者或石治之或鍼灸治之而皆已其眞安在（言所攻則異所愈則同欲聞眞法何所在也）岐伯曰此同名異等者也（言雖同曰頸癰然其皮中別異不等也故下云）夫癰氣之息者宜以鍼開除去之夫氣盛血聚者宜石而寫之此所謂同病異治也（息瘜也死肉也石砭石也可以破大癰出膿今以鈹鍼代之）帝曰有病怒狂者（新校正云按太素怒狂作善怒）此病安生岐伯曰生於陽也帝曰陽何以使人狂（怒不慮禍故謂之狂）岐伯曰陽氣者因暴折而難決故善怒也病名曰陽厥（言陽氣被折鬱不散也此人多怒亦曾因暴折而心

不暢陽故爾如是者皆陽逆躁極所生故病名陽厥帝曰何以知之岐伯曰陽明者常動巨陽少陽不動不動而動大疾此其候也言頸項之脉皆動不止也陽明常動者動於結喉旁是謂人迎氣舍之分位也若少陽之動動於曲頰下是謂天窗天牖之分位也若巨陽之動動於項兩傍大筋前陷者中是謂天柱天容之分位也不應常動而反動甚者動當病也　新校正云詳王注以天窗爲少陽之分位天容爲太陽之分位按甲乙經天牎乃太陽脉氣所發天容乃少陽脉氣所發二位交互當以甲乙經爲正也帝曰治之柰何岐伯曰奪其食即巳夫食入於陰長氣於陽故奪其食即已食少則氣衰故節去其食即病自止　新校正云按甲乙經奪作衰大素同也使之服以生鐵洛爲飲新校正云按甲乙經鐵洛作鐵落爲飲作爲後飯夫生鐵洛者下氣疾也之或爲人傳文誤也鐵洛味辛微溫平主治下氣方俗或呼爲鐵漿非是生鐵液也帝曰善有病身熱解墮汗出如浴惡風少氣此爲何病岐伯曰病名曰酒風飲酒中風者也風論曰飲酒中風則爲漏風是亦名漏風也夫極飲

者陽氣盛而腠理䟽玄府開發陽盛則筋痿弱故身体解墮也腠理䟽則風內攻玄府發則氣外泄故汗出如浴也風氣外薄膚腠理開汗出內虛痺熱熏肺故惡風少氣也因酒而病故曰酒風解音介墮徒卧反帝曰治之柰何岐伯曰以澤瀉朮各十分麋銜五分合以三指撮為後飯朮味苦溫平主治大風止汗麋銜味苦寒平主治風溼筋痿澤瀉味甘寒平主治風溼益氣由此功用方故先之飯後藥先謂之後飯所謂深之細者其中手如鍼也摩之切之聚者堅也愽者大也上經者言氣之通天也下經者言病之變化也金匱者決死生揆度者切度之也奇恒者言奇病也所謂奇者使奇病不得以四時死也恒者得以四時死也新校正云按楊上善云得病慱之至於勝時而死此為恒中生喜怒令病次傳者此為奇所謂揆者方切求之也言切求其脉理也度者得其病處以四時度之也凡言所謂者皆釋未了意今此所謂尋前後經文悉不與此篇

義相接似今數句少成文義者終是別釋經文世本既闕第七二篇應彼闕經錯簡文此古文斷裂繆讀於此

○奇病論篇第四十七新校正云按全元起本在第五卷

黃帝問曰人有重身九月而瘖此為何也重身謂身中有身則懷妊者也瘖謂不得言語也任娠九月足少陰脉養胎約氣斷則瘖不能言也岐伯對曰胞之絡脉絕也絕謂脉斷絕而不通流而不能言非天真之氣斷絕也帝曰向以言之岐伯曰胞絡者繫於腎少陰之脉貫腎繫舌本故不能言少陰腎脉也氣不營養故舌不能言帝曰治之柰何岐伯曰無治也當十月復十月胎去胞絡復通腎脉上營故復舊而言也刺法曰無損不足益有餘以成其疹疹謂久病反法而治則胎死不去遂成久固之疹病然後調之新校正云按甲乙經及太素元此四字按全元起注云所謂不治者其身九月而瘖身重不得為治須十月滿生後復如常也然後調之則此四字本全元起注文誤書於此當刪去之所謂無損不足者

身羸瘦無用鑱石也妊娠九月筋骨瘦勞力少身重又拒於穀故身形羸瘦不可以鑱石傷也無益其有餘者腹中有形而泄之泄之則精出而病獨擅中故曰疹成也胎約胞絡腎氣不通因而泄之腎精隨出精液內竭胎則不全胎死腹中著而不去由此獨擅故疹成焉帝曰病脇下滿氣逆二三歲不已是為何病岐伯曰病名曰息積此不妨於食不可灸刺積為導引服藥藥不能獨治也腹中無形脇下逆滿頻歲不愈息且形之氣逆息難故名息積也氣不在胃故不妨於食也灸之則火熱內爍氣化為風刺之則必寫其經轉成虛敗故不可灸刺是可積為導引使氣流行久以藥攻內消瘀稸則可矣若獨憑其藥而不積為導引則藥亦不能獨治之也

帝曰人有身體髀股䯒皆腫環齊而痛是為何病岐伯曰病名曰伏梁以衝脉病故名曰伏梁然衝脉者與足少陰之絡起於腎下出於氣街循陰股內廉斜入膕中循䯒骨內廉並足少陰經下入內踝之後入足下其上行者出齊下同身寸之三寸關元之分俠齊直上循腹各行會於咽喉故身體髀皆腫繞齊而痛名曰

伏梁環謂圓繞如環也此風根也其氣溢於大腸而著於肓肓之原在齊下故環齊而痛也大腸廣腸也經說大腸當言迴腸也何者靈樞經曰迴腸當齊右環迴周葉積而下廣腸附脊以受迴腸左環葉積上下辟大尋此則是迴腸非二言大腸也然大腸迴腸俱與肺合從合而命故通曰大腸也不可動之動之爲水溺濇之病也以衝脉起於腎下出於氣街其上行者起於胞中上出齊下關元之分故動之則爲水而溺濇也動謂齊其毒藥而擊動之使其大下也此一問荅之義與腹中論同以爲奇病故重出於此帝曰人有尺脉數甚筋急而見此爲何病筋急謂掌後尺中兩筋急也脉要精微論曰尺外以候腎尺裏以候腹中今尺脉數急脉數爲熱熱當筋緩反尺中筋急而見腹中筋當急故問爲病乎靈樞經曰熱即筋緩寒則筋急岐伯曰此所謂疹筋是人腹必急白色黑色見則病甚腹急謂俠齊豎筋俱急以尺裏候腹中故見尺中筋急則必腹中拘急矣色見謂見於面部也夫相五色者白爲寒黑爲寒故二色見病彌甚也帝曰人有病頭痛以數歲不已此安得之名爲何病頭痛之疾不當踰月數年不愈故怪而問之也

岐伯曰當有所犯大寒内至骨髓髓者以腦爲主腦逆故令頭痛齒亦痛（夫腦爲髓主齒是骨餘腦逆反寒骨亦寒入故令頭痛齒亦痛）病名曰厥逆帝曰善（全注人先生於腦緣有腦則有骨髓齒者骨之本也）帝曰有病口甘者病名爲何何以得之岐伯曰此五氣之溢也名曰脾癉（癉謂熱也脾熱則四藏同禀故五氣上溢也生因脾熱故曰脾癉）夫五味入口藏於胃脾爲之行其精氣津液在脾故令人口甘也（脾熱内滲津液在脾胃穀化餘精氣隨溢口通脾氣故口甘津液在脾是脾之濕）此肥美之所發也（新校正云按太素發作致）此人必數食甘美而多肥也肥者令人内熱甘者令人中滿故其氣上溢轉爲消渴（食肥則腠理密陽氣不得外泄故肥令人内熱甘者性氣和一而發散逆故甘令人中滿然内熱則陽氣炎上炎上則欲飲欲飲而嗌乾中滿則陳氣有餘有餘則脾氣上溢故曰其氣上溢轉爲消渴也陰陽應象大論曰辛甘發散爲陽靈樞經曰甘多食之令人

悶然從中滿以生之　新校正云按甲乙經消渴作消癉治之以蘭除陳氣也蘭謂蘭草也神農曰蘭草味辛熱平利水道辟不祥胷中痰澼也除謂去也陳謂久也言蘭除陳久甘肥不化之氣者以辛能發散故也藏氣法時論曰辛者散也　新校正云按本草蘭平不言熱也帝曰有病口苦取陽陵泉口苦者病名爲何何以得之岐伯曰病名曰膽癉亦謂熱也膽汁味苦故口苦　新校正云按全元起本及太素無口苦取陽陵泉六字詳前後文勢疑此爲誤夫肝者中之將也取決於膽咽爲之使靈蘭秘典論曰肝者將軍之官謀慮出焉膽者中正之官決斷出焉肝與膽合氣性相通故諸謀慮取決於膽咽膽相應故咽爲使焉　新校正云按甲乙經曰膽者中精之府五藏取決於膽咽爲之使疑此文誤此人者數謀慮不決故膽虚氣上溢而口爲之苦治之以膽募俞胷腹曰募背脊曰俞膽募在乳下二肋外期門下同身寸之五分俞在脊第十椎下兩傍相去各同身寸之一寸半治在陰陽十二官相使中言治法具於彼篇今經已亡帝曰有癃者一日數十溲此不足也身熱如炭頸

膺如格人迎躁盛喘息氣逆此有餘也是陽氣太盛於外陰氣不足故有餘也新校正云詳此十五字舊作文寫按甲乙經太素並無此文再詳乃是全元起注後人誤書於此今作注書太陰脉微細如髮者此不足也其病安在名爲何病癃小便不得也溲小便也頸膺如格言頸與胸膺如相格拒不順應也人迎躁盛謂結喉兩傍脉動盛滿急數非常躁速也胃脉也太陰脉微細如髮者謂手大指後同身寸之一寸骨高脉動處脉則肺脉也此正手太陰脉氣之所流可以候五藏也岐伯曰病在太陰其盛在胃頗在肺病名曰厥死不治病癃數溲身熱如炭頸膺如格息氣逆者皆手太陰脉當洪大而數今太陰脉反微細如髮者是病與脉相反也何以致之肺氣逆陵於胃而爲是上使人迎躁盛也故曰病在太陰其盛在胃也以喘息氣逆故云頗亦在肺也病因氣逆證不相應故病名曰厥死不治也此所謂得五有餘二不足也帝曰何謂五有餘二不足岐伯曰所謂五有餘者五病之氣有餘也二不足者亦病氣之不足也今外得五有餘内得

二不足此其身不表不裏亦正死明矣外五有餘者一身熱如炭二頸膺如
格三人迎躁盛四喘息五氣逆也內二不足者一病癃一日數十溲二太陰脈微細如髮夫如是者謂其病在表則內有二不足謂其病在裏則外得五有餘
表裏既不可憑補寫固難爲法故曰此其身不表不裏亦正死明矣帝曰人生而有病巔疾者病
名曰何安所得之夫一日病者皆生於風雨寒暑陰陽喜怒也然始生有形未犯邪氣已有巔疾豈邪氣素傷邪故問之
巔謂上巔則頭首也岐伯曰病名爲胎病此得之在母腹中時其
母有所大驚氣上而不下精氣并居故令子發爲巔
疾也精氣謂陽之精氣也帝曰有病痝然如有水狀切其脈大緊
身無痛者形不瘦不能食食少名爲何病痝然謂面目浮起而色雜也大
緊謂如弓弦也大即爲氣緊即爲寒寒氣內薄而反無痛與衆別異常故問之也岐伯曰病生在腎名爲
腎風脈如弓弦大而且緊勞氣內稸寒復內爭勞氣薄寒故化爲風風勝於腎故曰腎風腎風而不能食善

驚驚已心氣痿者死腎水受風心火痿弱火水俱困故必死帝曰善

大奇論篇第四十八

新校正云按全元起本在第九卷

肝滿腎滿肺滿皆實即爲腫滿謂脈氣滿實也腫謂癰腫也藏氣滿乃如是肺之雍喘而兩胠滿肺藏氣而外主息其脈支別者從肺系橫出腋下故喘而兩胠滿也新校正云詳肺雍肝雍腎雍甲乙經俱作癰肝雍兩胠滿臥則驚不得小便肝之脈循股陰入髦中環陰器抵少腹上貫肝鬲布脇肋故胠滿不得小便也肝壅驚駭故臥則驚腎雍脚下至少腹滿新校正云按甲乙經脚下作胠下脚當作胠不得言脚下至少腹也脛有大小髀骭大跛易偏枯衝脈者經脈之海與少陰之絡俱起於腎下出於氣街循陰股內廉斜入膕中循骭骨內廉並少陰之經下入內踝之後入足下其上行者出齊下同身寸之二寸故如是昔血氣變易爲偏枯也心脈滿大癇瘛筋攣心脈滿大則肝氣下流熱氣內薄筋乾血涸故癇瘛而筋攣肝脈小急癇瘛筋攣肝養筋內藏血肝氣受寒故癇瘛而筋攣脈小急者寒也肝脈鶩暴有所驚駭鶩謂馳鶩言其

迅急也陽氣內薄故發爲驚也脉不至若瘖不治自已肝氣若厥厥則脉不通厥退則脉復通矣又其脉布
脇肋循喉嚨之後故脉不至若瘖不治亦自已腎脉小急肝脉小急心脉小急不鼓
皆爲瘕小急爲寒甚不鼓則血不流血不流而寒薄故血內凝而爲瘕也腎肝并沈爲石水肝脉
入陰內貫小腹腎脉貫脊中絡膀胱兩藏并藏氣熏衝脉自腎下絡於胞今水不行化故堅而結然腎主水水冬冰水宗於腎腎象水而沈故氣并而沈名爲
石水　新校正云詳腎肝并沈至下并小弦欲驚全元起本在厥論中王氏移於此并浮爲風水脉浮爲風下焦主水風薄於下故名
風水并虛爲死腎爲五藏之根肝爲發生之主二者不足是生主俱微故死并小弦欲驚脉小弦爲肝腎不足
故爾腎脉大急沈肝脉大急沈皆爲疝疝者寒氣結聚之所爲也夫脉沈爲實脉急爲痛氣
實寒薄聚故爲絞痛爲疝心脉搏滑急爲心疝肺脉沈搏爲肺疝皆寒薄於藏故
也三陽急爲瘕三陰急爲疝太陽受寒血凝爲瘕太陰受寒氣聚爲疝二陰急爲癇
厥二陽急爲驚二陰少陰也二陽陽明也　新校正云詳二陽急爲瘕至此全元起本在厥論王氏移於此脾脉

外鼓沈爲腸澼久自已外鼓謂鼓動於臂外也肝脉小緩爲腸澼易治肝脉小緩爲脾乘肝故易治腎脉小搏沈爲腸澼下血小爲陰氣不足搏爲陽氣乘之熱在下焦故下血也血溫身熱者死血溫身熱是陰氣衰敗故死心肝澼亦下血肝藏血心養血故澼皆下血也二藏同病者可治心火肝木木火相生故可治之其脉小沈濇爲腸澼心肝脉小而沈濇者澼也其身熱者死熱見七日死腸澼下血而身熱者是火氣內絶去心而歸於外也故死火成數七故七日死胃脉沈鼓濇胃外鼓大心脉小堅急皆鬲偏枯外鼓謂不當尺寸而鼓擊於臂外側也男子發左女子發右陽主左陰主右故陰陽應象大論曰左右者陰陽之道路此其義也不瘖舌轉可治三十日起偏枯之病瘖不能言腎與胞脉內絶也胞脉繫於腎腎之脉從腎上貫肝鬲入肺中循喉嚨俠舌本故氣內絶則瘖不能言也其從者瘖三歲起從謂男子發左女子發右也病順左右而瘖不能言三歲治之乃能起年不滿二十者三歲死以其五藏始定血氣方剛藏始定則

易傷氣方剛則甚可二[illegible]甚費故三歲死也脉至而搏血衄身熱者死血衄爲二脉不應搏今反脉搏
是氣極乃然故死脉來懸鉤浮爲常脉以其爲血衄者之常脉也脉至如喘名曰
暴厥喘謂卒來盛急去而便衰如人之喘狀也暴厥者不知與人言所謂暴厥之候如此脉至
如數使人暴驚脉數爲熱熱則內動肝心故驚三四日自已數爲心脉木被火干病非肝生不與
邪合故三日後四日自除所以爾者木生數三也脉至浮合如浮波之合後至者凌前速疾而動無常候也浮合如
數一息十至以上是經氣予不足也微見九十日死
脉至如火薪然是心精之予奪也草乾而死薪然之火燄燄燄不
定其形而便絕也脉至如散葉是肝氣予虛也木葉落而死如散
葉之隨風不常其狀　新校正云按甲乙經散葉作叢棘脉至如省客省客者脉塞而鼓是
腎氣予不足也懸去棗華而死脉塞而鼓謂纔見不行旋復去也懸謂如懸物物動而絕去也

脉至如丸泥是胃精予不足也榆莢落而死如珠之轉是謂丸泥脉至如横格是膽氣予不足也禾熟而死脉長而堅如横木之在指下也脉至如弦縷是胞精予不足也病善言下霜而死不言可治胞之脉繫於腎腎之脉俠舌本人氣不足者則當不能言今反善言是真氣內絕去腎外歸於舌也故死脉至如交漆交漆者左右傍至也微見三十日死左右傍至言如瀝漆之交左右反戾　新校正云按甲乙經交漆作交棘脉至如涌泉浮鼓肌中太陽氣予不足也少氣味韭英而死如水泉之動但出而不入脉至如頹土之狀按之不得是肌氣予不足也五色先見黑白壘發死頹土之狀謂浮之大而虛耎按之則無　新校正云按甲乙經頹土作委土脉至如懸雍懸雍者浮揣切之益大是十二俞之予不足也水凝而死如顙中之懸雍也　新校正云按全元

起本懸癰作懸離元起注云懸離者言脈與肉不相得也脈至如偃刀偃刀者浮之小急按之堅大急五藏菀熟寒熱獨并於腎也如此其人不得坐立春而死菀積也熟熱也脈至如丸滑不直手不直手者按之不可得也是大腸氣予不足也棗葉生而死脈至如華者令人善恐不欲坐卧行立常聽是小腸氣予不足也季秋而死脈至如華謂似華虛弱不可正取也小腸之脈上入耳中故常聽也

脈解篇第四十九新校正云按全元起本在第九卷

太陽所謂腫腰脽痛者正月太陽寅寅太陽也脽謂臀肉也正月三陽生主建寅三陽謂之太陽故曰寅太陽也正月陽氣出在上而陰氣盛陽未得自次也正月雖三陽生而天氣尚寒以其尚寒故曰陰氣盛陽未得自次次謂立王之次也故腫腰脽痛

也 以其脈抵腰背中入貫臀過髀樞故爾 病偏虛為跛者正月陽氣凍解地氣而出也所謂偏虛者冬寒頗有不足者故偏虛為跛也 以其脈循股內後廉合膕中下循腨過外踝之後循京骨至小指外側故也 新校正云詳王氏云其脈循股內殊非按甲乙經太陽流注不到股內股內乃髀外之誤當云髀外後廉 所謂強上引背者陽氣大上而爭故強上也 強上謂頸項噤強也甚則引背矣所以爾者以其脈從腦出別下項背故也 所謂耳鳴者陽氣萬物盛上而躍故耳鳴也 以其脈支別者從巔至耳上角故爾 所謂甚則狂巔疾者陽盡在上而陰氣從下下虛上實故狂巔疾也 以其脈上額交巔上入絡腦還出其支別者從巔至耳上角故狂巔疾也正言上曰巔 所謂浮為聾者皆在氣也 亦以其脈至耳故也 所謂入中為瘖者陽盛已衰故為瘖也 陽氣盛入中而薄於胞腎則胞絡腎絡氣不通故瘖也胞之脈繫於腎腎之脈俠舌本故瘖不能言也 內奪而厥則為瘖

徘此腎虚也腓腨也腎之脉與衝脉並出於氣街循陰股内廉斜入膕中循骭骨内廉及内踝之後入足下故腎氣内奪
而不順則舌瘖足廢故云此腎虚也　新校正云詳王注云腎之脉與衝脉並出按甲乙經是腎之絡非腎之脉況王注痿論并奇病論大奇論並云腎之絡
則此脉字當爲絡少陰不至者厥也少陰腎脉也若腎氣内脱則少陰脉不至也少陰之脉不至是則太陰之氣逆
上而行也少陽所謂心脇痛者言少陽盛也盛者心之所表
也心氣逆則少陽盛心氣宜木外鏁肺金故盛者心之所表也九月陽氣盡而陰氣盛故心
脇痛也足少陽脉循脇裏出氣街心主脉循胷出脇故爾火墓於戌故九月陽氣盡而陰氣盛也所謂不可反
側者陰氣藏物也物藏則不動故不可反側也所謂
甚則躍者躍謂跳躍也九月萬物盡衰草木畢落而墮則氣
去陽而之陰氣盛而陽之下長故謂躍亦以其脉循髀陽出膝外廉下入外
輔之前直下抵絶骨之端下出外踝之前循足跗故氣盛則令人跳躍也陽明所謂洒洒振寒者陽明

肯午也五月盛陽之陰也（陽盛以明故云午也五月夏至一陰氣上陽氣降下故云盛陽之陰也）陽盛而陰氣加之故洒洒振寒也（陽氣下陰氣升故云陽盛而陰氣加之也）所謂脛腫而股不收者是五月盛陽之陰也陽者衰於五月而一陰氣上與陽始爭故脛腫而股不收也（以其脉下髀抵伏兎下入膝臏中下循䯒外廉下足跗入中指內間又其支別者下膝三寸而別以下入中指外間故爾）所謂上喘而爲水者陰氣下而復上上則邪客於藏府間故爲水也（藏脾也府胃也足太陰脉從足走腹足陽明脉從頭走足今陰氣微下而太陰上行故云陰氣下而復上也復上則所下之陰氣不散客於脾胃之間化爲水也）所謂胷痛少氣者水氣在藏府也水者陰氣也陰氣在中故胷痛少氣也（水停於下則氣鬱於上氣鬱於上則肺滿故胷痛少氣也）所謂甚則不惡人與火聞木音則惕然而驚者陽氣與陰

氣相薄水火相惡故惕然而驚也所謂欲獨閉戶牖而處者陰陽相薄也陽盡而陰盛故欲獨閉戶牖而居惡喧故爾所謂病至則欲乘高而歌棄衣而走者陰陽復爭而外并於陽故使之棄衣而走也新校正云詳所謂甚則厥至此與前陽明脉解論相通所謂客孫脉則頭痛鼻鼽腹腫者陽明并於上上者則其孫絡太陰也故頭痛鼻鼽腹腫也太陰所謂病脹者太陰子也十一月萬物氣皆藏於中故曰病脹陰氣大盛太陰始於子故云子也以其脉入腹屬脾絡胃故病脹也所謂上走心爲噫者陰盛而上走於陽明陽明絡屬心故曰上走心爲噫也按靈樞經説足陽明流注並無至心者太陰脉説云其支别者復從胃别上膈注心中法應以此絡爲陽明絡也新校正云詳王氏以足陽明流

注並無至心者按甲乙經陽明之脉上通於心循咽出於口宜其經言陽明絡屬心爲噫王氏安得謂之無所謂食則嘔者物盛滿而上溢故嘔也以其脉屬脾絡胃上鬲俠咽故也所謂得後與氣則快然如衰者十二月陰氣下衰而陽氣且出故曰得後與氣則快然如衰也少陰所謂腰痛者少陰者腎也十月萬物陽氣皆傷故腰痛也少陰者腎脉也腰爲腎府故腰痛也所謂嘔欬上氣喘者陰氣在下陽氣在上諸陽氣浮無所依從故嘔欬上氣喘也以其脉從腎上貫肝鬲入肺中故病如是也所謂色色新校正云詳色色字疑誤不能久立久坐起則目䀮䀮無所見者萬物陰陽不定未有主也秋氣始至微霜始下而方殺萬物陰陽內奪故目䀮䀮無所見也所謂少氣善怒

者陽氣不治陽氣不治則陽氣不得出肝氣當治而未得故善怒善怒者名曰煎厥所謂恐如人將捕之者秋氣萬物未有畢去陰氣少陽氣入陰陽相薄故恐也所謂惡聞食臭者胃無氣故惡聞食臭也所謂面黑如地色者秋氣內奪故變於色也所謂欬則有血者陽脉傷也陽氣未盛於上而脉滿滿則欬故血見於鼻也厥陰所謂㿗疝婦人少腹腫者厥陰者辰也三月陽中之陰邪在中故曰㿗疝少腹腫也（以其脉循股陰入髦中環陰器抵少腹故爾）所謂腰脊痛不可以俛仰者三月一振榮華萬物一俛而不仰也所謂㿗癃疝膚脹者曰陰亦

盛而脉脹不通故曰癲疾也所謂甚則嗌乾熱中者陰陽相薄而熱故嗌乾也此一篇殊與前後經文不相連接別釋經脉發病之源與靈樞經流注略同所指殊異　新校正云詳此篇所解多甲乙經是動所生之病雖復少有異處大槩則不殊矣

重廣補注黃帝內經素問卷第十三

病能論　解音介　墮徒卧切　撮子括切　奇病論　鑱鋤銜切　疨丑刀切　稸音蓄　大奇論　睒弋念切　瞥蒲滅切　揣初委切　脉解論　脽音蛆

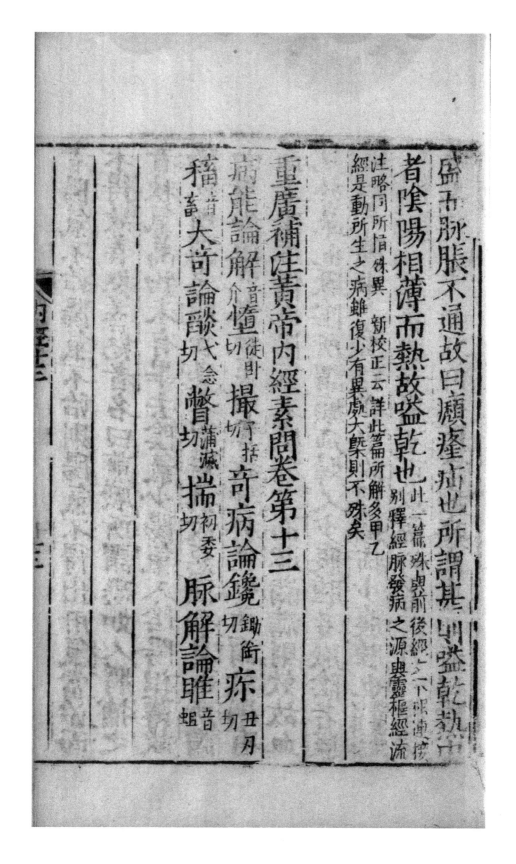

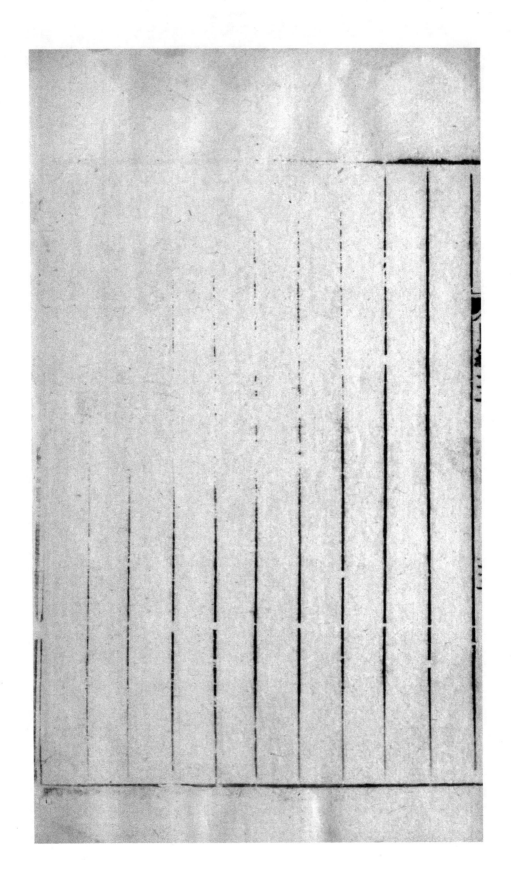